Franz Mußner

Dieses Geschlecht wird nicht vergehen

FRANZ MUSSNER

Dieses Geschlecht wird nicht vergehen

Judentum und Kirche

„Wie man Trauben findet in der Wüste,
so fand ich Israel.“

Hosea 9,10

HERDER
FREIBURG · BASEL · WIEN

BS
2417
.J4
M87
1991

Alle Rechte vorbehalten – Printed in Germany
© Verlag Herder Freiburg im Breisgau 1991
Herstellung: Freiburger Graphische Betriebe 1991
ISBN 3-451-22305-8

Vorwort

Das Thema „Judentum und Kirche" hat mich nicht mehr losgelassen. Neue Beiträge zu ihm schrieb ich vor allem für Festschriften und die Zeitschrift KAIROS. Ein Teil von ihnen ist bereits erschienen, wurde aber für die Zweitveröffentlichung in diesem Band da und dort leicht überarbeitet und mit weiteren Literaturhinweisen versehen. Die übrigen sind für diesen Band erst verfaßt worden. Ich danke den Herausgebern und Verlegern für die Erlaubnis zum Wiederabdruck. Ich danke vor allem auch dem Verlag Herder, daß er sich auf meine Anfrage hin spontan bereit erklärt hat, ihn in sein Verlagsprogramm aufzunehmen. Aus den verschiedenen Entstehungszeiten, den verschiedenen Erscheinungsorten und der Unerschöpflichkeit des behandelten Themas erklärt es sich, daß gelegentliche Wiederholungen vorkommen und auch die Zitationsweise nicht durchgehend einheitlich ist. Ich bitte dafür um Verständnis.

So liegt nun eine „Trilogie" vor: Der „Traktat über die Juden" (München 1979, [2]1988; übersetzt in fünf Weltsprachen); „Die Kraft der Wurzel. Judentum – Jesus – Kirche" (Freiburg – Basel – Wien 1987, [2]1989); „Dieses Geschlecht wird nicht vergehen".

„Denk daran, mein Gott, und laß mir all das zugute kommen, was ich für dieses Volk getan habe" (Neh 5, 19).

Mächtige Impulse für das Thema „Judentum und Kirche" empfing ich durch die Kommentierung des Jakobus- und Galaterbriefs (vgl. F. Mußner, Der Jakobusbrief, Freiburg – Basel – Wien [5]1987, Der Galaterbrief, Freiburg – Basel – Wien [5]1988).

Ich danke Frau *Rosa Stein* für die sorgfältige Schreibarbeit und dem Bischöflichen Ordinariat Passau für den namhaften Druckkostenzuschuß.

Ich widme diesen Band meinem Bischof Dr. h. c. *Franz Xaver Eder* zum 65. Geburtstag mit herzlichsten Glückwünschen und dem Andenken an meinen unvergeßlichen Lehrer *Friedrich Wilhelm Maier.*

Passau, 31. Januar 1991 *Franz Mußner*

Inhalt

Katholisch-Jüdischer Dialog seit 1945

Überblick und Bemerkungen *

Bei der Fülle von weltweiten Äußerungen aus katholischem Munde zum Thema „Judentum" seit dem Ende des Zweiten Weltkriegs ist es schlechthin unmöglich, diese auch nur auszugsweise in einem Vortrag zu Gehör zu bringen[1]. Es muß eine Auswahl getroffen werden, bei der ich mir Mühe gab, diese so zu treffen, daß vor allem Verlautbarungen von besonderem Rang und besonderer Bedeutung und Tragweite für den katholisch-jüdischen Dialog zur Sprache gebracht werden, wobei ich mich wiederum auf päpstlich-römische und solche aus dem bundesdeutschen Raum beschränken muß. Ich gehe dabei so vor, daß ich aus diesen Verlautbarungen Zitate bringe, zu denen ich Bemerkungen mache.

I. Konzil, Vatikan und Papst

Katholischerseits kann es gar nicht anders sein, als daß an erster Stelle das Dekret des II. Vatikanischen Konzils *„Nostra Aetate"* (Abschnitt 4) genannt wird, gebilligt, beschlossen und verordnet von Papst Paul VI. am 28. Oktober 1965. Papst Johannes Paul II. hat zum Abschnitt 4 dieses Dekrets in seiner Ansprache beim Besuch der Großen Synagoge Roms am 13. April 1986 bemerkt: „Die entscheidende Wende im Ver-

---

* Unveröffentlichtes Referat auf dem Deutsch-deutschen Symposion zum christlich-jüdischen Verhältnis vom 10.–14. Oktober 1988 in Köln. Zugleich ehre ich mit diesem Referat Prof. David *Flusser,* meinen jüdischen Fachkollegen in Jerusalem, mit dem mich eine jahrelange Bekanntschaft verbindet. Flusser hat mit seinem Lebenswerk entscheidend mitgeholfen, die jüdischen Wurzeln des Christentums tiefer und genauer zu erfassen und den Christen den *Juden* Jesus näherzubringen. Dafür gebührt ihm der Dank der christlichen Theologen.

[1] Die beste Hilfe bei der Erarbeitung des Referats bot mir das umfangreiche Quellenwerk „Die Kirchen und das Judentum. Dokumente von 1945 bis 1985", hg. von *R. Rendtorff* und *H. H. Henrix* (Paderborn/München [2]1989, 746 S.), mit einem Vorwort von Bischof Dr. Paul-Werner Scheele (Vorsitzender der Ökumene-Kommission der Deutschen Bischofskonferenz) und Bischof Dr. Hans-Gernot Jung (Stellvertretender Vorsitzender des Rates der Evangelischen Kirche in Deutschland). Der Band bringt alle katholischen und evangelischen Verlautbarungen von theologischem Rang, dazu „Jüdische Verlautbarungen" und „Gemeinsame christlich-jüdische Verlautbarungen".

hältnis der katholischen Kirche zum Judentum und zu den einzelnen Juden ist mit diesem kurzen, aber prägnanten Abschnitt eingetreten" (Dokumente, 108f). Der Abschnitt des Dekrets „Nostra Aetate", der über das Verhältnis und Verhalten der katholischen Kirche zum Judentum handelt, ist in der Tat kurz, aber prägnant, und die Entstehungsgeschichte des Dekrets „zählt zu den bewegtesten Vorgängen des Zweiten Vatikanischen Konzils" (H. H. Henrix); die Hintergrundkämpfe waren dramatisch[2]. Die Wirkung, die von dem Dekret ausging, war bedeutend. Seine Hauptaussagen[3]:

- Die Kirche ist „mit dem Stamm Abrahams geistlich verbunden".
- Die Kirche hat von Israel die Offenbarung des Alten Bundes empfangen, die ihren schriftlichen Niederschlag im „Alten Testament" gefunden hat[4].
- Die Kirche wird genährt von der „Wurzel des guten Ölbaums"[5].
- Die Kirche anerkennt die heilsgeschichtlichen Vorzüge Israels, wie sie vom Apostel Paulus in Röm 9,4f aufgezählt werden[6].
- Jesus, seine Mutter Maria, seine Apostel und „die meisten jener ersten Jünger, die das Evangelium Christi der Welt verkündet haben", stammen aus dem Judentum[7].
- Die Juden sind „immer noch von Gott geliebt um der Väter willen" (vgl. Röm 11,28b).
- Die Kirche wartet zusammen mit den Juden auf den „Tag des Herrn", der erst die endgültige Erlösung der Welt bringen wird[8].

---

[2] Über sie berichtet eingehend *J. Österreicher* in LThK, Kommentare (zu den Konzilsbeschlüssen) (Freiburg - Basel - Wien 1967) II, 406–478.

[3] Vgl. dazu *F. Mußner,* Traktat über die Juden (München ²1988) 388–391.

[4] Vgl. auch Dogmatische Konstitution über die göttliche Offenbarung „Dei Verbum" vom 18. Nov. 1965 (Nr. 14): „Die Geschichte des Heiles liegt, von heiligen Verfassern vorausverkündet, berichtet und gedeutet, als wahres Wort Gottes vor in den Büchern des Alten Bundes; darum behalten diese von Gott eingegebenen Schriften ihren unvergänglichen Wert"; sie vermitteln „Wissen über Gott und Mensch und erschließen die Art und Weise, wie der gerechte und barmherzige Gott an den Menschen zu handeln pflegt ... Ein lebendiger Sinn für Gott drückt sich in ihnen aus. Hohe Lehren über Gott, heilbringende, menschliche Lebensweisheit, wunderbare Gebetsschätze sind in ihnen aufbewahrt".

[5] Vgl. dazu auch *F. Mußner,* Traktat (s. Anm. 3) 68–74; *ders.,* Die Kraft der Wurzel. Judentum - Jesus - Kirche (Freiburg - Basel - Wien ²1989) 153–159.

[6] Dazu Näheres bei *F. Mußner,* Traktat (s. Anm. 3) 45–47.

[7] Vgl. auch *L. Volken,* Jesus der Jude und das Jüdische im Christentum (Düsseldorf 1983).

[8] Damit hängt das Thema „Verheißungsüberschuß" zusammen, d.h. die Erkenntnis und Erfahrung, daß durch Jesus von Nazareth noch keineswegs alle Verheißungen der Propheten eingelöst wurden, wie etwa die Ansage des alle Völker umspannenden Friedens und der sozialen Gerechtigkeit für alle. „Das Judentum schärft dem Christentum die Erfahrung der Unerlöstheit der Welt ein ... Und so reizt Israel die Kirche zur Hoffnung"

- Im Hinblick auf das reiche geistliche Erbe Israels[9] verpflichtet sich die Kirche, „die gegenseitige Kenntnis und Achtung zu fördern".
- Die Juden dürfen „nicht als von Gott verworfen oder verflucht" angesehen werden. Das Konzil lehrt ausdrücklich, daß die Ereignisse des Leidens Jesu „weder allen damals lebenden Juden ohne Unterschied noch den heutigen Juden" zur Last gelegt werden dürfen.

Im Zusammenhang mit dem gerade zuletzt erwähnten Punkt sei gleich die Änderung der *Karfreitagsfürbitte* für die Juden erwähnt (vgl. dazu Dokumente, 56–60). Seit 1971 lautet sie so: „Laßt uns auch beten für die Juden, zu denen Gott zuerst gesprochen hat, daß sie seinen Namen immer mehr lieben und in Treue fortschreiten auf dem Weg, den sein Bund ihnen gewiesen hat ... Allmächtiger, ewiger Gott, du hast Abraham und seinen Kindern deine Verheißung gegeben. Wir bitten dich für das Volk, das du dir von alter Zeit her erwählt hast: laß es zur Fülle des Heils gelangen. Durch Christus unseren Herrn". Im Missale Romanum, das seit 1570 bis zur Liturgiereform benutzt wurde, lautete die Fürbitte (in deutscher Übersetzung) so: „Lasset uns beten für die treulosen Juden, daß Gott, unser Herr, wegnehme den Schleier von ihren Herzen, auf daß auch sie erkennen unsern Herrn Jesus Christus ... Allmächtiger, ewiger Gott, der du sogar die treulosen Juden von deiner Erbarmung nicht ausschließest, erhöre unser Flehen, das wir ob jenes Volkes Verblendung dir darbringen: auf daß es das Licht deiner Wahrheit, welche Christus ist, erkenne und seinen Finsternissen entrissen werde".

Die vatikanische „Kommission für die religiösen Beziehungen zum Judentum", errichtet am 22. Oktober 1974 beim Sekretariat für die Förderung der Einheit der Christen, erließ am 1. Dezember 1974 „*Richtlinien und Hinweise* für die Durchführung der Konzilserklärung Nostra Aetate, Artikel 4", die sich als „einige erste Vorschläge zur praktischen Durchführung auf verschiedenen Ebenen des Lebens der Kirche" verstehen, „mit dem Ziel einer gesunden Entwicklung der Beziehungen zwischen den Katholiken und ihren jüdischen Brüdern". Die Vorschläge beziehen sich auf den *Dialog*, der verstanden wird als „ein hervorragendes Mittel zur Erlangung eines besseren gegenseitigen Verstehens und eines tieferen Bewußtseins von dem Reichtum der eigenen Tradition. Das gilt besonders vom jüdisch-christlichen Dia-

(*J. Moltmann*, Kirche in der Kraft des Geistes. Ein Beitrag zur messianischen Ekklesiologie, München 1975, 170). Vgl. auch noch meinen „Traktat über die Juden" (s. Anm. 3) 374–376.

[9] Im „Traktat" habe ich versucht, unter der Überschrift „Das große Glaubenserbe Israels", das geistliche Erbe Israels, das der Kirche zugeflossen ist, thematisch zu gliedern und zu erläutern (vgl. ebd. 88–175).

log. Eine weitere Bedingung des Dialogs ist der Respekt gegenüber der Eigenart des anderen, besonders gegenüber seinem Glauben und seinen religiösen Überzeugungen". Sie beziehen sich ferner auf die *Liturgie,* auf *Lehre und Erziehung* und auf *soziale und gemeinschaftliche Aktion.* Das kann hier nicht näher mit Zitaten belegt werden, aber wenigstens die folgenden Sätze aus den „Richtlinien" seien zitiert: „Die Geschichte des Judentums geht nicht mit der Zerstörung Jerusalems zu Ende. Und in ihrem weiteren Verlauf hat sich eine religiöse Tradition entwickelt, deren Ausgestaltung jedenfalls reich an religiösen Werten ist, wenn sie auch, wie wir glauben, nach Christus eine zutiefst verschiedene Bedeutung hat". Und: „Das Problem der Beziehungen zwischen Juden und Christen ist ein Anliegen der Kirche als solcher, denn sie begegnet dem Mysterium Israels bei ihrer Besinnung auf ihr eigenes Geheimnis".

Dieselbe Kommission hat am 24. Juni 1985 „*Hinweise* für eine richtige Darstellung von Juden und Judentum in der Predigt und in der Katechese der katholischen Kirche" erlassen[10]. Nach „Vorüberlegungen" behandeln die „Hinweise" folgende Themen:

1. Religionsunterricht und Judentum (darin der Satz: „Es geht nicht nur darum, in unseren Gläubigen die Reste von Antisemitismus, die man noch hie und da findet, auszurotten, sondern viel eher darum, mit allen erzieherischen Mitteln in ihnen eine richtige Kenntnis des völlig einzigartigen ‚Bandes' (vgl. Nostra Aetate, 4) zu erwecken, das uns als Kirche an die Juden und das Judentum bindet").

2. Beziehungen zwischen Altem und Neuem Testament (darin die Sätze: „Es ist also wahr und muß auch unterstrichen werden, daß die Kirche und die Christen das Alte Testament im Lichte des Ereignisses von Tod und Auferstehung Christi lesen und daß es in dieser Hinsicht eine christliche Art, das Alte Testament zu lesen, gibt, die nicht notwendigerweise mit der jüdischen zusammenfällt. Christliche Identität und jüdische Identität müssen deshalb in ihrer je eigenen Art der Bibellektüre sorgfältig unterschieden werden. Dies verringert jedoch in keiner Weise den Wert des Alten Testaments in der Kirche und hindert die Christen nicht daran, ihrerseits die Traditionen der jüdischen Lektüre differenziert und mit Gewinn aufzunehmen").

3. Jüdische Wurzeln des Christentums (mit dem Eingangssatz: „Jesus war Jude und ist es immer geblieben"). In diesem Abschnitt werden auch die ambivalenten Beziehungen Jesu zu den Pharisäern

[10] In deutscher Übersetzung zugänglich gemacht vom Sekretariat der Deutschen Bischofskonferenz in der Reihe „Arbeitshilfen" (als Heft 44), versehen mit einer ausgezeichneten Einführung und Analyse von Hans Hermann *Henrix.*

behandelt, m.E. recht gut (darin der Satz: „Jesus teilt mit der Mehrheit der damaligen palästinischen Juden pharisäische Glaubenslehren").

4. Die Juden im Neuen Testament. Es geht in diesem Abschnitt zunächst um den im Johannesevangelium häufig begegnenden und mit einem negativen Akzent besetzten Ausdruck „die Juden". Dazu wird, m.E. mit Recht, bemerkt: „Es ist ... nicht ausgeschlossen, daß gewisse feindselige oder wenig schmeichelhafte Erwähnungen der Juden im historischen Zusammenhang der Konflikte zwischen der entstehenden Kirche und der jüdischen Gemeinde stehen. Gewisse Polemiken spiegeln Bedingungen wider, unter denen die Beziehungen zwischen Juden und Christen sehr lange nach Jesus bestanden."[11] Da ist dann auch von der „schmerzliche(n) Tatsache" die Rede, „daß die Mehrheit des jüdischen Volkes und seine Behörden nicht an Jesus geglaubt haben", was „zum unvermeidlichen Bruch zwischen dem Judentum und der jungen Kirche geführt" hat; in der „Redaktion der Texte des Neuen Testaments, besonders in den Evangelien", spiegle sich „diese Lage wider", was richtig ist[12]. „Dennoch hebt dieser Bruch sicher nicht das geistliche ‚Band' auf, wovon das Konzil spricht..."

5. Liturgie.

6. Judentum und Christentum in der Geschichte (1. Satz: „Die Geschichte Israels ist mit dem Jahr 70 nicht zu Ende ..."!). „Was die Existenz und die politischen Entscheidungen des Staates Israel betrifft, so müssen sie in einer Sichtweise betrachtet werden, die nicht in sich selbst religiös ist, sondern sich auf die allgemeinen Grundsätze internationalen Rechts beruft": auch dieser Satz der „Hinweise" scheint mir richtig zu sein, ebenso die gleich folgenden: „Der Fortbestand Israels ... ist eine historische Tatsache und ein Zeichen im Plan Gottes, das Deutung erheischt. Auf jeden Fall muß man sich von der traditionellen Auffassung freimachen, wonach Israel ein bestraftes Volk ist, aufgespart als lebendes Argument für die christliche Apologetik. Es bleibt das auserwählte Volk, der gute Ölbaum, in den die Heiden als wilde Schößlinge eingepfropft sind ..." Es wird dann hingewiesen, „von wie großer ununterbrochener geistiger Schöpferkraft diese Fort-

---

[11] Vgl. zu diesen „Polemiken", gerade am Ende des 1. Jh. n.Chr., etwa *W. Wiefel*, Die Scheidung von Gemeinde und Welt im Johannesevangelium auf dem Hintergrund der Trennung von Kirche und Synagoge, in: ThZ 35 (1979) 213–227; *K. Wengst*, Bedrängte Gemeinde und verherrlichter Christus. Der historische Ort des Johannesevangeliums als Schlüssel zu seiner Interpretation (Neukirchen/Vluyn 1981; 3., völlig neu bearbeitete Auflage: 1990); *G. Reim*, Zur Lokalisierung der johanneischen Gemeinde, in: BZ, NF 32 (1988) 72–86.

[12] Vgl. dazu *F. Mußner*, Die Kraft der Wurzel (s. Anm. 5) 164–171 („Das Neue Testament als Dokument für den Ablösungsprozeß der Kirche von Israel").

dauer Israels begleitet ist – in der rabbinischen Epoche, im Mittelalter und in der Neuzeit ...“

7. Schluß, in dem noch bemerkt wird: „Insbesondere ist eine peinliche Unkenntnis der Geschichte und der Traditionen des Judentums festzustellen, deren negative und oft verzerrte Aspekte allein zum allgemeinen Rüstzeug vieler Christen zu gehören scheinen“, was in der Tat leider bis heute der Fall ist. Auf jeden Fall stellen die „Hinweise“ ein ganz bedeutendes Dokument dar.

Ich gehe über zu der *Ansprache des Papstes* Johannes Paul II. an den Zentralrat der Juden in Deutschland und die Rabbinerkonferenz am 17. November 1980 in *Mainz*, in der es dem Papst nicht bloß „um die Berichtigung einer falschen religiösen Sicht des Judenvolkes“ ging, „welche die Verkennungen und Verfolgungen im Laufe der Geschichte zum Teil mitverursachte, sondern vor allem um den Dialog“ zwischen Christen und Juden. Der Papst sprach dabei von drei Dimensionen dieses Dialogs:

„Die erste Dimension dieses Dialogs, nämlich die Begegnung zwischen dem Gottesvolk des von Gott nie gekündigten Alten Bundes und dem des Neuen Bundes, ist zugleich ein Dialog innerhalb unserer Kirche, gleichsam zwischen dem ersten und zweiten Teil ihrer Bibel“ (unter Hinweis auf die „Richtlinien“). Was ja nicht überhört werden darf, ist besonders auch dies, daß der Papst dabei (im Anschluß an Röm 11,27) von dem „von Gott nie gekündigten Alten Bund“ sprach, wo doch die christlichen Theologen lange (z. T. bis heute noch) so tun und reden, als habe Gott den Juden wegen ihrer „Verstockung“ Jesus und dem Evangelium gegenüber den Bund, den er einst mit Abraham, dem Stammvater Israels, und mit dem Volk Israel am Sinai geschlossen hat, aufgekündigt und sein Volk „verstoßen“, wo doch der Apostel Paulus genau das Gegenteil lehrt (vgl. Röm 11, 1 f.29). Diese Rede des Papstes vom „nie gekündigten Bund“ muß die christliche Theologie endlich rezipieren und die Konsequenzen daraus ziehen[13].

„Eine zweite Dimension unseres Dialogs – die eigentliche und zentrale – ist die Begegnung zwischen den heutigen christlichen Kirchen und dem heutigen Volk des mit Mose geschlossenen Bundes“ – der Ton liegt dabei ganz offensichtlich auf „heutig“!

Die „dritte Dimension“ besteht für den Papst darin, daß sich Juden und Christen „gemeinsam für den Frieden und die Gerechtigkeit unter allen Menschen und Völkern einsetzen“[14].

---

[13] Vgl. *F. Mußner*, „Der von Gott nie gekündigte Bund“. Fragen an Röm 11,27; in diesem Band S. 39–49 (dort noch weitere Literatur zum Thema).

[14] Vgl. dazu auch *H. Heinz*, Damit die Erde menschlich bleibt. Gemeinsame Verantwor-

Man überhöre nicht, was der Papst in Mainz dann weiter so formulierte: „Im Lichte dieser abrahamitischen Verheißung und Berufung blicke ich mit Ihnen auf das Schicksal und die Rolle Ihres Volkes unter den Völkern. Gern bete ich mit Ihnen um die Fülle des Schalom für alle Ihre Volks- und Glaubensbrüder *und auch für das Land,* auf das alle Juden mit besonderer Verehrung blicken ... Möchten bald alle Völker in Jerusalem versöhnt und in Abraham gesegnet sein!"

Diese Begegnung in Mainz stellt zweifellos einen besonderen Höhepunkt dar. Aber als Höhepunkt schlechthin darf zweifellos der *Besuch der Großen Synagoge in Rom* durch den Papst am 13. April 1986 angesehen werden, zu dem die Initiative vom Papst ausgegangen war und der allgemein als ein historisches Ereignis bewertet wurde. Der Papst sagte in seiner Rede, daß er das Erbe des Papstes Johannes XXIII. übernehmen wolle. Er sprach von dem „während des letzten Krieges gegen das jüdische Volk beschlossenen Genozid, der zum Holocaust von Millionen unschuldiger Opfer geführt hat". Er erinnerte an seinen Besuch in Auschwitz am 7. Juni 1979. Er kam dann auf das Konzilsdekret „Nostra Aetate" zu sprechen und hob daraus *drei Punkte* besonders hervor:

Erster Punkt: Die „Bindung" der Kirche zum Judentum. „Die jüdische Religion ist für uns nicht etwas ‚Äußerliches', sondern gehört in gewisser Weise zum ‚Innern' unserer Religion. Zu ihr haben wir somit Beziehungen wie zu keiner anderen Religion; Ihr seid unsere bevorzugten Brüder und, so könnte man gewissermaßen sagen, unsere älteren Brüder".

Zweiter Punkt: Den Juden als Volk darf „keine ewigwährende oder kollektive Schuld wegen der ‚Ereignisse des Leidens (Jesu)' angelastet werden, weder den Juden jener Zeit noch den späteren, noch den heutigen. Haltlos wird also jede angeblich theologische Rechtfertigung für Maßnahmen der Diskriminierung oder, schlimmer noch, der Verfolgung".

Dritter Punkt: Es ist „nicht erlaubt zu sagen, die Juden seien ‚verworfen oder verflucht', als würde dies von der Heiligen Schrift des Alten oder Neuen Testaments gelehrt oder könnte aus ihr gefolgert werden ..."

Am Schluß seiner Rede dankte der Papst und pries Gott „für diese glückliche Begegnung und für die Wohltaten, die sich schon jetzt dar-

---

tung von Juden und Christen für die Zukunft, in: Zentralkomitee der deutschen Katholiken, Berichte und Dokumente 63 (Febr. 1987), 20–28; *F. Mußner,* Gemeinsame Aufgaben und Ziele von Juden und Christen gegenüber der modernen Welt, in diesem Band S. 121–130.

aus ergeben, für die wiedergefundene Brüderlichkeit und für das neue, tiefere Einvernehmen zwischen uns hier in Rom und zwischen der Kirche und dem Judentum überall, in jedem Land – zum Wohl aller“[15].

II. Bundesrepublik Deutschland

Die Bischöfe der Kölner und Paderborner Kirchenprovinz wiesen bereits in einem Gemeinsamen Hirtenwort „Die Ehrfurcht vor Gott und Mensch“ vom 29. Juni 1945 voller Trauer auf die „Zerstörung, die dieser entsetzlichste und grausamste aller Kriege anrichtete“, hin, und sie schrieben: „Erschüttert stehen wir vor der Offenbarung so furchtbarer Gewalttaten in den Konzentrationslagern, vor dem Versuch, ganze Volksschaften zu vernichten, vor den verabscheuenswertesten Verbrechen, die Abgründe gottloser Menschenverachtung offenbaren ...“. Die Juden werden aber dabei nicht ausdrücklich genannt. In dem gemeinsamen Hirtenbrief der Deutschen Bischöfe vom 23. August 1945 heißt es zwar: „Wir beklagen es zutiefst: Viele Deutsche, auch aus unseren Reihen (der katholischen Christen), haben sich von den falschen Lehren des Nationalsozialismus betören lassen, sind bei den Verbrechen gegen menschliche Freiheit und menschliche Würde gleichgültig geblieben; viele leisteten durch ihre Haltung den Verbrechen Vorschub, viele sind selber Verbrecher geworden“, aber der millionenfachen Opfer unter den Juden wird nur indirekt gedacht mit dem Satz: „Gerührt erinnern wir uns all derer, die ihr karges tägliches Brot mit einem unschuldig verfolgten Nichtarier teilten und Tag für Tag gewärtig sein mußten, daß ihnen mit ihrem Schützling ein furchtbares Los bereitet werde“.

Deutlich sprach dann der 72. Deutsche Katholikentag in Mainz in seiner Entschließung zur „Judenfrage“ vom September 1948 (s. Dokumente, 239). In ihr ist die Rede von den „öffentlich unwidersprochen gebliebenen Verbrechen über die *Menschen jüdischen Stammes“.* Und besonders deutlich sprach Konrad Kardinal von Preysing (Bistum Berlin) in seinem Hirtenwort vom 9. November 1949, in dem es u. a. heißt: „Wie ihr wißt, sind durch die frühere Regierung über 5 000 000 Juden ermordet worden. Greise und Kinder wurden nicht verschont. Es war ein Verbrechen, das beispiellos dasteht“. Es folgte eine Erklärung der Deutschen Bischöfe zum Eichmann-Prozeß vom 31. Mai 1961, ferner

[15] Hingewiesen sei hier noch auf *E. Fisher,* Pope John Paul II's Pilgrimage of Reconciliation: A Commentary on the Texts, in: Pope John Paul II, On Jews and Judaism 1979–1986 (Washington 1987) 7–19.

ein „Gebet für die ermordeten Juden und ihre Verfolger" vom 31. Mai 1961 (darin der Satz: „Wir bekennen vor Dir: Mitten unter uns sind unzählige Menschen gemordet worden, weil sie dem Volke angehörten, aus dem der Messias dem Fleische nach stammt").

Während der 3. Sitzungsperiode des II. Vatikanischen Konzils gaben die in Rom versammelten Bischöfe der Fuldaer Bischofskonferenz folgende Presseerklärung ab: „Wir deutschen Bischöfe begrüßen das Konzilsdekret über die Juden. Wenn die Kirche im Konzil eine Selbstaussage macht, kann sie nicht schweigen über ihre Verbindung mit dem Gottesvolk des Alten Bundes. Wir sind überzeugt, daß diese Konzilsdeklaration Anlaß zu einem erneuerten Kontakt und einem besseren Verhältnis zwischen Kirche und dem jüdischen Volk gibt.

Wir deutschen Bischöfe begrüßen das Dekret besonders deshalb, weil wir uns des schweren Unrechts bewußt sind, das im Namen unseres Volkes an den Juden begangen worden ist". Das ist endlich eine deutliche Sprache.

Diese findet sich dann auch in den folgenden drei Papieren:

1. Im „Beschluß" der Gemeinsamen Synode der Bistümer in der Bundesrepublik Deutschland: „Unsere Hoffnung. Ein Bekenntnis zum Glauben in dieser Zeit" vom 22. November 1975. Daraus folgende Sätze: „Wir sind das Land, dessen jüngste politische Geschichte von dem Wunsch verfinstert ist, das jüdische Volk systematisch auszurotten. Und wir waren in dieser Zeit des Nationalsozialismus ... aufs Ganze gesehen doch eine kirchliche Gemeinschaft, die zu sehr mit dem Rücken zum Schicksal dieses verfolgten jüdischen Volkes weiterlebte, deren Blick sich so stark von der Bedrohung ihrer eigenen Institutionen fixieren ließ und die zu den an Juden und Judentum verübten Verbrechen geschwiegen hat ... Daß Christen sogar bei dieser Verfolgung mitgewirkt haben, bedrückt uns besonders schwer". Das ist eine ehrliche und redliche Sprechweise, ohne Versuche der Selbstrechtfertigung.

2. In dem Arbeitspapier des Gesprächskreises „Juden und Christen" beim Zentralkomitee der deutschen Katholiken: „Theologische Schwerpunkte des jüdisch-christlichen Gesprächs" vom 8. Mai 1979. Dieses „Arbeitspapier" stellt zwar keine lehramtliche Verlautbarung dar, jedoch „eine theologische Studie von Rang und Bedeutung" (H. H. Henrix). An ihm haben achtzehn Katholiken und sechs Juden mehr als zwei Jahre gearbeitet. Aus der Gliederung des Papiers geht genügend das Anliegen hervor, das seine Bearbeiter bewegt hat:

I. Warum das Gespräch suchen?

II. Bedingungen eines Dialogs, der den Juden als Juden und den Christen als Christen betrifft. Daraus zwei Sätze: „Die christliche Kirche, die sich ‚Volk Gottes' nennt, darf nicht vergessen, daß die gegenwärtige Existenz des Judentums Zeugnis dafür ablegt, daß derselbe Gott noch heute in Treue zu jener Erwählung steht, durch die er Israels Gott wurde und Israel zu seinem Volk gemacht hat. Darum versteht der Christ seine eigene Würde und Erwählung nicht angemessen, wenn er die Würde und Erwählung des Judentums von heute nicht zur Kenntnis nimmt und zu verstehen sucht".

III. Zentrale Themen des Dialogs. Als solche werden genannt: 1. Weggemeinschaft von Juden und Christen (hier wird in ernsthafter Weise auch das heikle Thema der Christologie aufgenommen!), 2. Der gemeinsame Auftrag, 3. Die Kontroverse um Gesetz und Gnade, die neu zu überdenken sei.

3. In der „Erklärung" der Deutschen Bischöfe „Über das Verhältnis der Kirche zum Judentum" vom 28. April 1980, die „den Charakter verbindlicher lehramtlicher Äußerung über das Verhältnis der katholischen Kirche zum Judentum" besitzt und „ein von der gesamten Deutschen Bischofskonferenz getragenes Wort für katholische Christen" ist (H. H. Henrix). „Es ist mein dringender Wunsch, daß diese Erklärung geistiges Gut aller Katholiken in Deutschland werde!": so der Papst in seiner Ansprache vor dem Zentralrat der Juden in Deutschland in Mainz. Dieser Wunsch hat sich zwar ganz sicher noch nicht erfüllt, wie sich leider immer wieder zeigt. Die „Erklärung", an der ich mitarbeiten durfte, gliedert sich so:

I. Jesus Christus – unser Zugang zum Judentum (mit der Einleitung: „Wer Jesus Christus begegnet, begegnet dem Judentum").

II. Das geistliche Erbe Israels für die Kirche (Das „Alte Testament"; der Monotheismus, wie er im „S'ma Israel" zum Ausdruck kommt; der eine und einzige Gott als der Schöpfer der Welt; der Mensch als „Abbild" Gottes; der Bundesgedanke; die messianische Hoffnung und mit ihr das Denken auf Zukunft hin; der Dekalog als Grundlage wahren Gemeinschaftslebens der Menschheit; der Lobpreis Gottes (Psalmen!); Grundhaltungen vor Gott wie Gottesfurcht, Gehorsam, Gotteserkenntnis, Umkehr, „Gedenken", Liebe, Vertrauen (emunā), Heiligung des Alltags. Dazu die „Erklärung": diese Grundhaltungen „sind keine ‚Entdeckungen' der Kirche, sondern gehören zu der geistlichen Mitgift Israels an die Kirche, die sie in ihrer Mission wiederum in die Völkerwelt weitergibt, freilich in Christus neu und endgültig begründet". Aus dem geistlichen Erbe Israels werden ferner jene Ereignisse genannt, „in denen das Heilshandeln Gottes am Menschen konkrete geschichtliche Tat und so erfahrbar wird. Insbesondere sei auf folgende verwiesen, die miteinander zusammenhängen: Exodus, Pascha (Pessach), Leiden, Gericht, Auferstehung".

III. Die Grundaussagen der Schrift und der Kirche über das Verhältnis von Kirche und Judentum: 1. Das Zeugnis des Neuen Testaments, wobei negative und positive Aussagen des Neuen Testaments über die Juden zur Sprache kommen. 2. Aussagen der katholischen Kirche (über das Verhältnis der Kirche zum Judentum – davon war oben schon eingehend die Rede). 3. Aussagen anderer Kirchen.

IV. Glaubensunterschiede (Schon-Anbruch der eschatologischen Gottesherrschaft in Jesus Christus; der Glaube an Jesus Christus als den Messias und den menschgewordenen Sohn Gottes: ein Bekenntnis, das Juden und Christen bis heute voneinander trennt; die „Rechtfertigung" des Menschen aus diesem Glauben, nicht mehr „aus den Werken des Gesetzes" (Paulus!).

V. Umdenken gegenüber dem Judentum (Einleitender Satz: „Allzu oft ist in der Kirche, besonders in Predigt und Katechese, in falscher und entstellender Weise über das Judentum gesprochen worden. Falsche Einstellungen waren die Folge. Wo immer Fehlurteile und Fehlhaltungen vorliegen, sind unverzüglich Umdenken und Umkehr geboten", vor allem gegenüber Gegebenheiten, die oft Anlaß zum christlichen Antijudaismus wurden).

Folgende Punkte werden genannt:

- Der Ausdruck „die Juden" im Johannesevangelium, der oft zu Unrecht auf alle Juden ausgedehnt wurde.
- „Die Pharisäer", über die sehr viel Ungerechtes und Falsches in Exegese, Predigt und Katechese gesagt wurde, was mit der historischen Bewegung der Pharisäer nichts zu tun hat.
- Die richtige Sicht des jüdischen „Toralebens"[16].
- Die Juden sind nicht das Volk der „Gottesmörder".
- Bitte um Vergebung an die Juden.
- Gebet für die ermordeten Juden.

VI. Gemeinsame Aufgaben:

- Verwirklichung des Willens Gottes in der Welt.
- Prophetischer Protest gegen bestehendes Unrecht im wirtschaftlichen und sozialen Bereich, gegen alle ideologische Unterdrückung.
- Eintritt für den „schalom" in aller Welt, wobei der hebräische Begriff ein umfassender Begriff ist, der Frieden, Freude, Freiheit, Versöhnung, Gemeinschaft, Harmonie, Gerechtigkeit, Wahrheit, Kommunikation, Menschlichkeit in sich schließt.
- Keine innerweltliche „Vollendung der Geschichte" durch den Menschen selbst. Nur Gott schenkt das endgültige Heil, bis „Gott alles in allem ist" (1 Kor 15,28).

[16] Vgl. dazu *F. Mußner,* Die Kraft der Wurzel (s. Anm. 5) 13–26.

Das ist der reiche Inhalt der „Erklärung". Man hat jüdischerseits an ihr ausgesetzt, daß sie das „Land-Thema" nicht anspreche. Es war in der Tat schwierig, dieses Thema in die „Erklärung" einzubringen – wahrscheinlich befürchteten die Bischöfe eine „Politisierung" der „Erklärung". Aber das „Land-Thema" ist doch, wenn auch in etwas versteckter Weise, enthalten; es ist in ihr die Rede von den Bundesschlüssen, „wobei Gott dem Abraham die eidliche Zusicherung zur Erfüllung der Landverheißung gibt" (II, 5); und es ist im Anschluß an Apg 1,6–8 von der „Wiederherstellung des verheißenen Reiches" die Rede, „wie sie schon die Propheten des Alten Bundes angekündigt haben" (III, 1 c).

Der Dialog ist im Gang; er wird und muß weitergehen, zum Segen für Israel und die Kirche.

Ich schließe mit den Worten des französischen Kardinals Roger Etchegaray, die er auf der 6. Vollversammlung der Bischofssynode in Rom am 4. Oktober 1983 gesprochen hat (Dokumente, 219):

„Die große, die unvermeidliche Frage, die sich die Kirche stellt, ist die der fortdauernden Berufung des jüdischen Volkes, die seiner Bedeutung für die Christen selbst. Es genügt nicht, den Reichtum unseres gemeinsamen Erbes zu entdecken. Ohne etwas von ihrer Originalität zu verlieren, wird die Kirche sich infolge des Zweiten Vatikanischen Konzils allmählich bewußt, daß sie um so mehr erblüht, als sie aus ihrer jüdischen Wurzel lebt ... Solange das Judentum außerhalb unserer Heilsgeschichte bleibt, werden wir antisemitischen Reflexen ausgeliefert sein".

Wer ist „dieses Geschlecht“ in Mk 13,30 Parr.?

Auf diese Frage sind sehr verschiedene Antworten gegeben worden, vor allem diese[1]: Die jüdischen Zeitgenossen Jesu; das jüdische Volk überhaupt; die Menschheit als ganze; die gläubigen Christen; die ungläubige Menschheit der Endzeit. Nach E. Lövestam[2] ist „dieses Geschlecht“ in Mk 13,30 „not only one in a line of evil ‚generations‘ which have been struck by the judgements of God. It is the ‚generation‘ of the fulfilment, on its way towards the end of the world with its radical judgement“; und dies würde deshalb eine dringende Mahnung an die Menschen „dieser Generation“ implizieren, nämlich diese: Kehrt um! Das Logion von Mk 13,30 Parr. sei in seinem Kontext „not a matter of calculating dates and times but of being continuously ready for the end of the world and the coming of the Son of Man“.

E. Brandenburger meint in seiner zweifellos sehr bedeutsamen Monographie „Markus 13 und die Apokalyptik“[3]: Markus stellt von *seinem* Standpunkt aus, nach B. nach dem Jahr 70 n. Chr., „die Gemeinde auf den im Geheimnis der Zeiten beschlossenen Fortbestand der gegenwärtigen Weltzeit ein, begrenzt diesen aber zugleich sehr nachdrücklich“[4], nämlich mit dem Hinweis, dieses Geschlecht werde nicht vergehen, bis dies alles geschehen sei, wobei man die Lebenszeit einer Generation „mit etwa 30 Jahren anzusetzen“ habe[5]. Doch läßt Brandenburger dabei die Frage unbeantwortet, wer eigentlich mit „dieser Generation“ gemeint sei; es scheint aber, daß er an die Menschheitsge-

---

[1] Vgl. dazu *E. Lövestam*, The ἡ γενεὰ αὕτη Eschatology in Mk 13,30 parr., in: *J. Lambrecht* (Hg.), L'Apocalypse johannique et l'Apocalyptique dans le Nouveau Testament (Gembloux 1980) 403–413 (404, mit näheren Literaturangaben).

[2] Ebd. 412f.

[3] Göttingen 1984 (= FRLANT 134). Die Bedeutung von Brandenburgers Buch scheint mir besonders darin zu liegen, daß er überzeugend nachzuweisen vermag, daß es sich bei Mk 13 primär um ein „apokalyptisches Lehrgespräch“ (im Anschluß an die jüdische Apokalyptik) handelt und nicht primär um Paränese (vgl. dazu ebd. 9–20). B. will u.a. zeigen, „daß und wie in Markus 13 apokalyptische Motive, Gattungselemente und Denkmuster viel breiter nicht nur das vormarkinische Traditionsmaterial, sondern gerade auch die Markus-Komposition prägen“ (12).

[4] Ebd. 120.

[5] Ebd.

neration vor der Parusie denkt – Markus vertritt nach B. „eine gemäßigte Naherwartung"[6].

Häufig wird auch behauptet, das Syntagma in Mk 13,30 Parr. sei mit einem pejorativen Akzent zu lesen; so meint etwa auch Lövestam: „ἡ γενεὰ αὕτη in the New Testament has a pejorative accent formulated in the accompanying adjectives and/or via the context (Mk 8,12; Lk 17,25). ‚This generation' is a ‚generation' of unbelief".[7] Ein Überblick über das synoptische Material betr. „dieses Geschlecht" zeigt nach L. – und darin hat er recht –, „that the expression is almost always found in contexts where people's negative attitude to Jesus, the Son of Man, is in view ... It is thus the negative, rejecting attitude of people to God's Messianic act of salvation in Jesus, the Son of Man, which causes the negative qualification when talking about ‚this (evil) generation'"[8]. In Mk 13,30 Parr. fehlt allerdings ein negativ qualifizierendes Attribut, so daß es, methodisch gesehen, nicht richtig ist, hier schnell Analogien herzustellen, in dem Sinn: In Mk 13,30 Parr. sei von vornherein an ein böses, ungläubiges Geschlecht gedacht.

Um in der Frage, an wen bei dem Syntagma „dieses Geschlecht" in Mk 13,30 Parr. gedacht ist, speziell bei Markus selbst, Klarheit zu gewinnen, seien folgende Überlegungen angestellt.

1. Der in Mk 13,30 mit einer Temporalkonjunktion eingeleitete Teilsatz „bis dies alles geschehen ist" bezieht sich zurück auf die unmittelbar vorausgehende Aussage „nicht vergehen wird dieses Geschlecht". „Dieses Geschlecht *wird nicht vergehen,* bis dies alles geschehen ist": eine Beteuerung („wahrlich, ich sage euch"), die begründend durch den asyndetisch angeschlossenen Satz unterstützt wird: „Der Himmel und die Erde werden vergehen, aber meine Worte werden nicht vergehen" – das Asyndeton kann nach Ausweis der Grammatik begründende Funktion haben[9]. Es liegen nacheinander drei prophetisch klingende Sätze mit einem gemeinsamen Stichwort („vergehen") vor:

- Dieses Geschlecht wird nicht *vergehen*
- Der Himmel und die Erde werden *vergehen*
- Meine Worte werden nicht *vergehen*

---

[6] Ebd. Setzt man mit B. die Lebenszeit einer Generation mit etwa 30 Jahren an, dann hätte Markus die Parusie um die Jahre 100–110 n. Chr. erwartet!

[7] A. a. O. 409.

[8] Ebd. 410f. L. bringt dabei auch reiches diachronisches Material mit pejorativem Akzent auf dem Begriff „Generation" und zwar vor allem mit Blick auf die Sintflut- und Exodusgeneration.

[9] Vgl. *E. Mayser,* Grammatik der griechischen Papyri aus der Ptolemäerzeit II/3 (Berlin-Leipzig 1934) 182.

Die zweite Ansage klingt kosmisch-universal („der Himmel und die Erde" = der gesamte Kosmos). Die dritte Ansage bezieht sich auf die „Worte" Jesu, der – jedenfalls für Markus – mit dem auf den Wolken des Himmels erscheinenden Menschensohn (13,26) identisch ist. Dieser „Menschensohn" ist ebenfalls eine „kosmische" Gestalt, der seine Erwählten bei seiner Parusie von überall her durch seine Engel sammeln wird (vgl. 13,27): ein universales „Weltgeschehen"!

In der ersten Ansage, bezogen auf „dieses Geschlecht", liegt durch das „dies alles" (ταῦτα πάντα) in dem dazugehörigen temporalen Zielsatz („bis") ebenfalls eine „kosmisch-universale" Dimension vor: „dies alles" bezieht sich auf das weltumspannende Endgeschehen. ταῦτα πάντα hat ja seinen unmittelbaren Rückbezug auf das ταῦτα (γινόμενα) des V. 29a („wenn ihr dies geschehen seht"), und dies wieder hat seinen Rückbezug vor allem auf die Ansage des Erscheinens des Menschensohnes auf den Wolken des Himmels, wie doch auch wohl aus V. 29b hervorgeht: ἐγγύς ἐστιν ἐπὶ θύραις[10] („es steht nahe vor den Türen"). „Beidesmal weist ταῦτα ... auf V. 24f. als das Nächstmögliche" (Brandenburger)[11], jedoch unter Einschluß der Parusie des Menschensohnes, die von kosmischen Katastrophen begleitet ist (so auch nach Brandenburger). Das schließt aber in sich, daß die prophetische Ansage vom Nicht-Vergehen „dieses Geschlechts" bis zur Parusie gültig ist. „Dieses Geschlecht" dabei auf eine „Generation von 30 Jahren" zu beschränken, scheint mir mit Lövestam (s.o.) nicht möglich zu sein, wenn es auch schwierig ist, das Demonstrativpronomen „dieses" (Geschlecht) auf Vorausgehendes oder Nachfolgendes im Kontext zu beziehen; ein solcher Bezug fehlt. Und zu behaupten, der Satz „dieses Geschlecht wird nicht vergehen", sei als Ausdruck von Naherwartung zu verstehen (unter Berufung auf das demonstrative „dieses"), beruht auf einer unbegründbaren Vorentscheidung, die sich in einem circulus vitiosus bewegt. Denn es stimmt nicht, was J. Gnilka in seinem Markus-Kommentar zu Mk 13,30 bemerkt: „Für sich genommen, bezeugt das Wort eine intensive Naherwartung", mit der Begründung: „Denn die altbiblische Wendung ‚dieses Geschlecht' muß auf die Zeitgenos-

[10] Daß in V.29b mit dem, was nahe vor den Türen steht, der himmlische Menschensohn jedenfalls mitanvisiert ist, ist die Meinung vieler Exegeten. *J. Gnilka:* „In der Wendung ἐγγύς ἐστιν ἐπὶ θύραις sind Gericht, Heil und Richter zusammengeschlossen" (Das Evangelium nach Markus II [EKK II/2] [Einsiedeln-Neukirchen 1979] 205); *J. Ernst:* „Man wird an das Gericht, an die Erlösung und die Vollendung der Gottesherrschaft, aber auch an den Menschensohn-Richter denken dürfen. Das Türbild ... gibt der personalen Deutung einen gewissen Vorrang" (Das Evangelium nach Markus, RNT [Regensburg 1981] 389).

[11] A.a.O. 121.

sen bezogen werden".[12] Diese Schlußfolgerung ist zudem gegen die Lehre der Semantik, nach der ein Lexem oder ein Syntagma ihre semantische Valeur durch den jeweiligen Kontext erhalten.

Es bleibt also nach wie vor die Frage, wer mit „diesem Geschlecht" gemeint ist; und zwar in den Augen des Redaktors Markus[13]. Es mag sein, daß die „Vorlage", die Markus bearbeitet hat – um ihre Rekonstruktion hat sich Brandenburger nicht ohne Erfolg bemüht –, eine Nächsterwartung vertreten hat, da sie mit einer gewissen Wahrscheinlichkeit „das Scheusal der Verwüstung" (Mk 13,14) auf die Tempelzerstörung im Jahre 70 n.Chr. bezog, wie viele Ausleger, mit ihnen auch Brandenburger, annehmen. Markus jedoch zertrümmert durch seine Redaktionsarbeit diese Nächsterwartung, indem er (nach Brandenburger) eine „gemäßigte Naherwartung" an ihre Stelle setzt, die die durch den himmlischen Menschensohn herbeizuführende Heilswende um eine Generation verschiebt – also auf die Jahre 100–110 n.Chr. (s. unsere Anm. 6). Das würde aber in sich schließen, daß Markus selbst den Termin des Parusieereignisses kennen würde, wo doch nach seiner eigenen Aussage in 13,32 „niemand jenen Tag oder die Stunde" der Parusie kennt, „auch nicht der Sohn, sondern nur der Vater"! Es scheint mir unmöglich zu sein, daß Markus diesen dann offensichtlichen Selbstwiderspruch bei seiner Redaktionsarbeit nicht erkannt hätte.

Man muß deshalb feststellen, daß die prophetische Ansage über „dieses Geschlecht, das nicht vergeht, bis dies alles geschehen ist" in Mk 13,30 keine Naherwartung impliziert, so daß eine Identifizierung „dieses Geschlechts" mit den Zeitgenossen Jesu oder jenen der vormarkinischen Traditionsträger oder jenen des Redaktors Markus nicht möglich ist. Der Text sagt nur, daß „dieses Geschlecht nicht vergeht, bis dies alles geschehen ist", wobei die Prophetie sich in der Ansage vom *„Nicht-Vergehen"* dieses Geschlechts manifestiert. So bleibt nur der Schluß: *Entweder* meint „dieses Geschlecht" die ganze Menschheit, die vor der Parusie des Menschensohnes nicht „vergehen" wird, evtl. mit Blick auf die verblendete Menschheit, die zur Umkehr aufgerufen wird (so Lövestam)[14]. *Oder* „dieses Geschlecht" bezieht sich auf das Volk der Juden, das bis zur Parusie existieren wird[15]. E. Schweizer

[12] A.a.O. 206.

[13] Zur Frage, was eigentlich „Redaktion" ist, vgl. meine Überlegungen in *F. Mußner,* Jesu Ansage der Nähe der eschatologischen Gottesherrschaft nach Markus 1,14.15, in: *J. Auer / F. Mußner / G. Schwaiger (Hg.),* Gottesherrschaft – Weltherrschaft (FS f. Bischof Rudolf Graber) (Regensburg 1980) 33–49 (41f).

[14] Doch beachte man, daß es in Mk 13,30 der Gattung nach um prophetische Ansage mit Beteuerung geht, nicht um Paränese.

[15] Das Lexem γενεά begegnet bei den Synoptikern 33mal; 25mal bezogen auf das Volk

ist zuzustimmen, wenn er einen Bezug „dieses Geschlechts" auf die ganze Menschheit für „eine Banalität" hält, mit der Begründung: „denn nirgends ist in einem zeitgenössischen Dokument inner- oder außerhalb der Bibel mit der Möglichkeit gerechnet, daß die Menschheit vor dem Weltende aussterben könnte."[16]

2. Die „synoptische Apokalypse" stellt zweifellos ein redaktionelles Kompositionswerk dar, was sicher auch schon für die „Vorlage" gilt, erst recht aber für die Endredaktion durch die Synoptiker. Die Fachleute für Mk 13 (wie R. Pesch, J. Lambrecht, E. Brandenburger u.a.) versuchen eine Rekonstruktion der Genesis von Mk 13 Parr. und suchen dabei nach den bei ihrer Entstehung verwendeten Gattungen und nach den aus der apokalyptischen Tradition stammenden Motivkomplexen. Besonders Brandenburger hat sich mit gutem Erfolg darum bemüht, vor allem durch intensives Studium von 4 Esra. „Die Parallelität hinsichtlich der in Markus 13 und in 4 Esr nachweisbaren Elemente des apokalyptischen Lehrgesprächs insgesamt ist ... sehr auffällig."[17] Freilich: „Solche Traditionsbindung schließt die eigenständige Ausarbeitung gerade nicht aus, sondern ein. Traditionelle Gattungen, Motivkomplexe und gedankliche Schemata werden nicht nur aktualisiert, sie können auch, wie bei Markus, eine grundlegende Neuorientierung erfahren" (ders.)[18]. Worin besteht dabei das Neue? Brandenburger antwortet[19]: „Neu ist, daß die Offenbarungsgestalt im apokalyptischen Schulgespräch Jesus und nicht ein mythologisches Engelwesen ist und daß die Tradenten nicht Gestalten aus der Urzeit wie Mose, Henoch oder in anderer Weise auch Esra sind ... Der Offenbarungslehrer des apokalyptischen Schulgesprächs ist vom christologischen Glaubenswissen gezeichnet. So kommt es zu der eigenartigen Konzeption, daß der weggehende und wiederkehrende Kyrios, der vom Himmel kom-

---

der Juden, davon 17mal in dem Syntagma „dieses Geschlecht". Es bezeichnet aber nicht bloß die jüdischen Zeitgenossen Jesu, sondern auch seine Volksgenossen!

[16] Das Evangelium nach Markus (NTD) (Göttingen [4]1975) 161 f.

[17] A.a.O. 113.

[18] Ebd. 114. Mir scheint das auch für „das Scheusal der Verwüstung" in Mk 13,14 zu gelten. Mag die „Vorlage" dabei die Tempelzerstörung im Auge gehabt haben, so ist nicht sicher, daß auch Markus sie noch im Auge hat und nicht vielmehr den Antichrist – an ihn denkt etwa auch *Gnilka* (a.a.O. z.St.). Man hat mit Recht, wie mir scheint, auf das maskulinische ἑστηκότα, rückbezogen auf das Neutrum τὸ βδέλυγμα τῆς ἐρημώσεως, hingewiesen, das an ein personales, „maskulinisches" Wesen denken läßt; so etwa auch *Gnilka*, Das Evangelium nach Markus II, a.a.O. 195: „Bei Markus ist der Hinweis auf den Tempel, auf dessen Zerstörung er bereits zurückblickt (Vers 2), verwischt ... Das zur Person gewordene Scheusal, das sich an einem bewußt rätselhaft umschriebenen heiligen Ort unmißverständlich zu erkennen geben wird, ist der Antichrist".

[19] A.a.O. 114.

mende Menschensohn und der irdische Offenbarungsmittler Jesus in der Sache eine Einheit bilden“.

Es stellt sich jedoch die Frage ein: Auf wen zielt der Tradierungswille des Redaktors Markus primär? Auf den himmlischen Kyrios und Menschensohn oder auf den „historischen“ Jesus? Der Text gibt auf diese Frage eine klare Antwort in Mk 13,5: ὁ δὲ Ἰησοῦς ἤρξατο λέγειν αὐτοῖς („Jesus aber fing an, zu ihnen zu sprechen“). Der Tradierungswille des Evangelisten richtet sich also auf den „historischen“ Jesus, womit keineswegs behauptet sein soll, daß die apokalyptische Belehrung, die Jesus nach Mk 13,6–37 gibt, durchgehend ipsissima vox Jesu sei. „Die Rückfrage nach Jesus“ muß zwar auch für diese Rede Jesu erlaubt sein, aber das ist nicht das Thema unseres Beitrags. Wir fragen vielmehr, wer „dieses Geschlecht“ in Mk 13,30 *nach der Meinung des Evangelisten* ist. Diese Frage ist m. E. vom Text von Mk 13 her beantwortbar, so man auf die topographische Lokalisierung des apokalyptischen Lehrgesprächs, das Markus Jesus in den Mund legt, achtet. Diese Lokalisierung ist in 13,3 völlig eindeutig ausgesprochen: „*Und als er auf dem Ölberg saß, dem Tempel gegenüber,* fragte ihn für sich Petrus und Jakobus und Johannes und Andreas“. Auch wenn die Angabe dieses topographischen Rahmens der apokalyptischen Belehrung Jesu einem literarischen Modell folgen sollte, wie R. Pesch m. a. annimmt[20], so ist er keineswegs für Hermeneutik und Semantik der nachfolgenden Rede ohne Bedeutung, so wenig wie das „ich“ des Sprechers[21]. Rahmen der Rede und Person des Sprechers erschließen vielmehr hermeneutisch und semantisch die Sinnlinie des in der Rede Vorgetragenen.

Der Blick des Sprechers und seiner Partner ist nach dem Willen des Redaktors und gewiß auch schon in der Vorlage auf Jerusalem und den Tempel gerichtet, also auf den heiligen Ort *des Judentums*. In der Rede selber tauchen zudem in 13,14 nochmals geographische Angaben auf, nämlich „Judäa“ und die Jerusalem umgebenden „Berge“. In 13,9 ist von „Synedrien“ und „Synagogen“ die Rede. Der auf den Wolken kommende „Menschensohn“ ist für den Redaktor niemand anderer als der Jude Jesus, der in den Himmel erhöhte Kyrios. So liegt es nahe, in „diesem Geschlecht“, das bis zum Ende der Welt nicht vergeht, das Volk der Juden zu sehen. Die geschichtliche Erfahrung bestätigt diese Auffassung bis zum heutigen Tag: der Jude ist immer noch

[20] Das Markusevangelium II (Freiburg – Basel – Wien ²1980) 274. Pesch bringt dafür ausgezeichnetes Material.

[21] Vgl. zu letzterem die wichtigen Ausführungen bei *P. Ricoeur*, Hermeneutik und Strukturalismus. Der Konflikt der Interpretationen I (deutsch München 1973) 137–173.

da. „Dieses Geschlecht“, das jüdische Volk[22], bleibt bis zum „Ende“ als Zeuge für die Konkretheit der Heilsgeschichte[23] und der bleibenden Gültigkeit der prophetischen Ansage Jesu[24].

Wenn Brandenburger bemerkt[25]: „Die Ereignisse des Jüdischen Krieges bleiben für Markus gleichwohl dem Endgeschehen dieser Weltzeit zugehörig“, so kann ich dem nur zustimmen. Denn die Tempelzerstörung gehört m. E. von sich aus zu den Ereignissen, die auf den Anbruch der Endzeit dieses Äons hinweisen (vgl. auch Mk 15,38!)[26] und dem Judentum einen neuen Ort in der Geschichte zuweisen. Die heidnische, atheistisch orientierte Weltmacht, repräsentiert für die jüdischen und urkirchlichen Apokalyptiker durch Rom, tritt in das Gesichtsfeld der Geschichte (vgl. auch die Joh-Apk). Der Kampf gegen Israel, das jüdische Volk, und die Gemeinde des Messias Jesus unter den Völkern beginnt. Falsche, usurpatorische „Heilsgestalten“ machen Gott und seinem Gesalbten den Anspruch auf die Weltherrschaft streitig[27], bis die endgültige Heilswende durch den auf den Wolken des Himmels kommenden Menschensohn eintritt.

Aus unseren, gewiß bescheidenen Reflexionen über Mk 13,30 Parr. ergibt sich schließlich ein grundsätzliches hermeneutisches Problem, das ich so formulieren möchte: Ähnlich wie Markus die apokalyptische Belehrung seiner Vorlage angesichts seiner Geschichtserfahrungen neu interpretierte, so muß auch die christliche Gemeinde des 20. Jahrhunderts aufgrund *ihrer* Geschichtserfahrungen die apokalyptische Belehrung des Neuen Testaments, zu der auch die synoptische

---

[22] Deshalb ist es nicht angebracht, das Lexem γενεά in Mk 13,30 Parr. mit „Generation“ wiederzugeben. Diese Wiedergabe führt von sich aus zu Mißverständnissen.

[23] Vgl. dazu *F. Mußner,* Traktat über die Juden (München [2]1988) 80–82; *ders.,* Warum muß es den Juden post Christum noch geben?, in diesem Band S. 51–59.

[24] Für mich ist es nicht denkbar, daß der Evangelist oder seine Vorlage von sich aus eine solch gewichtige prophetische Ansage, wie sie in Mk 13,30 vorliegt, produziert hätten, wenn sie diese nicht für genuin jesuanisch gehalten hätten. Und Jesus von Nazareth galt als Prophet (vgl. dazu *F. Schnider,* Jesus der Prophet [OBO 2], Freiburg i. Ü. – Göttingen 1973), er war von einem besonderen „Zäsurbewußtsein“ erfüllt (vgl. Lk 16,16); sein Wirken als solches besitzt „apokalyptischen“ Charakter. Vgl. auch *A. Strobel,* Kerygma und Apokalyptik. Ein religionsgeschichtlicher und theologischer Beitrag zur Christusfrage (Göttingen 1967); *ders.,* Die apokalyptische Sendung Jesu (Rothenburg 1962).

[25] A.a.O. 160.

[26] Vgl. dazu etwa *S. Motyer,* The Rending of the Veil: A Markan Pentecost?, in: NTSt 33 (1987) 155–157, der die Hypothese vertritt, das Zerreißen des Tempelvorhangs zeige an „the end of the old and the beginning of the new era, in which access to the Holy Place is open to all“ (156). Zur Auslegungsgeschichte bringt *R. Pesch* interessantes Material (Das Markusevangelium II, a.a.O. 498f).

[27] Vgl. dazu *F. Mußner,* „Weltherrschaft“ als eschatologisches Thema der Johannesapokalypse, in: *E. Gräßer / O. Merk* (Hg.), Glaube und Eschatologie (FS f. W. G. Kümmel) (Tübingen 1985) 209–227.

Apokalypse gehört, neu lesen, mit ihren Erfahrungen in Einklang bringen und ihrem Verstehen zuführen[28]. Auch für sie gilt die Mahnung, die in Mk 13,14 zu lesen ist: „Der Leser begreife!“ Eine nur „historische“ Lektüre der Bibel macht sie zu einem toten Buch.

---

[28] *Brandenburger* meint zwar (a.a.O. 104): „Bezogen auf eine aktuelle Problemlage hat Markus Grundlegendes gelehrt, dabei aber nicht über die begrenzte Zeitspanne höchstens einer Generation hinausgeblickt (V. 30–32, vgl. 9,1)“, bemerkt aber dann doch sofort: „Hermeneutische Reflexion kann freilich wahrnehmen, daß die Wahrheit dieser Erkenntnis die Zeiten übergreift, also innerhalb der weiterlaufenden Geschichte einen weit grundsätzlicheren Charakter bekommen hat – gerade auch in der Zeit veränderter universalgeschichtlicher Weltentwürfe, seien sie nun theologisch oder kryptotheologisch konzipiert“.

Heil für alle

Der Grundgedanke des Römerbriefs *

I. Der Gedanke der Heils- und Unheilstotalität im Römerbrief

Der Gedanke der Verfallenheit aller Welt an die Sünde und, positiv, des Einbezugs aller Menschen in das in Jesus Christus geoffenbarte messianische Heil knüpft sich im Römerbrief mit Vorliebe an den Term πᾶς und seine deklinatorischen Ableitungen in Singular und Plural. Zum Erweis dafür das folgende Material aus dem Brief[1]. 1,5: „Durch ihn haben wir Gnade und Apostelamt empfangen, um den Glaubensgehorsam für seinen Namen *unter allen Heiden* zu erwekken ...“; 1,16: das Evangelium ist „eine Macht Gottes, *um jeden zu retten,* der glaubt, den Juden zuerst und auch den Griechen“; 3,4: „Möge Gott sich vielmehr als wahr erweisen, *jeder Mensch* aber als Lügner ...“; 3,9c: „... wir haben eben Anklage erhoben, daß *alle,* Juden und Griechen, unter der Macht der Sünde stehen ...“; 3,12: „*Alle* sind abgewichen, insgesamt verkommen. Da ist keiner, der Gutes tut, auch nicht einer“ (= Ps 14,3); 3,19f: „Wir wissen aber: Was das Gesetz sagt, sagt es denen, die unter dem Gesetz leben, damit *jeder Mund* gestopft und *die ganze Welt* vor Gott schuldig werde. Darum wird aus Gesetzeswerken *kein Fleisch* vor ihm gerecht ...“; 3,21f: „Jetzt aber ist ohne Gesetz Gottes Gerechtigkeit offenbart worden, bezeugt von dem Gesetz und den Propheten, Gerechtigkeit Gottes durch Glauben an Jesus Christus *für alle,* die glauben. Denn es ist kein Unterschied: *alle* haben gesündigt und entbehren der Herrlichkeit Gottes“; 5,11f: „Das Zeichen der Beschneidung empfing [Abraham] als Siegel der Glaubensgerechtigkeit in Unbeschnittenheit, damit er *der Vater aller,* die in der Unbeschnittenheit glauben, werde, so daß ihnen Gerechtigkeit angerechnet werde, und der Vater der Beschneidung für die, die nicht nur beschnitten sind, sondern auch in den Spuren des Glaubens in der Unbeschnittenheit unseres Vaters Abraham gehen“; 4,16f: „Deshalb gilt:

---

* Abschiedsvorlesung in der Universität Regensburg am 29.7.1981 anläßlich meiner Emeritierung.

[1] Wir zitieren die Stellen im wesentlichen nach der sorgfältigen Übersetzung von *H. Schlier* in seinem Kommentar zum Römerbrief (Freiburg i. Br./Basel/Wien [2]1979).

‚aus Glauben', damit auch aus Gnade, damit die Verheißung *für alle Nachkommenschaft* gültig sei, nicht nur für die, die vom Gesetz leben, sondern auch für die aus dem Glauben Abrahams. Das ist *unser aller Vater,* wie geschrieben steht: ‚Zum Vater vieler Völker habe ich dich gesetzt' (Gen 17,5) ..."; 5,12: „Also: Wie es durch die Übertretung des einen *für alle Menschen* zur Verdammnis kam, so kam es durch des einen Rechttat *für die Menschen* zur Rechtfertigung, die Leben ist. Denn wie durch den Ungehorsam des einen Menschen, *alle die Vielen* (= alle) zu Sündern gemacht wurden, so werden auch durch den Gehorsam des Einen *die Vielen* zu Gerechten gemacht werden"; 8,22: „Wir wissen ja, daß *die ganze Schöpfung* bis jetzt einmütig seufzt und in Wehen liegt"; 8,32: „Er hat seinen eigenen Sohn nicht verschont, sondern ihn *für uns alle* dahingegeben. Wie sollte er uns mit ihm nicht *alles* schenken?"; 9,5: „... Christus ... der da ist Gott *über alle,* hochgelobt in Ewigkeit. Amen"; 9,6b.7: „Denn [es sind] *nicht alle* aus Israel wirklich Israel. Auch [sind] *nicht alle* ‚Kinder', weil sie Abrahams Same sind ..."; 9,17: „Die Schrift sagt zu Pharao: Gerade dazu habe ich dich erweckt, daß ich an dir meine Macht erweise und mein Name *auf der ganzen Erde* verkündigt werde" (vgl. Ex 9,16); 10,4: „Denn Christus ist das Ende des Gesetzes zur Gerechtigkeit *für jeden,* der glaubt"; 10,11–13: „sagt doch die Schrift: *Jeder,* der an ihn glaubt, wird nicht zuschanden werden (vgl. Jes 28,16); denn da ist kein Unterschied zwischen Jude und Grieche. Denn es ist ein und derselbe Herr *für alle,* der *alle* reich macht, die ihn anrufen. Denn *jeder,* der den Namen des Herrn anrufen wird, wird gerettet werden" (vgl. Joël 3,5); 10,16: „Doch *nicht alle* [Juden] sind dem Evangelium gehorsam gesorden"; 10,18: „Aber, sage ich, haben sie etwa nicht gehört? Doch gewiß: ‚*In alle Welt* ging aus ihr Schall und bis an die Grenzen der bewohnten Erde ihr Wort' (Ps 19,5)"; 11,26: „*Ganz Israel* wird gerettet werden"; 11,32: „Gott hat *alle* in den Ungehorsam verschlossen, damit er sich *aller* erbarme"; 12,17: „Seid *allen* Menschen gegenüber auf das Gute bedacht! Soweit es möglich ist, soviel an euch liegt, haltet *mit allen Menschen* Frieden!"; 14,10b–12: „Wir werden doch *alle* vor Gottes Richterstuhl stehen. Denn es steht geschrieben: ‚So wahr ich lebe, spricht der Herr, vor mir wird sich *jedes Knie* beugen, und *jede Zunge* wird Gott lobpreisen' (Mischzitat). *Jeder von uns* wird also Gott über sich selbst Rechenschaft geben müssen".

Wichtig für unseren Zusammenhang ist dann vor allem noch der Text von 15,8–12: „Denn ich behaupte, daß Christus um der Wahrheit Gottes willen *Diener der Beschnittenen* geworden ist, um die den Vätern gegebenen Verheißungen zu bestätigen. *Die Heiden* aber mögen Gott für die Barmherzigkeit preisen. So wie in der Schrift steht:

,Darum will ich dich bekennen unter den Heiden und deinem Namen lobsingen' (Ps 17,50 G; 2 Sam 22,50). Und wiederum heißt es: *,Frohlockt ihr Heiden mit seinem Volk!'* (Deut 32,43 G). Und wiederum: ,Lobt, ihr Heiden, den Herrn, und preisen sollen ihn *alle Völker'* (Ps 117,1). Und wiederum sagt Jesaja: ,Kommen wird der Sproß Isais und erhebt sich, um *über die Völker* zu herrschen. Auf ihn werden *die Heiden* hoffen'" (Jes 11,10 G). Zuletzt sei noch die Doxologie von Röm 16,25–27 angeführt, auch wenn sie sehr wahrscheinlich nicht zum ursprünglichen Text des Briefs gehört: „Dem aber, der die Macht hat, zu stärken nach meinem Evangelium und der Verkündigung Jesu Christi kraft der Offenbarung des Geheimnisses, das ewigen Zeiten verschwiegen war, jetzt aber ans Licht trat, durch prophetische Schriften nach dem Auftrag des ewigen Gottes *allen Völkern* bekannt gemacht, um den Glaubensgehorsam zu erwecken – ihm, dem allein weisen Gott, [gebührt] durch Jesus Christus, Herrlichkeit in alle Ewigkeit. Amen".

Überschaut man dieses Material, so sieht man, daß für Paulus der Einbezug der Heiden in das messianische Heil nicht etwas ist, dessen man erst auf Grund des historischen Christusereignisses, besonders auf Grund der Auferweckung des Messias Jesus von den Toten, ansichtig wurde. Paulus sieht „Heil für alle" schon wegen der Sünde Adams, des Stammvaters *aller* Menschen, als notwendig, durch den das Unheil über alle Menschen gekommen ist. Er sieht „Heil für alle" weiter gegeben durch die Heilsverheißungen an Abraham, der nach Gen 17,5 zum „Vater vieler Völker" werden soll[2]. Er sieht dann ferner „Heil für alle" angesagt durch die altbundlichen Propheten; er zitiert in dieser Hinsicht Jes 11,10 G in Röm 15,12: „Kommen wird der Sproß Isais und erhebt sich, um über die Völker zu herrschen. Auf ihn werden die Heiden hoffen": „Heil für alle" also im kommenden Messias, dem Sproß Isais[3]. Paulus ist mit der übrigen Urkirche überzeugt,

[2] Vgl. dazu noch Näheres bei *F. Mußner,* Wer ist der „ganze Samen" in Röm 4,16? in: *ders.,* Die Kraft der Wurzel, 160–163.

[3] Daß in der kommenden Heilszeit auch die Heiden zum Heil berufen werden, nicht bloß Israel, gehört schon zur Verkündigung des Alten Testaments; vgl. dazu etwa *R. Martin-Achard,* Israël et les nations. La perspective missionaire de l'AT (Neuchâtel 1959); *A. Rétif / P. Lamarche,* Das Heil der Völker. Israels Erwählung und die Berufung der Heiden im AT, Die Welt der Bibel 9 (Düsseldorf 1960); *J. Schreiner,* Berufung und Erwählung Israels zum Heil der Völker, BiLe 9 (1968) 94–114; *P. Altmann,* Erwählungsgedanke und Universalismus im AT (BZAW 92), Berlin 1964; *O. Bächli,* Israel und die Völker (AThANT 41) (Zürich 1962); *F. M. Th. de Liagre-Böhl,* Missions- und Erwählungsgedanke in Alt-Israel (FS A. Bertholet), (Tübingen 1950), 77–96, *H. Wildberger,* Die Völkerwallfahrt zum Zion, VT 7 (1957) 62–81; *N. Füglister,* Israels Sendung, MySal IV/1 (Einsiedeln, Zürich/Köln 1972) 66–78; *L. Perlitt,* Israel und die Völker, in: Frieden

daß Jesus Christus dieser von den Propheten angesagte Messias ist, so daß mit ihm auch nun die Zeit gekommen ist, „Heil für alle" in der ganzen Welt zu verkünden und die Völker in die Gemeinde des Messias zu sammeln. Dabei macht er aber eine bedrückende Erfahrung, nämlich diese, daß jene, denen das messianische Heil in erster Linie von Gott zugesagt und zugedacht war, die Juden, sich dem messianischen Heil versagen und dem Evangelium gegenüber „verstockt" bleiben, jedenfalls in ihrer Hauptmasse, was ihn persönlich, der aus dem Judentum stammt, überaus schmerzt (vgl. Röm 9,3). Gott scheint sein Ziel, nämlich „Heil für alle", nicht zu erreichen, weil Israel sich dem in Jesus von Gott dargebotenen Heil versagt und dem Evangelium gegenüber „verstockt" bleibt. Es überkommt ihn der furchtbare Gedanke: Vielleicht hat Gott sein Volk verstoßen? (Röm 11,1). Er weist diesen Gedanken aber sofort zurück: „Auf keinen Fall!" Und er kündigt prophetisch in Röm 11,26 die endzeitliche Rettung „ganz Israels" durch den kommenden „Retter aus Zion" an.

Die Frage besteht und wird bis heute von den Exegeten verschiedentlich beantwortet: Auf welchem Weg erfolgt die endzeitliche Rettung „ganz Israels"? Auf dem Weg des rechtfertigenden Glaubens, sola fide et sola gratia, und vor allem: solo Christo? Oder auf einem „Sonderweg", am Evangelium vorbei? Wenn nach Paulus „ganz Israel" auf einem „Sonderweg" am Evangelium vorbei gerettet werden würde, dann würde, so sagt man mit Recht, der Apostel doch seinen eigenen Überzeugungen untreu, nach denen kein Mensch durch die

– Bibel – Kirche. Hg. v. G. Liedke (Studien zur Friedensforschung 9), Stuttgart 1972, 17–64; *G. Liedke,* Israel als Segen für die Völker: ebd. 65–74; *H. H. Rowly,* The Missionary Message of the OT (London 1944); *J. Hempel,* Die Wurzeln des Missionswillens im Glauben des AT, ZAW 66 (1954) 244–272; *J. Scharbert,* „In te benedicentur universae cognationes terrae" (Gen 12,3), in: Ortskirche – Weltkirche. Hg. v. *H. Fleckenstein / G. Gruber / G. Schwaiger / E. Tewes* (FS Julius Cardinal Döpfner) (Würzburg 1973), 1–14; *M. Rehm,* Der Jahwekult der messianischen Heilszeit nach den Vorstellungen der Propheten, in: *R. M. Hübner / B. Mayer / E. Reiter* (Hg.), Der Dienst für den Menschen in Theologie und Verkündigung (FS Bischof Alois Brems) (Regensburg 1981) 147–155. Vgl. auch noch *R. Dabelstein,* Die Beurteilung der ‚Heiden' bei Paulus (BET 14) (Frankfurt/Bern/Cirencester 1981). Die Paulusschule, speziell der Epheserbrief, lebt u. a. auch hier vom paulinischen Erbe, insofern „das Geheimnis", das „jetzt seinen heiligen Aposteln und Propheten im Geist geoffenbart wurde", gerade darin besteht, daß jetzt, in der Christuszeit, auch „*die Heiden* Miterben, Miteingeleibte und Mitteilhaber an der [einst an Israel ergangenen] Verheißung [nämlich über den kommenden Einbezug der Heiden in das messianische Heil] in Christus Jesus durch [das jetzt verkündigte] Evangelium" werden. Man sollte nicht übersehen, daß die Idee „Heil für alle" zu den Faktoren gehört, die den ntl. Kanon zusammenhalten, was in der „Kanonsdiskussion" bisher übersehen wurde; vgl. dazu *F. Mußner,* Was hält den Kanon zusammen? Bemerkungen zur Kanonsdiskussion, in: *A. Ziegenaus u. a.* (Hg.), Veritati Catholicae (FS f. Leo Scheffczyk) (Aschaffenburg 1985) 177–202 (188–192).

Werke des Gesetzes, sondern allein durch die sich im Kreuz und in der Auferstehung Jesu definitiv manifestierende Gnade Gottes und allein durch den Glauben an Jesus Christus das Heil erlangt (vgl. Röm 3,21 ff; Gal 2,16; 3,11). Demnach kann, so sagt man, auch „ganz Israel" nur gerettet werden durch seine Bekehrung zum Evangelium, zeitlich zu erwarten (so viele Exegeten) vor der Parusie des Herrn. So sprach mein Lehrer Friedrich Wilhelm Maier von einer „Massenbekehrung" Israels vor der Wiederkunft Christi[4]. Das scheint sich konsequent aus der paulinischen Rechtfertigungslehre zu ergeben. Diesem Problem wenden wir uns im folgenden nochmals zu, nachdem schon einige Äußerungen dazu aus meiner Feder vorausgegangen sind[5]. Anlaß dazu bietet besonders der Beitrag von E. Gräßer in der Festschrift, die mir zu meinem 65. Geburtstag gewidmet worden ist[6].

II. Ein „Sonderweg" für Israel?

Meine These lautet: „Ganz Israel" wird auf einem „Sonderweg" gerettet werden und zwar im Zusammenhang der Parusie, unter Berufung auf Röm 11,26b: „Kommen wird der Retter aus Sion und hinwegnehmen wird er die Gottlosigkeiten von Jakob".[7] Das bedeutet: Die Rettung ganz Israels erfolgt durch den Parusiechristus selbst, da man den „Retter aus Sion" am besten mit diesem identifiziert. Die Rettung Israels wurde auch in Qumran in einen Zusammenhang mit dem Messias gebracht; vgl. 4 Qflor I, 11 b–13: „Das ist *der Sproß Davids* (= der davidische Messias), der mit dem Erforscher des Gesetzes auftreten wird ... *in Zion am Ende der Tage,* wie geschrieben steht: Und ich will die zerfallene Hütte Davids wieder aufrichten (Am 9,11). Das ist die zerfallene Hütte Davids, die stehen wird, *um Israel zu retten*". Hier ist ein

---

[4] *F. W. Maier,* Israel in der Heilsgeschichte nach Röm 9–11 (Münster 1929) 122.

[5] *F. Mußner,* „Ganz Israel wird gerettet werden" (Röm 11,26), in: Kairos 18 (1976) 241–255; *ders.,* Traktat über die Juden, 52–64; 327–333; *ders.,* Reflexionen eines Neutestamentlers über das Heil Israels, in: Katech. Blätter 104 (1979) 974–976.

[6] *E. Gräßer,* Zwei Heilswege? Zum theologischen Verhältnis von Israel und Kirche, in: *P.-G. Müller / W. Stenger* (Hg.), Kontinuität und Einheit (FS Franz Mußner) (Freiburg i. Br./Basel/Wien 1981) 411–429. Die neuere Literatur zu Röm 9–11 ist umfassend in meinem Buch „Die Kraft der Wurzel" S. 39, Anm. 2 zusammengestellt. Vgl. auch noch *D. Zeller,* Christus, Skandal und Hoffnung. Die Juden in den Briefen des Paulus, in: *H. Goldstein* (Hg.), Gottesverächter und Menschenfeinde? Juden zwischen Jesus und frühchristlicher Kirche (Düsseldorf 1979) 256–278; *M. Rese,* Die Rolle Israels im apokalyptischen Denken des Paulus, in: *J. Lambrecht* (Hg.), L'Apokalypse johannique et l'Apokalyptique dans le Nouveau Testament (Gembloux/Löwen 1980) 311–318.

[7] Vgl. dazu *F. Mußner,* Traktat über die Juden, 59–61.

klarer Zusammenhang zwischen dem Auftreten des Messias in Zion am Ende der Tage und der Rettung Israels hergestellt, wie nach unserer Meinung auch in Röm 11,26. Wenn aber die Menschen nach Paulus solo Christo, sola gratia et sola fide gerechtfertigt und gerettet werden, dann scheint daneben kein Platz für einen „Sonderweg" zur Rettung ganz Israels zu bleiben. Auch Israel wird, wenn es gerettet werden soll, solo Christo, sola gratia et sola fide gerettet werden und nicht anders, und darum könne die Rettung ganz Israels nur durch eine Bekehrung Israels zum Evangelium erfolgen. Das liege in der Logik der paulinischen Rechtfertigungslehre. Paulus würde sich selber untreu, wenn er daneben einen „Sonderweg" für die Rettung ganz Israels vorsehen würde, weil dieser am Evangelium, am solo Christo-, sola gratia- und sola fide-Prinzip vorbeiführen würde. Das aber dürfte nicht sein. Paulus wird sich selber nicht untreu. Das betonen E. Gräßer u.a. scheinbar mit Recht gegen meine These von einem „Sonderweg" bei der Rettung ganz Israels – wobei der Begriff „Sonderweg" nicht von mir stammt, sondern von mir übernommen wurde[8]. „Sonderweg", so insinuiert vor allem Gräßer, impliziere „zwei Heilswege": den Heilsweg des Glaubens und der Gnade und des solus Christus für die Heiden, für Israel dagegen den Heilsweg über die Tora. „Zugegeben: Es bleibt ein theologischer Widerspruch, wenn Paulus in Kap. 9 die Verheißung auf das eschatologische Volk bezieht, während er in Kap. 11 die Vorzüge des historischen Israel als *bleibend* anerkennt. Daraus darf aber nicht der Schluß gezogen werden, Gott hielte *zwei* Heilswege offen, den der Tora und den des Evangeliums. Vielmehr heißt es gerade innerhalb der Israel-Kapitel, daß Christus definitiv das Ende des Gesetzes als Heilsweg ist (10,4). Einen ‚Sonderweg' zur Rettung Israels kennt Paulus also nicht".[9]

Ich habe in meinem „Traktat" zu dem von mir vertretenen „Sonderweg" bei der Rettung ganz Israels folgendes geschrieben[10], was Gräßer nicht erwähnt: „Israel wird nach der Textaussage von 11,26b–32 nicht auf Grund einer der Parusie vorausgehenden ‚Massenbekehrung' ... das Heil erlangen, sondern einzig und allein durch eine völlig vom Verhalten Israels und der übrigen Menschheit unabhängige Initiative des sich *aller* erbarmenden Gottes, die konkret in der Parusie Jesu bestehen wird. Der Parusiechristus rettet ganz Israel ohne vorausgehende

[8] Der Begriff „Sonderweg" mit Blick auf die Rettung ganz Israels ist mir bei *D. Zeller,* Juden und Heiden in der Mission des Paulus. Studien zum Römerbrief (Stuttgart 1973) 245 begegnet.

[9] A.a.O. 428.

[10] A.a.O. 59f.

‚Bekehrung‘ der Juden zum Evangelium. Gott rettet ganz Israel auf einem ‚Sonderweg‘, der ebenfalls auf dem Gnadenprinzip (sola gratia) beruht und damit die Gottheit Gottes, seine ‚Wahl‘, seinen ‚Ruf‘ und seine Verheißungen an die Väter und seine von allen menschlichen Wegen und Spekulationen unabhängigen ‚Ratschluß‘ zur Geltung bringt. Es ist der Sieg der freien Gnade Gottes, der ganz Israel retten wird. So entspricht es auch der prophetischen Ansage Jesu selbst nach Mt 23,39: „Ich sage euch, ihr werdet mich von jetzt an nicht mehr sehen, bis ihr ruft: Gesegnet, der da kommt im Namen des Herrn!“ Gott rettet ganz Israel durch Christus (‚solus Christus‘) und zwar ‚allein durch Gnade‘ und ‚allein aus Glauben‘ ohne Werke des Gesetzes, da sich Israels *emuna* nun ganz und gar dem wiederkommenden Christus zuwendet. So bleibt auch im ‚Sonderweg‘ der Rettung ganz Israels die paulinische Rechtfertigungslehre voll wirksam“.

Wer aber Gräßers Ausführungen in „Kontinuität und Einheit“ liest, ohne meinen „Traktat“ zu kennen, muß unfehlbar zu der Meinung kommen, ich würde die These vertreten, Israel werde auf dem „Sonderweg“ *über die Tora* gerettet werden, was ich gerade nicht sage, vielmehr genau das Gegenteil davon. Auch der „Sonderweg“, von dem ich spreche, impliziert nicht „zwei Heilswege“, den einen über das Evangelium, den anderen über die Tora. Ich bringe vielmehr bei dem „Sonderweg“ der Rettung ganz Israels, *wie ich ihn verstehe,* mit aller Entschiedenheit sowohl das solus Christus als auch das sola gratia und auch das sola fide zur Geltung, wie der obige Text aus dem „Traktat“ zeigt. Und nie bedeutet bei Paulus der Term σῴζεσθαι („gerettet werden“) „sich bekehren“, auch wenn das immer wieder im Hinblick auf Röm 11,26a behauptet wird. Wer es behauptet, muß es erst beweisen.

Ich verdeutliche mich noch einmal: Das solus Christus kommt in meiner Auffassung des Textes von Röm 11,26 keineswegs zu kurz, weil allein der Parusiechristus der Retter ganz Israels sein wird. Das sola gratia kommt ebenso zur Geltung, weil die Rettung ganz Israels nicht auf Grund von Toraverdiensten oder seiner „physischen Jüdischkeit“, sondern aufgrund des reinen, unverdienten Erbarmens Gottes erfolgt, das sich „allen“ Menschen, ob Juden oder Heiden, nach Röm 11,32 zuwendet (vgl. auch Teil I dieses Beitrags). Und auch das sola fide kommt zur Geltung, weil die Begrüßung des Parusiechristus durch Israel ein *emuna*-Akt ersten Ranges sein wird, ermöglicht wiederum nur durch die Gnade, die Israel endlich in Jesus seinen Messias erkennen läßt, der nach Apg 3,20 ohnehin der primär für Israel, „der für euch vorherbestimmte Messias“ ist.

Die gnadenhafte Rettung ganz Israels scheint auch schon in Röm 11,5 angesprochen zu sein, wenn da von einer „Annahme“ Israels durch Gott die Rede ist, die „Leben aus den Toten" für Israel (oder auch für die übrige Menschheit?) bedeuten wird. Auch wird in 11,24b die Wiedereinpflanzung Israels in den ihm angestammten Ölbaum angesagt. Dabei ist mir nicht entgangen, was auch Gräßer bemerkt, was Paulus in 11,23 als Bedingung für die Wiedereinpflanzung Israels nennt: „wenn sie nicht im Unglauben verharren". Was dazu zu sagen ist, habe ich in meinem oben erwähnten Aufsatz in Kairos 18 (1976) 252 zu sagen versucht, nämlich ein Dreifaches: „a) Es handelt sich bei 11,23a um Paränese an die Juden, das in der apostolischen Mission angebotene Evangelium nicht zurückzuweisen. b) Es handelt sich um zwei parallel strukturierte ἐάν-Sätze: V. 22b („über die gefallenen [Juden] Gerichtsstrenge, über dich [den Heidenchristen] Güte Gottes, *wenn* du in der Güte [Gottes] verharrst; sonst wirst du ausgebrochen werden"); V. 23a („Und jene aber, *wenn* sie nicht im Unglauben verharren, werden [wieder] eingepfropft werden"). Es besteht also aus paränetischen Gründen ein gewisser Parallelisierungszwang für den Apostel bei der Formulierung seiner Sätze. c) Mit V. 23b wird die an das menschliche Verhalten gebundene Bedingung bereits überholt durch den Hinweis auf die souveräne Macht Gottes, mit der er die Wiedereinpfropfung der Juden zu bewerkstelligen vermag. Mit diesem δυνατός-Satz arbeitet sich der Apostel bereits zu der Ansage des V. 24b von der tatsächlich erfolgenden Einpfropfung Israels und zu jener von der endgültigen Rettung ganz Israels in V. 26a vor. Die Macht Gottes wird alle Hindernisse und Widerstände beseitigen, auch die ἀπιστία Israels. Der ‚Widerspruch' zwischen der Aussage des V. 23a und jener des V. 26a löst sich also im fortschreitenden Duktus der Gedankenführung des Apostels auf. Am Ende gibt es keine menschliche Bedingung mehr für die Rettung ganz Israels durch den ῥυόμενος ἐκ Σιών („den Retter aus Sion"). Die Treue und das Erbarmen Gottes tragen den Sieg über die ἀπιστία Israels davon. Die ἀπιστία („Unglaube") Israels entschwindet am Ende aus dem Gesichtskreis des Apostels".

Damit erreicht Paulus theologisch ein Doppeltes: 1. Es wird nicht bloß ein Teil Israels gerettet werden, nämlich der „Rest" (Röm 11,5) = die gläubig gewordenen Judenchristen, sondern auch die „übrigen", die verstockt waren (11,7b); denn aus dem „Rest" und den „übrigen" setzt sich „ganz Israel" zusammen[11]. 2. Es wird auch „die [von

---

[11] Vgl. dazu noch Näheres bei *F. Mußner*, „Ganz Israel wird gerettet werden" (Röm 11,26), a.a.O. 243f; *ders.*, Traktat, 52–57. Es kam von einigen Seiten der seltsame Einwand, ob ich etwa auch die Verbrecher, die es ja auch unter den Juden gibt, zu „ganz Israel" rechnen würde, das „gerettet werden wird", oder auch Herrn Professor G. Foh-

Gott bestimmte] Vollzahl der Heiden" (11,25c) das eschatologische Heil erlangen. Und so erreicht Gott das Ziel: *Heil für alle*. Er erreicht das Ziel trotz der teilweisen „Verstockung" Israels. Er erreicht sein Ziel auf Wegen, die der menschlichen Spekulation nicht zugänglich sind. „Wie unerforschlich sind seine Entscheide und wie unaufspürbar seine Wege!" (11,33b).

So erfüllt sich in der kommenden Heilszeit, was mit dem Deut-Zitat vom Apostel in 15,10 angesprochen ist: „Frohlockt ihr Heiden mit seinem Volk!" Die Juden und die Heiden, die gesamte Menschheit, werden durch Christus gerettet werden.[12] Das „Erbarmen" Gottes richtet sich auf *alle*, ob Juden oder Heiden (11,32). Die Zahl der Heilsgenossen, ihre „Vollzahl" (πλήρωμα: bezogen in 11,12 auf die Juden, in 11,25 auf die Heiden), kennt freilich nur Gott allein. Das „Erbarmen" Gottes siegt über seinen „Zorn". „Erbarmen", „Güte", „Gnade", „Rettung", aber auch „Macht", „Wahl" und „Ruf" bestimmen letztlich das „Gottesbild" des Römerbriefs.[13]

III. Die Grundfragen des Paulus

Das Thema „Heil für alle", das geradezu als das Grundthema des Römerbriefs und als hermeneutischer Schlüssel zu ihm erkannt wurde – und die Rechtfertigungslehre ist von Paulus in diese Grundthematik eingebaut, weil sie mit ihr wesentlich zusammenhängt –, gibt den Anlaß, abschließend überhaupt nach den *Grundfragen des Paulus* zu suchen, die zugleich die Schlüsselfragen sind, von denen die paulinische Theologie bewegt ist, vor allem im Galater- und Römerbrief. Ich möchte diese Grundfragen so formulieren:

---

rer, der nach seiner Emeritierung zum Judentum übergetreten ist. Dazu muß man sagen: Niemand kennt die Zahl der Heilsgenossen, welchen Religionen sie auch angehört haben mögen. Die Zahl derer, die gerettet werden, kennt Gott allein! Wenn man die Rettung ganz Israels mit der Parusie in zeitlichen Zusammenhang bringt, wie ich es tue, dann fällt sie zeitlich auch zusammen mit der Auferweckung der Toten bei der Parusie; vgl. dazu auch Röm 11,15: „Was ist die Annahme (der „verstockten" Juden durch Gott), wenn nicht *Leben aus den Toten?*" (deutlicher Hinweis auf die Auferweckung der Toten). Oder sind die Juden von der Auferstehung der Toten ausgenommen?

[12] Gerade aus *christologischen* Gründen kommt es zuletzt zur Rettung ganz Israels. Dies zeigt m.E. überzeugend *M. Theobald* in seinem Beitrag: „Dem Juden zuerst und auch dem Heiden". Die paulinische Auslegung der Glaubensformel Röm 1,3f, in meiner Festschrift „Kontinuität und Einheit" (s. Anm. 6), 376–392.

[13] Zum „Gottesbild" des Römerbriefs vgl. etwa *A. C. Wire*, Pauline Theology as an Understanding of God: The Explicit and the Implicit (Diss. Claremont 1974); *H. Moxnes*, Theology in Conflict. Studies in Paul's Understanding of God in Romans (Leiden 1980).

1. *Von wem kommt das eschatologische Heil?* Vom gekreuzigten und auferstandenen Christus oder von der Tora Israels? Die Antwort des Paulus: Allein von Christus (solus Christus).

2. *Wie kommen die Menschen, ob Juden oder Heiden, zum Heil?* Die Antwort des Paulus: Auf dem Weg der Gnade und des rechtfertigenden Glaubens an Christus (sola gratia et sola fide).

3. *Kann Israel das Heil erlangen, nachdem es sich in seiner Hauptmasse dem Evangelium versagt?* Die Antwort des Paulus: „Ganz Israel wird gerettet werden", und zwar auf einem „Sonderweg", der freilich nur scheinbar am Evangelium vorbeiführt (s. dazu Teil II unserer Ausführungen).[14]

4. *„Was ist es [dann] mit der Tora"* (Gal 3, 19), nachdem das Heil exklusiv von Christus kommt und nicht vom „Tun" der Tora? Die Antwort des Paulus: Das Gesetz „kam zwischenhinein, damit es die Übertretung mehre" (Röm 5,20), und wurde so zu einem „Zuchtmeister auf Christus hin" (Gal 3,24)[15].

5. *Was ist die Kirche?* Die Antwort des Paulus: Der Leib des Messias Christus, in den alle Menschen aufgenommen werden, die sich durch Taufe und Glauben zu Christus als den definitiven Heilbringer bekennen.

Diese fünf Grundfragen entsprechen dem Erfahrungs- und Missionsweg des Paulus. Sie hängen mit seinem Lebensweg, der ja theologischen Rang besitzt, unlöslich zusammen, womit sich auch die Grenzen jeglicher „Systematisierung" der paulinischen Theologie zeigen[16].

---

[14] Über das Heil der schuldlos oder schuldhaft „ungläubig" bleibenden Heiden reflektierte Paulus merkwürdiger- und interessanterweise nicht, jedenfalls nicht in seinen Briefen.

[15] Es entspräche nicht der paulinischen Theologie, wenn man formulieren würde: Das Heil kommt „jetzt nicht mehr" vom Gesetz, sondern jetzt nur noch von Christus. Das Heil kam vielmehr nach Paulus überhaupt nie vom Gesetz, wie sein Rekurs auf die Abrahamsgeschichte in Röm 4 und Gal 3, 1–18 erkennen läßt. Vgl. dazu Näheres bei *F. Mußner*, Der Galaterbrief (Freiburg i. Br./Basel/Wien [5]1988) (hier auch die weitere Literatur zur pln. Gesetzeslehre). Heil kam schon immer nur aus dem Glauben; denn schon die Abrahamsgeschichte zeigt nach Paulus, daß der Glaubensweg der Weg zum Heil ist. Alle anderen Heilswege erwiesen und erweisen sich nach pln. Überzeugung als unbrauchbar.

[16] Unser Versuch, den „Grundgedanken" des Römerbriefs zu fassen, hängt auch mit der Frage nach dem „Zweck" des Briefs zusammen.

„Der von Gott nie gekündigte Bund“

Fragen an Röm 11,27

Im christlich- jüdischen Dialog spielt auch die Rede vom „nie gekündigten Bund“, bezogen auf die Judenheit, eine bedeutende Rolle. Papst Johannes Paul II. sprach bei seiner Begegnung mit Vertretern der deutschen Judenschaft ausdrücklich von dem „von Gott nie gekündigten Alten Bund“ (s. Die Kirchen und das Judentum. Dokumente von 1945 bis 1985 (Paderborn-München ²1989, 75)). Im folgenden geht es darum, ob auch in Röm 11,27 (καὶ αὕτη αὐτοῖς ἡ παρ' ἐμοῦ διαθήκη, ὅταν ἀφέλωμαι τὰς ἁμαρτίας αὐτῶν, „und dies [wird sein] zu ihren Gunsten der von mir [gestiftete] Bund, wenn ich hinwegnehme ihre Sünden“) von Paulus an den von Gott nie gekündigten Bund mit Israel gedacht ist.

I. Syntaktisch-semantische Analyse von Röm 11,27

Es handelt sich in Röm 11,27 um ein aus Jes 59,21a und Jes 27,9c kombiniertes Schriftzitat[1], das wir im folgenden segmentieren, um die in ihm vorhandenen syntaktisch-semantischen Relationen zu erkennen, was eine erste Voraussetzung zur Beantwortung unserer Frage ist. Das bedeutet auch: Es geht uns primär um eine „synchrone“ Analyse des Textes. Nur so kann der von Paulus mit dem Kombinationszitat verfolgte Aussagesinn im Rahmen seines kontextlichen Gedankengangs eruiert werden.

● καὶ → αὕτη αὐτοῖς ἡ παρ' ἐμοῦ διαθήκη, ὅταν ... Schon in Jes 59,20.21a sind die VV. 20 und 21a mit der Partikel καί verbunden. Während sich im Jesaja-Text der LXX zu Anfang des V. 59,20 ein das ἥξει von 59,19b wiederaufnehmendes καὶ ἥξει findet, läßt Paulus zu Beginn des Zitats in Röm 11,26b die Partikel καί weg, legt einen starken Ton auf das Futur ἥξει, behält aber die Partikel καί beim Weiterzitieren aus dem Jesajatext in 11,27a bei (καὶ αὕτη ...). Dadurch

[1] Vgl. dazu die Kommentare zum Römerbrief; dazu vor allem noch *D.-A. Koch*, Die Schrift als Zeuge des Evangeliums. Untersuchungen zur Verwendung und zum Verständnis der Schrift bei Paulus (= Beitr. zur histor. Theol. 69) (Tübingen 1986) 175–178.

bekommt diese fast einen explikativen Sinn. „und zwar (ist?) dies mein Bund mit ihnen, wenn ...“ [2] Der Ton legt sich damit auf das Versstück ἡ παρ' ἐμοῦ διαθήκη ... („der von mir [gestiftete] Bund“).

• αὕτη → ἡ παρ' ἐμοῦ διαθήκη, ὅταν ... Das Demonstrativpronomen αὕτη, dem Genus nach bezogen auf ἡ ... διαθήκη, hat die Funktion der „*Ankündigung* eines Begriffs oder Nebensatzes“ (E. Mayser) [3], in unserem Fall: der Ankündigung des Syntagmas ἡ παρ' ἐμοῦ διαθήκη („der von mir [gestiftete] Bund“) und des nachfolgenden Nebensatzes ὅταν („wenn“) ...

• παρ' ἐμοῦ: attributiv zu ἡ διαθήκη gehörig. Nach hellenistischer Grammatik dient das attributive παρά mit Genitiv „vielfach als Umschreibung des Genitivs bzw. des Personalpronomens“ (μου) und erscheint häufig „statt ὑπό bei einer Reihe passiver Verbalbegriffe, bei denen aktives Eingreifen des handelnden Subjektes deutlich empfunden wird“ (E. Mayser) [4].

Im Zitat in Röm 11,27a fehlt zwar nicht das eingreifende Subjekt (ἐμοῦ → Gott), wohl aber ein passiver Verbalbegriff, der jedoch hier leicht zu ergänzen ist: geschenkt, gegeben, gewährt, gestiftet, geschlossen (sc. von Gott) bzw. der entsprechende aktive Verbalbegriff (schenken, geben, gewähren, stiften, schließen) [5].

• αὐτοῖς: Dativus commodi („zu ihren Gunsten“). Der von Gott geschenkte „Bund“ ist ein Bund zugunsten Israels, zugunsten der Juden.

• ἡ ... διαθήκη → ὅταν ἀφέλωμαι τὰς ἁμαρτίας αὐτῶν. Mit dem ὅταν-Nebensatz wird διαθήκη inhaltlich konkretisiert: der von Gott gewährte Bund besteht in der Vergebung der Sünden Israels. An welche „Sünden“ – der Apostel setzt hier entgegen dem Jes-Text der LXX den Plural τὰς ἁμαρτίας (αὐτῶν) – Paulus konkret denkt, bedarf späterer Überlegung.

• ὅταν ἀφέλωμαι: Konj. Aorist von ἀφαιρέομαι („wegnehmen“). Gott nimmt in einem vom Verhalten Israels völlig unabhängigen Gnadenakt, sola gratia, die Sünden Israels weg, so daß die Konjunktion ὅταν, verbunden mit dem prospektiven Konjunktiv ἀφέλωμαι, die Bedeutung hat: „wenn“ bzw. „sobald“: „Sobald“ Gott die Sünden Israels wegnimmt, tritt der von ihm gewährte „Bund“ erneut in Kraft. Der von

---

2 Zum explikativen καί vgl. *E. Mayser*, Grammatik der griechischen Papyri aus der Ptolemäerzeit II/3 (Berlin/Leipzig 1934) 141.

3 Ebd. II/1 (Berlin/Leipzig 1926) 75.

4 Ebd. II/2 (Berlin/Leipzig 1934) 484; 487.

5 Zum Beispiel *O. Michel* („den ich mit ihnen schließen werde“); *F. W. Maier* („Und dies [wird] der ihnen von mir [dargebotene] Bund sein“). – P^{46} liest παρ' ἐμοῦ ἡ διαθήκη („und dies [ist?] für sie von mir her der Bund“): P^{46} scheint an einen ganz bestimmten Bund zu denken, der einfach den Namen trägt: „der Bund“.

Gott erneuerte „Bund“ ist also ein *Sündenvergebungsbund,* wie Jesus einen solchen mit seinem Blut im Abendmahlssaal gestiftet hat (vgl. besonders Mt 26,28). Aus dem Konjunktiv ἀφέλωμαι ergibt sich keine Zeitbestimmung: „Als nichtindikativische Verbalform hat der Konjunktiv *keine Zeitbedeutung.* Die Wahl des Tempus [z.B. Aorist] ist aspektbedingt. Der jeweilige sachliche Zusammenhang zeigt, welche Zeitform in die deutsche Übersetzung aufzunehmen ist.“ [6]

● *Welche Kopula ist in Röm 11,27a zu ergänzen?* Diese Frage ist nicht müßig, wie die Übersetzungsdiskrepanz in den Kommentaren zeigt: „Und dies [ist, wird sein, war] der für sie von mir gewährte Bund“. Wer die in 11,26 erscheinenden Future (σωθήσεται, ἥξει, ἀποστρέψει) wirklich als Future nimmt, d.h. als Ansagen eines noch Ausstehenden, wird dazu neigen, in dem Nominalsatz von 11,27a die futurische Kopula „wird sein“ (ἔσται) zu ergänzen [7], zumal die Schriftzitate in den VV. 26 und 27 nicht bloß durch das explikative καί zu Beginn des V. 27 zusammengehalten werden, sondern vor allem auch durch das vom Apostel vorausgeschickte καθὼς γέγραπται („wie geschrieben steht“), das sich auf das *ganze* Schriftzitat bezieht, so daß sogar eine semantische Äquivalenz zwischen den Schriftzitaten in den VV. 26 und 27 entsteht, die sich so darstellen läßt: „wie geschrieben steht:

a Kommen wird aus Sion der Retter,
b er wird wegnehmen die Gottlosigkeiten von Jakob.
a1 Und dies (wird sein) für sie der Bund von mir,
b1 wenn ich wegnehme ihre Sünden“.

---

[6] *E. G. Hoffmann / H. v. Siebenthal,* Griechische Grammatik zum Neuen Testament (Riehen/Schweiz 1985) 353. Die Kommentatoren schwanken entsprechend in der temporalen Wiedergabe des Konjunktivs ἀφέλωμαι („wegnehme“, „weggenommen habe“, „wegnehmen werde“).

[7] So unter den Kommentatoren etwa *O. Michel; F. W. Maier; H. Schlier; U. Wilckens; E. Käsemann. D. Zeller* dagegen übersetzt: „Und das (ist) für sie meine Verfügung, wenn ich ihre Sünden wegnehme“, entsprechend seinem Vorschlag, „das Futur V. 26b als schon realisierte Prophetie zu nehmen ...“ (Der Brief an die Römer, Regensburg 1984, 199). *D.-A. Koch* meint (Die Schrift als Zeuge des Evangeliums, s. Anm. 1): „Paulus versteht ἀποστρέψει in Entsprechung zu σωθήσεται (Röm 11,26a) als echtes Futur. Dadurch wird die Bedeutung des Futurs von ἥξει ... unklar, obwohl er, wie in 11,28–31 deutlich wird, nicht an ein künftiges Kommen des Retters als Voraussetzung der Errettung Israels denkt“ (177). Mir bleibt die Logik dieser Sätze verborgen. Die Future ἥξει und ἀποστρέψει in 11,26 sind „gleichzeitig“: Der kommende Retter aus Sion wird durch sein (bei seinem) Kommen „die Gottlosigkeiten von Jakob wegnehmen“, zu denen auch die „Feindschaft“ der „verstockten“ Juden gegen das Evangelium gehört, die trotzdem die bleibenden „Geliebten“ Gottes sind, weil Gottes Gnadengaben und sein Ruf „unreuig“ sind. Trotz ihres gegenwärtigen Ungehorsams gegenüber dem Evangelium finden auch sie [jetzt] Erbarmen (vgl. Röm 11,28–31). Keine Spur im Text von 11,28–31, daß Paulus „nicht an ein künftiges Kommen des Retters als Voraussetzung der Errettung Israels denkt“.

II. Worauf bezieht sich Röm 11,27 im Kontext von Röm 9–11?

Konkreter lautet unsere Frage: Welche Sünden Israels werden durch den „Sündenvergebungsbund" von Gott „weggenommen"? Um eine Antwort zu finden, sei zunächst gefragt: Welche „Sündenbegriffe" gebraucht der Apostel in Röm 9–11? ἁμαρτία nur in dem Zitat von 11,27; ferner παράπτωμα zweimal in 11,11.12. Ins Auge zu fassen ist auch noch das Lexem ἀσέβεια in 11,27c: Die Rettung ganz Israels wird „als Wegnahme der ἀσεβείας Israels" interpretiert – man beachte auch hier den Plural, auch wenn dieser aus dem Zitat stammt; „dieser Aspekt von Jes 59,20f wird durch die Anfügung von Jes 27,9c [in 11,27b] verstärkt und inhaltlich präzisiert" (Koch)[8], und Koch bemerkt dazu: „Die Rettung Israels aus seiner gegenwärtigen Schuld wird jetzt zweimal formuliert; außerdem beschreibt ἁμαρτίαι für Paulus wesentlich angemessener als ἀσέβεια die gegenwärtige Situation Israels."[9] Wodurch aber ist diese gekennzeichnet? Nach Röm 11 durch die von Gott verfügte πώρωσις Israels gegenüber dem Evangelium (vgl. 11,25)[10] und durch sein παράπτωμα, seinen „Fall", der den Heiden zugutekommt (vgl. 11,11.12), für das „verstockte" Israel aber ein „Zurückbleiben" an Zahl (= ἥττημα [11,12]) im Vergleich mit der großen Zahl der gläubig gewordenen Heiden (vgl. 11,25: τὸ πλήρωμα τῶν ἐθνῶν) zur Folge hat[11].

Mit dem Lexem παράπτωμα („Fall") nimmt Paulus das ἔπταισαν von 11,11a wieder auf, das in semantischer Relation zu dem Satz des Apostels in 9,32b steht: προσέκοψαν τῷ λίθῳ τοῦ προσκόμματος, wobei mit dem „Stein des Anstoßes", den Gott in Zion hingelegt hat, niemand anderer als der gekreuzigte Messias Jesus gemeint ist, an dem sich Israel „stößt", so daß es „fällt". Ob Paulus diesen „Fall" als Sünde versteht, ist nicht sicher. Freilich fragt der Apostel auch, ob Israel die Botschaft der Boten des Evangeliums denn „nicht erkannt hat" (10,19). Aufgrund des Kontextes kann die Ant-

---

[8] Die Schrift als Zeuge des Evangeliums (s. Anm. 1) 177.

[9] Ebd.

[10] "Wie 11,7 zeigt, ist mit γεγονέναι [in 11,25] ein Widerfahrnis gemeint, das 1. durch Gottes Handeln gesetzt ist, und 2. die Situation Israels bleibend bestimmt..." (*U. Wilckens*, Der Brief an die Römer II [Einsiedeln/Neukirchen 1980] 254, Anm. 1140).

[11] Vgl. *Wilckens*, ebd. 243: „... in V. 25 bedeutet τὸ πλήρωμα τῶν ἐθνῶν das (eschatologische) Vollmaß und entspricht πᾶς Ἰσραήλ. τὸ πλήρωμα αὐτῶν ist demnach Israel als ganzes, d.h. die Auffüllung des gegenwärtigen ‚Restes' zur Vollzahl Israels. Demnach muß τὸ ἥττημα αὐτῶν die Verminderung dieser Vollzahl bedeuten, die durch den ‚Fall' der ungläubigen Juden entstanden ist"

wort nur lauten: „Israel hat sehr wohl begriffen; in seinem Ungehorsam weiß es, was es abweist" (Wilckens)[12], nämlich die Botschaft von dem *allen* das Heil bringenden Sühnetod Jesu am Kreuz (vgl. 3,21–26).

Dennoch bleibt die Frage: *Warum* weist Israel in seiner Hauptmasse die Botschaft der Boten des Evangeliums ab? Gewiß zunächst deswegen, weil „das Wort vom Kreuz" für den Juden „ein Skandal" ist (1 Kor 1,23). Aber der wirkliche Grund für die „Verstockung" Israels ist der geheimnisvolle, nicht zu enträtselnde Entschluß Gottes, auf Israel „einen Geist des Tiefschlafs" zu legen (vgl. 11,8), aus dem Israel erst am Ende der Zeiten durch „den Retter aus Zion" erweckt werden wird. Deshalb muß der Christ sich hüten, die „Verstockung" Israels dem Evangelium gegenüber kurzum als „Sünde" zu bezeichnen, oder zu sagen, der „Fall" Israels zugunsten der Heiden, von dem der Apostel in Röm 11,11.12 spricht, sei „Israels *Fall* aus der Erwählung heraus aufgrund der Ablehnung des Evangeliums" (so M. Wolter)[13], wo doch die Juden nach Paulus die bleibenden „Geliebten" Gottes sind und Gott seine „Wahl" nie revoziert (vgl. 11,28b.29). So scheint es auch nicht richtig zu sein, die ἁμαρτίαι („Sünden") Israels, die Gott nach 11,27 „wegnehmen" wird, exklusiv auf seine „Verstockung" dem Evangelium gegenüber zu beziehen. Der Plural läßt vielmehr an die „Sünden", die Juden in ihrer Geschichte begangen haben, denken: Sie werden von Gott mit Blick auf den Sühnetod seines Sohnes einst „weggenommen", sola gratia, wie die Sünden der Heiden, die an Christus glauben. Dann wird sich offenbaren, daß „der Bund", den Gott schenken wird, ein „Sündenvergebungsbund" ist und zwar mit „ganz Israel" in seiner diachronen Erstreckung, und nicht bloß mit der „Parusiegeneration" der Juden.[14] Der „Sündenvergebungsbund" ist die Konsequenz aus der περισσεία (dem „Überströmen") der rettenden, heilbringenden Gnade Gottes, aus dem „Reichtum" seiner *alle* umfassenden Barmherzigkeit[15], die auch die Juden nicht ausnimmt[16], zumal Gottes „Gnadenerweise" gegenüber Israel „unreuig" sind, d.h. nie-

[12] Ebd. 230.

[13] Art. παράπτωμα, in: EWNT III, 79. Auch *W. Bauer*, Griechisch-Deutsches Wörterbuch zum NT (Berlin/New York [6]1988), spricht im Hinblick auf Röm 11,11f von „‚der' Sünde, die Israels Unglaube darstellt" (1256).

[14] Näheres dazu bei *F. Mußner*, Traktat über die Juden (München [2]1988) 52–61; *ders.*, Die Kraft der Wurzel. Judentum – Jesus – Kirche (Freiburg i.Br.–Basel–Wien [2]1989) 48–54.

[15] Vgl. dazu *F. Mußner*, Heil für alle. Der Grundgedanke des Römerbriefs, in: in diesem Band S. 29–38.

[16] Vgl. dazu vor allem *M. Theobald*, Die überströmende Gnade. Studien zu einem paulinischen Motivfeld (fzb 22) (Würzburg 1982) 129–166.

malo von Gott als nicht mehr gültig deklariert werden[17]. „Ja, er wird Israel erlösen von all seinen Sünden“ (Ps 130,8).

III. Steht hinter Röm 11,27a auch Jer 31,33f?

Bei Nestle-Aland, Novum Testamentum Graece (Stuttgart [26]1979), steht am Rande unter den alttestamentlichen Verweisen zu Röm 11,27a auch „Jer 31,33s“. Steht also die Ankündigung des Propheten Jeremia von einem „neuen Bund“ mit Israel mit im Hintergrund der Zitatenkombination von Röm 11,26b.27? H. Hegermann meint[18]: „Röm 11,27 interpretiert Paulus die Heilsbund-Prophetie von Jes 59,20–21, vielleicht im Anschluß an die Herrenmahltradition, durch Anfügung einer Wendung aus Jes 27,9 in Richtung auf Jer 31(38),34: Vergebung wird die Verwirklichung des endzeitlichen Heilsbundes freisetzen“, bemerkt zuvor aber schon[19]: „Auch Röm 11,27 könnte das künftige Erlösungsgeschehen für Israel als göttliche Verwirklichung des weiter geltenden Heilsbundes mit den Vätern deuten“. In Jer 31,34 heißt es im Zusammenhang der Ankündigung eines „neuen Bundes“: „Denn ich verzeihe ihnen die Schuld, an ihre Sünde denke ich nicht mehr“. Im Jubiläenbuch XXII, 14f findet sich dazu ein deutliches Echo[20]: „Und reinige dich von aller Befleckung der Unreinheit, *daß du Verzeihung erlangst von allem Vergehen* [Handschrift M: von aller Sünde und Vergehen], das du verschuldet hast in Unwissenheit. Und er mache dich stark und segne dich, und du wirst die ganze Erde erben. *Und er erneuere seinen Bund mit dir,* daß du ihm ein Volk bist zu seinem Erbteil in alle Ewigkeiten ...“. In den Qumrantexten spielt der Bundes-Gedanke eine große Rolle[21], auch die Redeweise „neuer Bund“ taucht auf, so in Dam VI,19 („*Glieder des neuen Bundes* im Lande Damaskus“; das sind jene, die nach VII,5 „wandeln in diesen [Vorschriften] in vollkommener Heiligkeit gemäß den Verpflichtungen des *Bundes Gottes*“); Dam VIII,20 („alle Männer, die in den *neuen*

---

[17] *F. W. Maier* interpretiert χαρίσματα (Röm 11,29) sehr gut als „die im Laufe der Geschichte Israels ihm erwiesenen *Gnadentaten* Gottes, die seine ‚Erwählung‘ (κλῆσις, „Ruf“) bekunden und bestätigen: Am. 2,9f.; Os. 11,3f.; Mich. 6,4f.; Jer. 2,2ff.; Jos. 23,9f.; Dt. 32,8–14“ (Israel in der Heilsgeschichte nach Röm. 9–11 [Münster 1929] 146, Anm. 176a).

[18] Art. διαθήκη, in: EWNT I, 723.

[19] Ebd. 721.

[20] Wir zitieren nach der Übersetzung von *K. Berger,* Das Buch der Jubiläen (Jüdische Schriften aus hellenistisch-römischer Zeit II/3) (Gütersloh 1981) 437.

[21] S. Register s.v. Bund bei *J. Maier,* Die Texte vom Toten Meer, II: Anmerkungen (München-Basel 1960).

Bund im Lande Damaskus eingetreten sind"; das sind nach VIII,16–18 jene, die Gott mit der Liebe liebt, mit der er „die Früheren [die Väter] geliebt hat, welche für ihn [Zeugnis ablegten]", und „die nach ihnen kommen, denn ihnen [gilt] *der Bund der Väter*"); Dam XX,11f (Die Abtrünnigen und Treulosen [in Israel] „redeten Irriges über die rechten Satzungen und verachteten den *zuverlässigen Bund,* den sie aufgerichtet haben im Lande Damaskus, nämlich *den neuen Bund*"). Der „neue Bund", dessen Glieder die „im Lande Damaskus" Lebenden sind (also die Qumrangemeinde), ist nichts anderes als „der erneuerte alte Bund" (J. Maier)[22]. Ja, „der (neue) Bund" ist fast identisch mit der Gemeinde; vgl. etwa 1 QM XIV,4f.8f: „Gepriesen sei Israels Gott, der Gnade bewahrt seinem *Bund* und Bezeugungen der Hilfe dem Volk seiner Erlösung ... [Gepriesen] sei dein Name, Gott der Gnadenerweise, die Du wahrtest den *Bund* unseren Vätern; während all unserer Generationen hast Du wunderbar erwiesen Deine Verbundenheit für den Re[st Deines Erbes (?)]". Man vgl. auch noch 1 QpHab II,3f: Da ist die Rede von den „Abtrünn[igen vom] *neuen [Bund],* den sie (wollten) [ni]cht an den *Bund Gottes* glauben ...". Die Qumrangemeinde sieht also ganz deutlich sich selbst als die Erfüllung der Ansage des Propheten Jeremia von einem „neuen Bund", der aber nichts anderes ist als die Wiederbelebung des Bundes Gottes mit den Vätern[23].

Ist die Rede vom „*neuen* Bund" bei Jeremia vielleicht auch in dem Sinn „*erneuerter* Bund" zu verstehen und denkt Paulus in Röm 11,27a bei der διαθήκη, die Gott Israel mit der Vergebung seiner Sünden schenken wird, an die *Erneuerung* des Bundes mit seinen Vätern? Mit der Verheißung des neuen Bundes bei Jeremia und ihrer Nachgeschichte hat sich besonders eingehend der Alttestamentler Christoph Levin beschäftigt[24]. Mit der Begründung in Jer 31,34b: „*Denn* ich will

[22] Die Texte vom Toten Meer, I: Übersetzung, 55, Anm. a.

[23] Zum Bundesgedanken in den Qumranschriften vgl. etwa *A. S. Kapelrud,* Der Bund in den Qumran-Schriften, in: Bibel und Qumran (Berlin 1968) 137–149; *N. Ilg,* Überlegungen zum Verständnis von Berît in den Qumrantexten, in: *M. Delcor* (Hg.), Qumrân, Sa piété, sa théologie et son milieu (Bibl. Eph. Theol. Lov. XLVI) (Gembloux 1978) 257–264.

[24] *Chr. Levin,* Die Verheißung des neuen Bundes in ihrem theologiegeschichtlichen Zusammenhang ausgelegt (FRLANT 137) (Göttingen 1985) (umfassende Literaturangaben). Wichtig sind für unseren Zusammenhang aus dem Kapitel VI („Die Verheißung des neuen Bundes") die Abschnitte 1 („Schuld und Vergebung") und 3 („Der neue als der erneuerte Bund"). Vgl. ferner *N. Lohfink,* Der niemals gekündigte Bund. Exegetische Gedanken zum christlich-jüdischen Gespräch (Freiburg i. Br./Basel/Wien 1989) (bes. 59–103); *E. Zenger,* Die jüdische Bibel – unaufgebbare Grundlage der Kirche, in: *H. Flothkötter / B. Nacke* (Hg.), Das Judentum – eine Wurzel des Christlichen. Neue Perspektiven des Miteinanders (Würzburg 1990) 57–85 (bes. 65–69); *H. H. Henrix,* Der

ihre Schuld vergeben“, und in dem „nicht mehr“ in der Fortsetzung: „und ihrer Sünde will ich *nicht mehr* gedenken“, kommt, wie Levin bemerkt[25], „die Vergangenheit in den Blick, und zwar als Geschichte der *Schuld*“. Die Schuld wird „als die eigene Vergangenheit angenommen, als geschichtlicher Schuldzusammenhang, der nach wie vor die Gegenwart bestimmt. In diesem Annehmen der Vergangenheit als der Bedingung der Gegenwart liegt aber nichts Bedrückendes, sondern im Gegenteil eine große Befreiung: Die Wahrheit der Geschichte tritt ins Bewußtsein und macht den Halbwahrheiten und dem Selbstbetrug ein Ende“, so daß „der Weg frei (wird) zu einem Neuanfang. Jetzt kann die Verheißung laut werden, daß Gott die Schuld der Vergangenheit vergangen sein lassen will, sie vergißt“[26]. Nach Levin ist „die unbedingte Vergebungs*verheißung* als freie Zusage Gottes weithin ohne Parallele“, mit Ausnahme von Jes 43,25 („Ich, ich bin's, der deine Vergehen tilgt um meinetwillen, und deiner Sünde will ich nicht gedenken“) und Jes 44,22a („Ich tilge wie eine Wolke deine Vergehen, und wie Gewölk deine Sünden“). „Jahwe wird die Sünden Israels und Judas aus seinem Gedächtnis tilgen, wird, was gewesen ist, vollständig vergessen und von neuem mit seinem Volk beginnen ... Es gilt für das Haus Israel und das Haus Juda ‚von ihrem Kleinsten bis zu ihrem Größten‘ und schließt ihrer aller Verfehlung (6,13a) ein.“[27]

Levin führt weiter aus, daß die vor allem bei Dt-Jes sich findende „Entsprechung des Früheren und des Neuen“ es verbietet, „das Neue im Sinne eines prinzipiellen, qualitativen Gegensatzes zum Alten und Vorhandenen zu verstehen ... Neu machen (חדש pi.) heißt ‚herstellen‘, ‚das Verbrauchte, Zerstörte erneuern‘, nicht aber ‚Neues erfinden‘.“[28] „In derselben Weise ist die Bundestheologie, indem sie die Erneuerung des Jahweverhältnisses zum Ziel hat, auf die Wiederherstellung des Gewesenen gerichtet ... Und auch nachdem ... der Bund zur Deutungschiffre der als Bundesbruch verstandenen Geschichte geworden ist, so daß nunmehr nicht an die Stelle des zerstörten Gottesverhältnisses der Bund, sondern an die Stelle des gebrochenen Bundes ein neuer Bund treten muß, bleibt das Ziel der Bundestheologie dasselbe: restitutio ad integrum. Man muß sich von neutestamentlichen Vorurteilen frei machen: Der neue Bund in Jer 31,31 ist kein qualitativ neuer, sondern ein *erneuerter* Bund. Daran ändert auch die Entgegensetzung

nie gekündigte Bund – Basis des christlich-jüdischen Verhältnisses, in: Erbe und Auftrag 66 (1990) 193–208 (sehr instruktiv!).

[25] A.a.O (s. Anm. 24) 133.

[26] Ebd. 133f.

[27] Ebd. 135.

[28] Ebd. 140.

nichts: ‚Nicht wie der Bund ...', in der ‚von einem *alten* Bund ... bezeichnenderweise nichts gesagt ist' (S. Herrmann). Die Eigenschaft des gebrochenen Bundes ist nach eindeutiger Aussage des Textes nicht, daß er alt oder anders, sondern daß er gebrochen ist. Deshalb und nur deshalb ist der Schluß eines neuen Bundes erfordert."[29]

Auch der Prophet Ezechiel „spricht in der Allegorie Kap. 16 vom Bund, den JHWH mit dem jungen Israel schloß (v. 8), den Israel aber gebrochen hat (v. 59); jetzt will er aber einen neuen Bund schließen (v. 60.62), aber nicht wegen Israels Treue (v. 61), sondern weil er selbst seines Bundes gedenkt (זכר v. 60). Auch sonst verheißt er einen neuen Bund (37,26), der ein Friedensbund (34,25; 37,26) und ein ewiger Bund (16,60; 37,26; vgl. auch Jes 61,8) ist" (M. Weinfeld)[30].

Nach Levin findet das „Verständnis des neuen als eines erneuerten Bundes ... Bestätigung durch die inhaltliche Bestimmung"[31]; diese lautet nach Jer 31,33b: *„Ich werde ihr Gott sein, und sie werden mein Volk sein".* Das ist die „Bundesformel", vgl. Jer 7,23; 11,4; Lev 26,12; Dtn 26,17f. „Sie steht als futurischer Indikativ außerhalb jedes Konditionalverhältnisses. Der Bund als neuer Bund ist zum erstenmal reine, apodiktische Verheißung Jahwes ohne jede Bedingung oder gar Forderung. Tatsächlich war der Schritt, der hier getan ist, unausweichlich: Nachdem der Bund gebrochen ist, hätte das Verhältnis zwischen Jahwe und Israel sich auf die Forderung der Treue und des Gehorsams nicht mehr gründen lassen. Ein neuer Bund konnte nur ein Akt der vergebenden Liebe sein, der seinen Grund und seinen Bestand allein auf Jahwes Seite hatte. Was mit dieser Einsicht erreicht ist, ist von erheblicher Tragweite" (Levin)[32], *gerade auch für das Verständnis von Röm 11,27:*

---

[29] Ebd. 140f. Vgl. auch *N. Lohfink,* Der niemals gekündigte Bund (s. Anm. 24) 63: „Auch in dem Jeremiatext steckt, trotz aller rhetorischen Antithetik, nicht die Logik des völlig anderen, des schlechthin überholten Früheren, der reinen Entgegensetzung, sondern die der volleren und dauerhafteren Verwirklichung des Altgegebenen". Vgl. auch noch *E. Kutsch,* Art. בְּרִית, in: THAT I, 339–352 (348–350); *M. Weinfeld,* Art. בְּרִית, in: ThWAT I (Stuttgart–Berlin–Köln–Mainz 1973) 781–808 (807f). Zum Bundesgedanken im Alten Testament vgl. auch noch *G. Habets,* Bund im Alten Testament: Gabe und Aufgabe. B^erit, ein Bedeutungsfeld, in: Teresianum. Ephemerides Carmeliticae 35 (1984) 3–35 (mit Lit.).

[30] *M. Weinfeld,* ThWAT (s. Anm. 29) 807. Vgl. auch noch *B. Renaud,* L'alliance éternelle d'Éz 16,59–63 et l'alliance nouvelle de Jér 31,31–34, in: *J. Lust* (Hg.), Ezekiel and his Book. Textual and Literary Criticism and their Interrelation (Leuven 1986) 335–339. R. sieht in Ez 16,59–63 eine „Fortschreibung", die von Jer 31 abhängig sei; der Wechsel vom „neuen" zum „ ewigen" Bund erkläre sich aus priesterlicher Tradition und Theologie.

[31] A.a.O. 141.

[32] Ebd.

„Der Bund" ist ein Sündenvergebungsbund

- „Der Bund" wird von Gott Israel sola gratia, ohne Vorleistung Israels, gewährt.
- „Der Bund" wird „*ganz* Israel" gewährt; denn der Dat. comm. αὐτοῖς hat seinen semantischen Rückbezug auf πᾶς Ἰσραήλ in 11,26, genau wie der Genitiv αὐτῶν bei τὰς ἁμαρτίας[33].
- Die Gabe des „Bundes" steht in einem zeitlichen Zusammenhang mit der Ankunft des Retters aus Zion, mit dem höchstwahrscheinlich der Parusiechristus gemeint ist, der die „Gottlosigkeiten" (Sünden)[34] von Jakob „wegwenden wird"[35].
- Der ausschließliche Grund für die endzeitliche Gabe des Bundes an ganz Israel sind die unzerstörbare Liebe Gottes zu seinem erwählten Volk „um der Väter willen" (11,28b), sein unverrückbares Stehen zu seinen „Gnadengaben" (χαρίσματα) für Israel und zu seinem „Ruf" (κλῆσις), der einst an den Stammvater Israels erging (11,29), und vor allem der Umstand, daß Gott sein Volk trotz seiner „Verstokkung" dem Evangelium gegenüber nicht verstoßen hat (11,1a).
- „Der Bund" ist der *erneuerte* Bund mit den Vätern und als solcher die eschatologische Erfüllung des in Jes 59,20f verheißenen Bundes, wobei der Apostel sehr wahrscheinlich *auch* an den in Jer 31,33f angesagten „neuen (= erneuerten) Bund" denkt, auch wenn das Attribut „neu" in Röm 11,27a nicht ausdrücklich erscheint, weil Paulus dabei wörtlich den Septuagintatext aus Jes 59,20f zitiert – und der Sinn des Zitierens ist ja der, die kommende *sichere Erfüllung*

[33] Das ist ein Hauptunterschied der paulinischen „Bundestheologie" in Röm 11 von jener der Qumrangemeinde: Gott gewährt nach Paulus den rettenden Bund „*ganz* Israel", nicht bloß dem „Rest" der „im Lande Damaskus" Lebenden, d.h. der Qumrangemeinde. Auf weitere Unterschiede gehen wir nicht ein.

[34] Der *Plural* ἀσεβείας, den Paulus im Zitat beibehält, verbietet es, ἀσεβείας exklusiv auf jene „Gottlosigkeit Israels" zu beziehen, „die in seiner gegenwärtigen Feindschaft gegen das Evangelium besteht" (so *U. Wilckens,* Der Brief an die Römer [s. Anm. 10] 256, Anm. 1154). Doch bringt man mit Recht die endzeitliche Wegnahme der Sünden Israels in einen Zusammenhang mit der *iustificatio impii. E. Käsemann* gibt in seinem Kommentar zum Römerbrief (Tübingen [4]1980) ἀσεβείας wieder mit „die vielfache Gottlosigkeit" und bemerkt zu Röm 11,27: „Hier meldet sich vielmehr nochmals und abschließend die paulinische Rechtfertigungslehre zu Wort ... Sie bestimmt in gleicher Weise den Verlauf wie das Ende der Heilsgeschichte, verbindet das Geschick Israels mit dem der Heiden und bildet als Zentrum der Botschaft unseres Briefes auch das Kriterium des Glaubens und der Hoffnung". Die Wiedergabe ἀσεβείας mit „Gottlosigkeiten" kann freilich leicht mißverständlich klingen, genauso wie die Wiedergabe des Lexems ἀσεβής in Röm 4,5 und 5,6 mit „gottlos". Weder waren Abraham vor seiner Beschneidung noch die Heiden vor ihrer Taufe „gottlos".

[35] Es besteht eine Spannung zwischen dem Subjekt in 11,26b („der Retter aus Zion" = Christus) und dem Subjekt in 11,27 (Gott). Aber Gott nimmt auch die Sünden Israels allein durch Christus weg!

einer einst Israel gegebenen *Verheißung* ins Bewußtsein zu bringen. Auch nach Jer 31,34 ist der (neue) Bund ein Sündenvergebungsbund! So könnte auch Jer 31,31–34 im Hintergrund von Röm 11,27 stehen. Und wenn nach Röm 9,4 auch „die Bundesschlüsse" zu den bleibenden Vorzügen Israels gehören und der Apostel die alte Bundesverheißung von Jes 59,20f (im Verbund mit Jes 27,9) bei der Parusie des „Retters aus Sion" in Erfüllung gehen sieht, dann darf man mit Fug und Recht im Hinblick auf das bis heute real existierende Volk der Juden von einem „von Gott nie gekündigten Bund" sprechen. Denn mag auch Israel nach dem Zeugnis des Alten Testaments den Bund Gottes mit seinem erwählten Volk wiederholt gebrochen haben, *Gott selbst hat seinen Bund mit dem Volk Israel nie gekündigt*. Das wird sich am Ende der Zeiten vor aller Welt offenbaren, wenn Gott die Sünden ganz Israels wegnehmen und seinem „Ungehorsam" und seiner „Verstockung" Jesus Christus und dem Evangelium gegenüber ein Ende bereiten wird, so daß man Röm 11,27a sogar so paraphrasieren darf: „Und dies wird sein für sie die Vollendung des Bundes, den ich einst mit den Vätern geschlossen habe". Einstweilen aber bleibt der Jude *als Jude* neben der Kirche bis zum Ende der Zeiten – zweifellos eines der großen, von uns nicht durchschaubaren Rätsel der ganzen Heilsgeschichte[36]. „Denn zusammengeschlossen hat Gott alle [Juden und Heiden] unter Ungehorsam, damit er sich aller erbarme" (Röm 11,32). Das letzte Wort Gottes in der Geschichte heißt: ἔλεος, Erbarmen![37]

---

[36] Vgl. dazu Näheres bei *F. Mußner,* Warum muß es den Juden post Christum noch geben? Reflexionen im Anschluß an Röm 9–11, in diesem Band S. 51–59.

[37] Ich danke meinen ehemaligen Assistenten Werner Stenger und Michael Theobald für einige hilfreiche Hinweise.

Warum muß es den Juden post Christum noch geben?

Reflexionen im Anschluß an Röm 9–11

Zunächst sei vorbereitend gefragt: Was wäre, wenn es den Juden aufgrund der „Bekehrung" aller Juden zum Evangelium nicht mehr gäbe? Auf diese Frage gibt es nur die recht simpel klingende Antwort: Dann gäbe es eben den Juden nicht mehr. Dann wäre vermutlich das Judentum aus der Geschichte verschwunden! Nun gibt es aber den Juden bis zum heutigen Tag. Franz Rosenzweig, der bedeutende jüdische Religionsphilosoph, bemerkt in seinem berühmten Werk „Der Stern der Erlösung"[1]: „Die jüdische Geschichte ist, aller weltlichen Geschichte zum Trotz, Geschichte dieses Rests, von dem immer das Wort des Propheten gilt, daß er ‚bleiben wird'" (450). Israel ist „mehr ... als eine Idee ... Denn wir leben. Wir sind ewig, nicht wie eine Idee ewig sein mag, sondern wir sind es, wenn wirs sind, in voller Wirklichkeit. Und so sind wir dem Christen das eigentlich Unbezweifelbare ... An uns können die Christen nicht zweifeln" (461). Die Christen können an den Juden nicht vorbeigehen, an „unseren bevorzugten Brüdern", an „unseren älteren Brüdern" (Papst Johannes Paul II. bei seinem Besuch in der römischen Synagoge am 13. April 1986).

Im folgenden sei der Versuch gemacht, theologische Antworten auf unsere Themafrage zu finden, die vor allem von den Gedankengängen des Apostels Paulus in Röm 9–11 inspiriert sind – und Wolfgang Trilling, dem dieser Beitrag gewidmet ist, hat sich in seinem bedeutsamen Œuvre auch mit der Verkündigung des Paulus befaßt[2].

I. Der bleibende Heilswille Gottes Israel gegenüber

Als Paulus sich selbst und seinen Adressaten in der römischen Gemeinde die bange Frage vorlegt: „Hat Gott sein Volk (Israel) verstoßen?" (Röm 11,1), antwortet er zunächst spontan: „Keineswegs!", dann aber ausführlicher: „Nicht hat Gott sein Volk verstoßen, das er

---

[1] Den Haag [4]1976 (mit einer Einführung von Reinhold Mayer).

[2] W. *Trilling*, Mit Paulus im Gespräch. Das Lebenswerk des großen Völkerapostels – eine Hinführung (Graz–Wien–Köln 1983).

zuvor erkannt hat" (11,2): diese Antwort erfolgt in Anlehnung an Ps 93,14 LXX. „Es ist damit schon durch Ps 94,14 [MT], der die Verwerfung Israels verneint, eindeutig, daß die von Paulus jetzt gestellte Frage zu verneinen ist" (H. Schlier)[3]. Paulus selbst, der aus dem Judentum stammt, und der judenchristliche „Rest" sind der lebendige Beweis dafür, daß Gott sein Volk nicht verstoßen hat (vgl. 11,1b.4–7a): sie sind „Gerettete", doch auch sie nur „durch Gnade" (11,5). In Wirklichkeit jedoch geht es dem Apostel bei seiner Frage: „Hat Gott sein Volk verstoßen?" um die „Verstockten", d.h. um jene Juden, die das rettende Evangelium ablehnen. Hat Gott *diese* verstoßen, aus Strafgründen wegen ihrer „Verstockung"? Gerade diesen furchtbaren Gedanken weist Paulus zurück – eigentlich überraschend, wenn man an seine Ausführungen in Röm 10 denkt. Der Grund dafür, daß Gott einst auch das „verstockte" Israel retten wird, ist nach dem Kontext von 11,1–10 in dem Relativsatz in 11,2 genannt: „das er zuvor erkannt hat"; auf diesem kurzen Relativsatz liegt ein „Zentnergewicht" (F. W. Maier)[4]. Der Satz meint nicht ein „Vorauswissen" Gottes über das Verhalten Israels, vielmehr den vorzeitlichen, unumstößlichen Ratschluß Gottes, sein erwähltes Volk Israel trotz seiner teilweisen Verstockung (vgl. 11,25) endgültig zu retten (11,26); *„dieser Beschluß bleibt unwandelbar in Kraft,* selbstverständlich auch in der Heilszeit, ja gerade in ihr!" (ders.)[5]. „Denn unwiderruflich sind Gottes Gnadenerweise und sein Ruf" (11,29), bezogen vom Apostel auf Israel, speziell auf die „Verstockten" in ihm, die zwar „Feinde" des Evangeliums sind, aber im Hinblick auf ihre einstige „Erwählung" bleibende „Geliebte [Gottes] um der Väter willen" (11,28)[6]. Gottes „Vorsatz" bleibt „entsprechend (seiner einmal getroffenen) Wahl" für immer bestehen, „unabhängig von Werken" des Menschen, von seinen Entscheidungen (vgl. 9,11b). Er erbarmt sich, wessen er sich erbarmen will, und er verhärtet, wen er verhärten will (vgl. Ex 33,19; Röm 9,18), womit m.E. „die semantische Achse" von Röm 9–11 sichtbar wird[7].

---

[3] Der Römerbrief (Freiburg i.Br.–Basel–Wien ²1979) 321. Vgl. (nach Schlier) auch Ps 60; 74; 103; 1 Sam 12,22; Ez 11,16f; Mich 4,6f LXX; Soph 3,19 LXX; 2 Makk 6,12–16.

[4] Israel in der Heilsgeschichte nach Röm 9–11 (Münster 1929) 106.

[5] Vgl. ebd.

[6] Die „verstockten" Juden sind nicht „Feinde Gottes" (so die Einheitsübersetzung), sondern „Feinde" („Gegner") des Evangeliums (vgl. 11,28a)! Dazu *F. Mußner,* Sind die Juden „Feinde Gottes"? Bemerkungen zu Röm 11,28, in: Dynamik im Wort (FS des Kathol. Bibelwerks in Deutschland) (Stuttgart 1983) 235–240.

[7] Vgl. dazu *F. Mußner,* Israels „Verstockung" und Rettung nach Röm 9–11, in: *ders.,* Die Kraft der Wurzel. Judentum – Jesus – Kirche (Freiburg i.Br.–Basel–Wien ²1989) 39–54 (46–48).

Der bleibende Heilswille Gottes Israel gegenüber ist der heilsgeschichtliche Grund, daß der Jude *als Jude* trotz seiner „Verstockung" dem Evangelium gegenüber auch post Christum in der Geschichte noch immer da ist, womit aber das „muß" in unserer Themafrage noch nicht erklärt ist. Es muß weiter gebohrt werden.

II. Die andauernde „Verstockung" Israels dem Evangelium gegenüber

Tatsache ist: Der Jude ist nicht bloß da, er lehnt bis heute und vermutlich auch in Zukunft das Evangelium ab – immer von einem „Rest" abgesehen. Mit dieser andauernden „Verstockung" des Juden dem Evangelium gegenüber ist zweifellos eines der größten Rätsel der Heilsgeschichte angesprochen: *Warum* diese bleibende „Verstokkung" des Juden dem Evangelium gegenüber, obwohl das Evangelium „eine Kraft Gottes zur Rettung für jeden Glaubenden (ist), *zuerst für den Juden*" (Röm 1,16), und obwohl „der Christus dem Fleische nach aus ihnen" (den Juden) stammt (9,5)?

Die Frage nach diesem „Warum" bleibt von uns Sterblichen her gesehen letztlich unbeantwortbar. Denn „unerforschlich (sind) seine (Gottes) Entscheide und unergründlich seine Wege" (11,33b), und kein Sterblicher ist „sein Ratgeber" gewesen (11,34a)! Dennoch sucht Paulus nach causae der „Verstockung" Israels dem Evangelium gegenüber. Er nennt in Röm 9–11 im wesentlichen folgende:

a) Auch den Juden wurde das Evangelium von den dafür „Abgesandten" verkündet, so daß es ihnen nicht unbekannt blieb (vgl. 10,16–21). Aber Israel blieb taub, obwohl Gott „den ganzen Tag" seine „Hände nach einem ungehorsamen und widerspenstigen Volk ausgestreckt" hat (Jes 65,2; Röm 10,21), besonders auch durch Jesus und seine Missionare, zu denen der Apostel selbst gehört. Eine causa der „Verstockung" Israels ist also nach Paulus der Ungehorsam Israels gegenüber der Evangeliumsverkündigung.

b) Die Hauptcausa der „Verstockung" Israels dem Evangelium gegenüber ist aber Gott selber. Denn die „Verstockung" der „übrigen" (vgl. 11,7b) begründet der Apostel mit Zitaten aus Dtn 29,3 (Jes 29,10) und Jes 6,9f in Röm 11,8 so: „Es gab ihnen *Gott* einen Geist des Tiefschlafes, Augen zum Nicht-Sehen und Ohren zum Nicht-Hören, bis zum heutigen Tag". Man übersehe nie, daß das Subjekt in diesen Zitaten, die modalen Sinn haben (vgl. καθάπερ γέγραπται)[8], ὁ θεός ist,

[8] Die Partikel καθάπερ hat die Bedeutung „genau so wie" (vgl. *E. Mayer*, Grammatik, der griechischen Papyri aus der Ptolemäerzeit II/3, Berlin-Leipzig 1934, 153).

also Gott! Eben jener Gott, der sich erbarmt, wessen er sich erbarmen will, und verhärtet, wen er verhärten will. Um dieses Subjekt kommt kein Exeget herum[9]. Das Problem ist aber dies: Gab Gott Israel „einen Geist des Tiefschlafes" *zur Strafe* für seinen Ungehorsam den Evangeliumsverkündern gegenüber, so daß die Juden deshalb von nun an „verstockt" sind? Oder gab er ihm diesen „Geist des Tiefschlafes" *von vornherein,* so daß die Juden gar nicht in der Lage waren und sind, dem Evangelium gehorsam zu werden? Die Antwort auf diese Frage ist schwierig zu finden. Röm 9,15 (sich erbarmen/verhärten), das entscheidend mit der „semantischen Achse" von Röm 9–11 zu tun hat, und die Ausrufe und Fragen des Apostels in 11,33–35 weisen eher darauf hin, daß Gott die Verstockung Israels dem Evangelium gegenüber *von vornherein* verfügt hat, um an Israel *vor aller Welt* seinen unergründlichen Ratschluß, seine Freiheit und souveräne Macht, den Reichtum und die Übermacht seiner rettenden Gnade und sein Erbarmen zu manifestieren, was zur Folge hat, daß es den „verstockten" Juden neben der Kirche bis zum Ende der Zeiten gibt, und was weiterhin zur Folge hat, daß der Jude der besondere Garant und Zeuge für die Konkretheit der Heilsgeschichte und Israel „mehr ... als eine Idee" (F. Rosenzweig) ist. „Heilsgeschichte" ist nichts Supranaturales ohne Anhalt in der konkreten Geschichte; sie vollzieht sich in der Geschichte der Menschheit, in ihrem Raum und in ihrer Zeit[10]. Der Jude hält in besonderer Weise die Heilsgeschichte bei der Geschichte, und so ist der Jude „dem Christen das eigentlich Unbezweifelbare" (F. Rosenzweig). Er erinnert die Kirche und die ganze Menschheit, auch die atheistische, daran, daß die Wege Gottes sich nicht der Logik der Sterblichen beugen[11]. Und so darf man sagen, daß die Juden auch post Christum noch eine positive Heilsfunktion haben[12]. Ihre „Verstok-

---

[9] Vgl. auch *H. Hübner,* Gottes Ich und Israel. Zum Schriftgebrauch des Paulus in Röm 9–11 (Göttingen 1984). Zur paulinischen Verarbeitung der atl. Zitate in Röm 11,8 vgl. *D.-A. Koch,* Die Schrift als Zeugnis des Evangeliums. Untersuchungen zur Verwendung und zum Verständnis der Schrift bei Paulus (Tübingen 1986) 170f; der Einbezug von πνεῦμα κατανύξεως („Geist des Tiefschlafes") aus Jes 29,10 in das Dtn-Zitat stellt „eine Verschärfung der Verstockungsaussage des Zitats dar" (Koch).

[10] Vgl. K. *Rahner,* Weltgeschichte und Heilsgeschichte, in: *ders.,* Schriften zur Theologie V (Einsiedeln-Zürich-Köln 1962) 115–135.

[11] Vgl. in diesem Band den folgenden Beitrag: Die „Logik" Gottes nach Röm 9–11.

[12] Vgl. auch *F. Mußner,* Hat Israel post Christum noch eine „Heilsfunktion"?, in: *ders.,* Traktat über die Juden (München ²1988) 78–87; *H. H. Henrix,* Das Judentum – außerhalb der Kirche, also heillos?, in: TrThZ 92 (1983) 216–233; *B. Klappert,* Daß Jesus ein geborener Jude ist. Das Judesein Jesu und die Israelwerdung Gottes nach Karl Barth, in: *E. L. Ehrlich / B. Klappert* (Hg.), „Wie gut sind deine Zelte, Jaakow ..." (FS f. R. Mayer) (Gerlingen 1986) 221–252 (bes. 242–252: „Das Judentum als Zeuge der Erwählung Gottes unter den Völkern").

kung" dem Evangelium gegenüber ist der lebendige Hinweis auf das Noch-nicht-Endgültige der Heilsvollendung. „Israel ist der weltgeschichtliche Zeuge für dieses Noch-nicht des göttlichen Willens. Es repräsentiert mit seinem Nein den eschatologischen Vorbehalt selbst" (F.-W. Marquardt)[13].

c) Paulus nennt schließlich als eine weitere causa der „Verstokkung" Israels dem Evangelium gegenüber jenen Vorgang, daß „durch ihren (der Juden) Fall das Heil zu den Heiden" gekommen ist (vgl. Röm 11,11). Ihr „Fall" wurde zum „Reichtum für die Welt und ihre Minderzahl (= ihr Zurückbleiben an Zahl im Vergleich mit den christgewordenen Heiden) zum Reichtum für die Heiden". Der Apostel verbindet jedoch diese eigenartig klingende Konstatierung, erwachsen aus seiner eigenen Missionserfahrung, mit der Ansage eines eschatologischen πλήρωμα der Juden: einem „Vollwerden" (an Zahl), vermutlich schon mit Blick auf die später erfolgende prophetische Ansage der bei der Parusie erfolgenden Rettung *ganz* Israels[14]. Auf sie weist aber der Apostel auch schon in 11,15 hin: „Denn wenn ihre Verwerfung Versöhnung der Welt [bedeutete], was (wird) ihre Annahme [anders sein als] Leben aus den Toten"?[15] Aus der Formulierung in 11,19: „Ausgebrochen wurden Zweige, *damit* ich (der Heidenchrist in den Edelölbaum) eingepfropft werde", könnte der Schluß gezogen werden: Gott hat den Juden auch *deswegen* verhärtet, damit das Evangelium zu den Heiden kommen könne. Doch scheint mir F. W. Maier dazu richtig zu bemerken: „Die Heidenmission ist nicht eigentlich das *Ziel*, das Gott mit der Verhärtung Israels verbindet, sondern einfach

---

[13] „Feinde um unsretwillen". Das jüdische Nein und die christliche Theologie, in: *P.v.d. Osten-Sacken* (Hg.), Treue zur Thora (FS f. G. Harder) (Berlin 1977) 174–193 (192).

[14] Vgl. dazu *F. Mußner,* Traktat über die Juden (s. Anm. 12) 52–64; *ders.,* Israels „Verstockung" und Rettung nach Röm 9–11 (s. Anm. 7). Vgl. auch noch *F. Refoulé,* „... et ainsi tout Israël sera sauvé". Romains 11,25–32 (Paris 1984; mit Überblick über die Auslegungsgeschichte).

[15] Dazu der Kommentar v. *U. Wilckens,* Der Brief an die Römer II (Zürich-Neukirchen 1980) (EKK VI/2) 245: „Der Ton liegt ... darauf, daß die Heiden nicht nur jetzt, sondern auch in der endzeitlichen Zukunft, *vermittelt durch Israel,* an Gottes Heil teilhaben: jetzt als Folge des Abfalls und der Verwerfung Israels, dann als Folge seiner Restitution zur ‚Vollzahl', seiner Wiederannahme". Ist aber bei dem Hinweis auf das kommende „Leben aus den Toten" nicht eher an ganz Israel gedacht, mit Reminiszenz an Ezechiels Vision von der Wiederbelebung der Totengebeine, bezogen auf Israel (Ez 37,1–14; V. 11: „diese Gebeine sind das ganze Haus Israel")? Man beachte, daß die beiden Versglieder in Röm 11,15 keineswegs parallel gebaut sind! – Wenn die „Einheitsübersetzung" 11,12 so übersetzt: „Wenn aber schon durch ihr Versagen die Welt und durch ihr Verschulden die Heiden reich werden, dann wird das erst recht geschehen, wenn ganz Israel zum Glauben kommt", so hat das mit Übersetzung nichts zu tun. Vgl. dazu auch *F. Mußner* Fehl- und Falschübersetzungen von Röm 11 in der „Einheitsübersetzung", in: ThQ 170 (1990) 137–139.

die geschichtliche (allerdings von Gott so gewollte) Folge des jüdischen Widerspruchs."[16] Wie der Kontext von Röm 11,19 zeigt, geht es dem Apostel darum, die Heidenchristen vor Verachtung und Ruhmsucht gegenüber den „verstockten" Juden zu bewahren (vgl. 11,18.20b.21) und ihnen ins Bewußtsein zu rufen, daß nicht *sie* die Wurzel (Israel) tragen, vielmehr das Umgekehrte der Fall ist: die Wurzel „trägt dich" (11,18)! Die heidenchristliche Kirche ist nur „Mitteilhaberin der fettspendenden Wurzel des (Edel-)Ölbaums" (11,17b)[17]. Wenn dem aber so ist, braucht die Kirche zur Gewinnung und Erhaltung ihres Selbstverständnisses und ihres Identitätsbewußtseins stets des Juden an ihrer Seite. Ja, selbst den Sätzen Karl Barths muß zugestimmt werden: „Christus, der aus ihm [dem Judenvolk] hervorgegangene Knecht Gottes, die Gestalt des Gottesknechtes für alle Völker und dieses eine Volk Israel, das sind zwei nicht voneinander zu trennende Wirklichkeiten nicht nur damals, sondern für die ganze Geschichte, ja für alle Ewigkeit. Israel ist nichts ohne Jesus Christus, aber man wird auch sagen müssen: Jesus Christus wäre nicht Jesus Christus ohne Israel."[18] Und weiter: „Jesus Christus, an den wir glauben, den wir Christen aus den Heiden unseren Heiland nennen und als den Vollbringer des Gotteswerkes für uns preisen, er war *notwendig Jude*. An dieser Tatsache ist nicht vorbeizusehen, sondern sie gehört zu der konkreten Wirklichkeit des Werkes Gottes und seiner Offenbarung."[19]

Mit diesen Überlegungen über die causae der „Verstockung" Israels sind wir der Antwort auf unsere Themafrage schon näher gekommen.

---

[16] Israel in der Heilsgeschichte (s. Anm. 4) 118, Anm. 62.

[17] Dazu Näheres bei *F. Mußner*, „Mitteilhaberin an der Wurzel". Zur Ekklesiologie von Röm 11,11–24, in: *ders.*, Die Kraft der Wurzel (s. Anm. 7) 153–159. Zum ganzen vgl. auch noch *M. Theobald*, Kirche und Israel nach Röm 9–11, in: KAIROS 29 (1987) 1–22. *O. Hofius*, Das Evangelium und Israel. Erwägungen zu Röm 9–11, in: ZThK 83 (1986) 297–324. In meinem Buch „Die Kraft der Wurzel" (S. 39, Anm. 2) habe ich wichtige Literatur zu Röm 9–11 zusammengestellt.

[18] Dogmatik im Grundriß (München 1947) 84.

[19] Ebd. 87. Vgl. auch *F. Mußner*, Warum mußte der Messias Jesus ein Jude sein?, in: *ders.*, Die Kraft der Wurzel (s. Anm. 7) 89–92.

III. Die Rettung ganz Israels als Folge des „Reichtums" und des „Überströmens" der Gnade Gottes

Der Apostel Paulus machte in seiner Missionsarbeit eine ihn mit größtem Schmerz erfüllende Erfahrung: Sein Volk, aus dem er selbst hervorging, lehnt das Evangelium von der *alle* Menschen rettenden Heilstat Gottes in Jesus Christus ab; es bleibt in seiner Hauptmasse verstockt. Damit ist die Grundthematik des Römerbriefs angesprochen[20]. Wenn Gottes Verheißungswort Israel gegenüber nicht „hinfallen" soll – und es fällt nicht hin (vgl. Röm 9,6a)! –, dann kann auch Israel von seinem Rettungsprogramm nicht ausgeschlossen sein. Deshalb sind die Kapitel 9–11 des Römerbriefs kein entbehrlicher und herausnehmbarer Bestandteil desselben. Die rettende Gnade Gottes, die sich definitiv in Kreuz und Auferstehung Jesu gezeigt hat, in seinem Opfertod für uns Sünder, wäre nicht wirklich „überströmend" und mächtiger als Tod und Sünde, in die letztere auch eingeschlossen „die Gottlosigkeiten Jakobs" (Röm 11,26), die sich zuletzt in seiner „Verstockung" Jesus und dem Evangelium gegenüber manifestierten. Man versteht die prophetische Ansage des Apostels von der endzeitlichen „Rettung ganz Israels" nur, wenn man sie als Konsequenz der περισσεία („Überströmen") und des „Reichtums" der Gnade Gottes erkennt[21]. „Gottes *Macht, die sich gerade am Unmöglichen zeigt,* unterliegt keinen Eventualitäten: sie setzt sich durch!" (M. Theobald)[22], gerade auch gegenüber der „Verstockung" Israels. Gott wird sie überwinden, auch wenn er sie zunächst verfügt hat, und wird ganz Israel durch seinen Parusiechristus sola gratia retten.

So ist und bleibt der Jude das Hauptparadigma in der heilsgeschichtlichen Verifizierung des Satzes in Röm 9,15: „Ich erbarme mich, wessen immer ich mich erbarme, und ich verhärte, wen immer ich verhärte", der den Schlüssel bei der Bestimmung der „semantischen Achse" von Röm 9–11 bildet, wie wir w.o. schon bemerkten.

Und so *muß* es den „verstockten" Juden post Christum noch geben:
- als den bleibenden Zeugen für die Konkretheit der Heilsgeschichte

---

[20] Vgl. *F. Mußner,* Heil für alle. Der Grundgedanke des Römerbriefs, in diesem Band S. 29–38.

[21] Dies hat *M. Theobald* in seiner hervorragenden Dissertation „Die überströmende Gnade. Studien zu einem paulinischen Motivfeld" (Würzburg 1982) überzeugend herausgearbeitet (vgl. vor allem S. 129–166). Ich muß gestehen, daß mir erst diese Arbeit die Ansage des Apostels in Röm 11,26 („ganz Israel wird gerettet werden") von der paulinischen Gnadentheologie her ganz erschlossen hat; vgl. *F. Mußner,* Israels „Verstockung" und Rettung nach Röm 9–11, in: *ders.,* Die Kraft der Wurzel (s. Anm. 7) 48–52.

[22] A.a.O. 159.

- als die bleibende „Wurzel" der Kirche und als ihren gottgewollten Begleiter durch die Geschichte bis zum Ende der Tage
- als den lebendigen Zeugen für die undurchschaubaren Wege Gottes
- als den endgültigen und endzeitlichen Zeugen der Übermacht der Gnade [23].

Naturgemäß hängt mit unserem Thema auch der jüdischerseits seit alten Zeiten immer wieder gemachte Versuch der „Assimilation" zusammen, der nie gelang und nie gelingt. In der Neuzeit klammerte sich die Assimilation „als Produkt der Aufklärung ... an die Hoffnung einer heilenden Kraft der Emanzipation, welche die Integrierung der Juden in die aufgeklärte westliche Gesellschaft herbeizuführen versprach. Sie ermöglichte die Erwartung, daß diese Entwicklung nicht nur das Problem des Antisemitismus lösen, sondern auch die Frage des nationalen Messianismus durch die Beheimatung der Juden in Europa befriedigend beantworten könnte" (J. Allerhand) [24]. Alle diese Erwartungen haben sich nicht erfüllt. Der Jude muß Jude bleiben, ob er will oder nicht. Der heidnische Seher Bileam sprach so über Israel (Num 23,9):

> „Denn vom Gipfel der Felsen sehe ich es,
> von den Höhen aus erblicke ich es:
> Dort, ein Volk, es wohnt für sich,
> *es zählt sich nicht zu den Völkern"*.

„In der *Welt der Völker* steht Israel in einer abgründigen Einsamkeit, nur Jahwe zugehörig ... Die Existenz und der Weg Israels in der Völkerwelt ist das große Mysterium, von dem auch die Psalmen als dem geheimnisvollen Wunder sprechen" (H.-J. Kraus). [25]

Gerade im Licht von Röm 9–11 bestätigt sich die Richtigkeit des Satzes in meinem „Traktat über die Juden" (S. 33): „Ein atheistischer

---

[23] Vgl. auch noch *K. Barth,* Dogmatik im Grundriß (s. Anm. 17) 88f. Ferner *P. Lapide / K. Rahner,* Heil von den Juden? Ein Gespräch (Mainz 1983). Der Jude Lapide fragte Rahner auch: „Könnte dieses Nein der Juden, das ja letztlich dem Glauben und nicht dem Unglauben entspringt, eine positive, gottgewollte Rolle im universalen Heilsplan gespielt haben?", worauf Rahner so antwortete: „Natürlich kann ich dem Nein der Juden zu Jesus im Heilsplan Gottes eine positive, konstruktive Bedeutung zuerkennen. Denn auch wenn ich von allen tiefsinnigeren theologischen Überlegungen über die Sünde und deren positiver Funktion im Heilsplan Gottes absehe, kann ich als Christ sagen, ich habe als solcher die Pflicht, dieses jüdische Nein zu Jesus als dem Christus als aus einem positiven Verhältnis zu Gott entspringend zu interpretieren, obwohl ich zu diesem Nein nein sage" (ebd. 108f).

[24] KAIROS 27 (1985) 304. Vgl. dazu auch die lehrreiche Doppelbiographie des jüdischen Historikers *R. Kallner,* Herzl und Rathenau. Wege jüdischer Existenz an der Wende des 20. Jahrhunderts (Stuttgart 1976).

[25] Theologie der Psalmen (Neukirchen/Vluyn 1979) 71.

„Jude' ist eine ‚contradictio in adiecto', ein Widerspruch in sich selbst." Auch jüdische Freunde von mir haben im Gespräch seine Richtigkeit bestätigt. Gott hat seine Hand für immer auf den Juden gelegt; er kann ihm nicht aus dem Weg gehen. Deshalb darf die Frage gestellt werden: Versteht ein atheistischer Jude eigentlich sich selber richtig?

Die „Logik“ Gottes nach Röm 9–11

Es geht in Röm 9–11 durchgehend um die Frage nach dem Endheil Israels, nicht um Weltgeschichte und Kosmologie, auch nicht um eine allgemeine Prädestinationslehre, wenn auch für die letztere oft Aussagen in Röm 9–11 herangezogen wurden[1]. Der Zielsatz in den Ausführungen des Paulus steht in Röm 11,26: „Ganz Israel wird gerettet werden“, nämlich durch einen Akt der freien Gnade des souverän handelnden Gottes, der Gemeinde von Rom bekanntgegeben durch den prophetisch redenden Apostel.

1. Die alle menschliche Logik infragestellende Freiheit und Souveränität Gottes bringt Paulus bereits in 9,7–12 mit Blick auf die Vätergeschichten (Isaak, Sarah, Rebekka, Jakob, Esau) zur Sprache und unmittelbar anschließend am Paradigma „Pharao“, den Gott nach der Schrift (Ex 9,16) dazu „aufgerichtet“ hat, „damit ich an dir meine Macht erweise und damit mein Name auf der ganzen Erde verkündigt werde“ (Röm 9,17). Wenn der Apostel in 9,18 fortfährt: „Er erbarmt sich also, wessen er will, und verstockt, wen er will“, formuliert er, wie uns scheint, damit die „semantische Achse“, um die sich alles in Röm 9–11 dreht[2]. „Verstockt“ hat Gott den Pharao, wie das Buch Exodus erzählt; er „erbarmt“ sich seines erwählten Volkes Israel, indem er es am Ende der Zeiten „retten“ wird (11,26). Schon in Röm 9,14–23, worin es um die souveräne Macht des völlig von menschlicher Logik unabhängigen Gottes geht (Töpfergleichnis!), tauchen in gehäufter Weise die Lexeme „sich erbarmen“ (9,15 zweimal; 9,16.18), „Mitleid haben“ (9,15), „Erbarmen“ (9,23) auf, was schon erkennen läßt, daß das Motiv für Gott zur Rettung ganz Israels primär seine Barmherzigkeit ist, das gegen Ende seiner Ausführungen nochmals in bedeutsamer Weise auftaucht, wobei freilich auch die Heiden an seinem Erbarmen teilhaben (vgl. 11,31 f): „Zusammengeschlossen hat Gott alle unter Ungehorsam, *damit er sich aller erbarme*“ (11,32). Heil für alle!

---

[1] Vgl. dazu etwa *B. Mayer*, Unter Gottes Heilsratschluß. Prädestinationsgedanken bei Paulus (fzb) (Würzburg 1974).

[2] Näheres dazu bei *F. Mußner*, Israels „Verstockung“ und Rettung nach Röm 9–11, in: *ders.*, Die Kraft der Wurzel, 39–54 (46–48).

2. Auch dies, daß Gott nach Röm 9,32b.33 mit dem gekreuzigten und auferstandenen Christus „in Sion einen Stein des Anstoßes", an dem die Juden sich stießen und immer noch stoßen, hingelegt hat, stört menschliche Logik, in diesem Fall die „Logik" Israels, weil Israel das Heil mit der Erfüllung der „Werke der Tora" in Zusammenhang bringt, während Paulus (mit einem Satz aus Jes 28,16) lehrt: „wer an ihn (Christus) *glaubt*, wird nicht zuschanden werden" (9,33; 10,11), und für ihn dieser Christus „das Ende des Gesetzes zur Gerechtigkeit für jeden ist, der glaubt" (10,4). „Das Wort vom Kreuz" ist und bleibt ja nach 1 Kor 1,23 „für die Juden ein Ärgernis, für die Heiden Torheit". Es leuchtet Juden und Heiden nicht ein, daß das Heil der Welt ausgerechnet von einem Gekreuzigten kommen soll; den Heiden schon deshalb nicht, weil dieser Gekreuzigte noch dazu ein Jude ist. So stört gerade auch „das Wort vom Kreuz" die „Logik" der Sterblichen, die Heil oft lieber von anderen Heilsbotschaften und Heilsbotschaftern erwarten, wie die Erfahrung der Geschichte bis heute lehrt (vgl. auch 2 Kor 11,4). Gott aber „hat es gefallen, durch die Torheit des Kerygmas die Glaubenden zu retten" (1 Kor 1,21b).

3. Gerade auch die seltsamen Wege, die Gott mit seinem erwählten Volk Israel geht – „er (Gott!) gab ihnen einen Geist des Tiefschlafes, Augen, die nicht sehen, und Ohren, die nicht hören, *bis zum heutigen Tag*"(Röm 11,8: gemäß Dtn 29,3 und Jes 6,9f), um am Ende der Zeiten doch „ganz Israel" zu retten –, lassen nach Paulus erkennen, daß Gottes „Entscheidungen unerforschlich und seine Wege unergründlich" sind (11,33b). „Dabei steht jedoch weder die Völkergeschichte ... noch die Weltentwicklung ..., sondern ausschließlich das Verhältnis zu Israel im Blickfeld, wenngleich das exemplarische Bedeutung hat" (E. Käsemann)[3], nämlich dafür, daß die „Logik" Gottes sich nicht mit der „Logik" der Sterblichen deckt, auch wenn Hegel – dieser „gefährlichste Deutsche", wie ein Spanier einem Freund von mir gegenüber bemerkte – endlich hinter die „Logik" des „absoluten Geistes" gekommen zu sein glaubte und in seiner Dialektik auf Formeln zu bringen versuchte, die der Marxismus übernommen hat, wenn auch auf materialistischer Grundlage[4]. Nicht umsonst hat Lenin bemerkt, man müsse die Große Logik Hegels studieren, um das Wesen des Kommunismus zu begreifen! Nach Hegel ist „die Logik eine Darstellung Gottes im abstrakten

---

[3] An die Römer (Tübingen [4]1980) zu Röm 11,33.

[4] Vgl. dazu etwa *K. Löwith*, Von Hegel zu Nietzsche. Der revolutionäre Bruch im Denken des neunzehnten Jahrhunderts. Marx und Kierkegaard (Stuttgart [2]1950) 44–64; *ders.*, Weltgeschichte und Heilsgeschehen. Die theologischen Voraussetzungen der Geschichtsphilosophie (Urban-Bücher 2) (Stuttgart 1953) 55–61.

Element des reinen Denkens" (K. Löwith)[5]. Der weltgeschichtliche „Prozeß" ist nach Hegel nichts anderes als der „logische" Prozeß Gottes selber! Das Paradigma „Israel" widersteht aber für immer solcher „Logik". Der Jude läßt sich in den „Prozeß" Gottes, wie Hegel ihn verstand, nicht einordnen. Hegel selbst sprach einmal vom „dunklen Rätsel Israel"![6] Er spürte offensichtlich, daß die fortwährende Existenz des Juden die „Logik" des absoluten Geistes, wie er sie zu erkennen geglaubt hatte, stört. Auch deshalb *muß* es den Juden post Christum noch geben[7]. Auch Hegel, „der Sekretär des Weltgeistes", ist nicht „der Ratgeber" Gottes gewesen. Die Antwort auf die Frage des Apostels in Röm 11,34: „Oder wer war sein Ratgeber?" kann ja nur lauten: Niemand, kein Sterblicher! Die Existenz des Juden führt alle Versuche, hinter die „Logik" Gottes zu kommen, ad absurdum. Die „Pläne" Gottes sind nicht unsere Pläne![8] Seine „Logik" ist nicht die unsere! „Meine Gedanken sind nicht eure Gedanken, und eure Wege sind nicht meine Wege – Spruch des Herrn" (Jes 55,8).

4. Dabei übersehe man nicht, worauf E. Käsemann aufmerksam macht, daß die Schlußsätze, mit denen der Apostel in 11,33–36 seine gewiß schwierigen Gedankengänge in Röm 9–11, das Endheil Israels betreffend, beschließt, doxologischen Charakter besitzen; er krönt mit ihnen seine Heilszuversicht. „O Tiefe des Reichtums, der Weisheit und Erkenntnis Gottes![9] ... Alles ist aus ihm und durch ihn und zu ihm hin. Sein ist die Herrlichkeit in ewige Zeiten. Amen!" Paulus preist den Gott Israels, der sein Volk trotz seiner rätselhaften „Verstockung" dem Evangelium gegenüber, die den Apostel nach seiner Selbstaussage in 9,1–3 zwar mit größtem Schmerz erfüllt, am Ende retten wird.

> „JHWH zerbricht den Rat der Heiden,
> vereitelt die Pläne der Völker.
> Doch JHWHs Rat hat ewig Bestand,
> seine Herzens Pläne (gelten) für und für"
> (Ps 33,10f)

---

[5] Von Hegel zu Nietzsche (s. Anm. 4) 60.

[6] Zum Judentumsbild Hegels vgl. etwa *H. Liebeschütz*, Das Judentum im deutschen Geschichtsbild von Hegel bis Max Weber (Tübingen 1967) 1–42. „Der Löwe hat nicht Raum in einer Nuß, der unendliche Geist nicht Raum in dem Kerker einer Judenseele" (*Hegel*, Der Geist des Christentums und sein Schicksal [ed. Nohl] 312).

[7] Vgl. dazu *F. Mußner*, Warum muß es den Juden post Christum noch geben?, in diesem Band S. 51–59.

[8] Vgl. dazu auch *W. Werner*, Studien zur alttestamentlichen Vorstellung vom Plan Jahwes (Berlin – New York 1988).

[9] Dabei ist der Genetiv „Gottes" Gen. subj. Vgl. auch *H. Schlier*, Der Römerbrief (Freiburg i. Br.–Basel–Wien [2]1979) 346.

Hilfen aus Röm 9–11 zum Abbau des christlichen Antijudaismus

Clemens Thoma definiert den Begriff „Antijudaismus" so: „Unter Antijudaismus ... versteht man eine apriori generalisierende, auf öffentliche Agitation und Pogrome zielende Feindschaft gegen Juden, weil sie zum jüdischen Volk und zu dessen Geschichte und Religion gehören."[1] Über die theologischen Wurzeln des Antijudaismus habe ich mich selbst in der 7. Auflage des „Staatslexikon" der Görresgesellschaft, wie folgt, geäußert[2]: Die Frage, ob der Antijudaismus „in der christlichen Spielart theologische Wurzeln besitzt, die vielleicht bereits bei Jesus, bei Entscheidungen der Urkirche und bei Reaktionen des gleichzeitigen Judentums liegen, muß mit Ja beantwortet werden.

1. Jesus war Jude, aber zweifellos hat es heftige Auseinandersetzungen zwischen ihm und Vertretern seines Volkes, vor allem aus den Gruppen der Pharisäer, Sadduzäer und Schriftgelehrten, gegeben, besonders in Fragen, die die Tora und ihre Auslegung betrafen.

2. Dazu kam der Anspruch Jesu, der Bringer der eschatologischen Gottesherrschaft zu sein, die Vollmacht zur Sündenvergebung zu haben. ‚Größeres' zu sein ‚als der Tempel', ja ‚der Messias, der Sohn des Hochgelobten', und der ‚Menschensohn' zu sein, der ‚zur Rechten der Macht sitzt und kommt mit den Wolken des Himmels'. Das dünkte dem Hohenpriester und dem Hohenrat eine gotteslästerliche Rede zu sein, die den Tod verdient (vgl. Mk 14,64).

3. Dies führte zur gewaltsamen Beseitigung Jesu durch seine Kreuzigung, was sich dem Gedächtnis seiner Anhänger naturgemäß für immer eindrückte.

4. Es kam nach Ostern zur Bildung einer eigenen Jesusgemeinde. Die neu entstehende Gemeinschaft mußte aus ihren Überzeugungen heraus ein eigenes Selbstverständnis und Geschichtsbewußtsein entwickeln, die nicht mehr denen des Judentums konform waren. Dies führte dazu, dem Überlieferungsmaterial ‚antijüdische' Akzente aufzu-

---

[1] In: *J. J. Petuchowski / Cl. Thoma,* Lexikon der jüdisch-christlichen Begegnung (Freiburg i. Br.–Basel–Wien 1989) 16f.

[2] Band I (Freiburg i. Br.–Basel–Wien [7]1985) 192–194 („Theologische Wurzeln des Antisemitismus", mit Literatur).

setzen, besonders im Hinblick auf die Pharisäer, die zu fanatischen Gegnern Jesu hochstilisiert wurden.

5. Die ‚direkte' Christologie der nachösterlichen Zeit mit ihrer Beschränkung auf Jesus als den einzigen normativen Lehrer (ein unjüdisches Prinzip!) und mit der Verkündigung, Jesus sei der Sohn Gottes, dem Vater ‚wesensgleich' (wie später das Konzil von Nikaia formulierte), führte naturgemäß zur ‚Vergöttlichung' Jesu, die dem Grundcredo des Juden, wie es im ‚s^e^ma Israel' zur Sprache kommt, zu widersprechen schien.

6. Dazu kam die urkirchliche Reflexion über die Heilsbedeutung des Todes Jesu, die Paulus auf Formeln brachte wie diese: ‚Aus Werken der Tora wird kein Fleisch gerechtfertigt werden'. ‚Denn wenn aus Tora Gerechtigkeit käme, wäre Christus vergeblich gestorben' (Gal 2,16.21b). Damit war ein neuer Heilsweg proklamiert, der den Heilsweg des Juden über die ‚Werke der Tora' außer Geltung zu setzen schien. So konnte es kommen, daß Paulus als der Prediger der christlichen Freiheit der Vater des theologischen Antijudaismus in der Kirche zu sein schien. Weil viele Juden dem Evangelium gegenüber ‚verstockt' blieben, glaubte man in ihnen Feinde Gottes und der Kirche sehen zu müssen.

7. Zur feindseligen Einstellung der frühen Kirche den Juden gegenüber führten auch bittere Verfolgungserfahrungen, die die Kirche machen mußte, als Juden der urkirchlichen Missionsarbeit Schwierigkeiten bereiteten (vgl. 1 Thess 2,14–16; 2 Kor 11,24f.; Apg passim).

8. Es scheint, daß schon in der ausgehenden Zeit der Urkirche die Katastrophe des Jahres 70, bei der Jerusalem und der Tempel von den Römern weithin zerstört wurden, als Bestrafung der Juden für die Tötung Jesu gedeutet wurde (vgl. Mt 21,40f.; 22,7; 24,1f.).

9. Der Antijudaismus des Johannesevangeliums geht vermutlich auf eine christliche Reaktion auf die jüdischen Entscheidungen auf der Synode von Jabne (um 90 n. Chr.) zurück, die Anhänger Jesu seien als aus der Synagogengemeinschaft Ausgeschlossene zu betrachten (9,22; 12,42; 16,2). Dadurch war der Graben, der Juden und Christen voneinander trennte, besonders tief geworden.

So findet sich schon im Neuen Testament ein ‚Antijudaismus', der jedoch rein religiös-theologischer, nicht rassisch-politischer Natur ist. Das Phänomen des kirchlichen Antijudaismus muß aber auch von der jüdischen Seite her gesehen werden: Die Juden sahen sich durch Jesus in Frage gestellt und bangten um den Verlust ihrer Identität; sie sahen ihr heiligstes Gut, die Tora, durch die neue Heilslehre total abgewertet; sie sahen in der sich entwickelnden Christologie eine Verleugnung ihres Credo (‚s^e^ma Israel'!); und sie sahen die messianischen Verheißungen der Propheten durch Jesus keineswegs erfüllt. So hielten sie die jüdische Existenz durch das Christentum für bedroht, zumal diese Bedrohung im politischen Antijudaismus so und so oft zur physischen Vernichtung des Juden führte. Die Christen ihrerseits entwickelten den ursprünglichen religiös-theologischen Antijudaismus der urkirchlichen Zeit in verhängnisvoller Weise weiter, indem sie etwa die Katastrophe des Jahres 70 und die Zerstreuung der Juden unter die Völker als gerechte Bestrafung der Juden für den ‚Gottesmord' an Jesus und alles, was über die Juden im Laufe der Geschichte hereinbrach, als weitere, nie endende Bestrafung interpretierten und propagierten, wobei die Erfahrung der bleibenden, vermeintlich schuldhaften ‚Verstockung' der Juden diese tödliche Propaganda zu legitimieren schien und sich mit der Überzeugung verband: Gott hat die Juden für immer verstoßen! Die Juden schienen sich der ‚mythischen Reichsidee', die sich nach der Bildung der konstantinischen Reichskirche verchristlicht hatte, zu entziehen: ‚Mit einer unverkennbaren theologischen Instinktsicherheit erkennt das christliche Reich in der Synagoge den fremden Geist, der sich nie in dieses christliche Imperium einfügt, der vielmehr ständig die mythisch-heidnischen Hintergründe der Reichsidee entdeckt und offenhält ... Die Juden als vom Sakrament Ausgeschlossene gehören nicht ins ‚Reich'. Sie leben in einer dämonischen Sphäre' (H. J. Kraus). Seit der Reformationszeit gab der nun scharf herausgearbeitete Gegensatz Gesetz/Evangelium dem Antijudaismus neue theologische Impulse, die auch politisch virulent wurden. Die beste theologische Hilfe zum Abbau des Antijudaismus in der Christenheit bietet Paulus in Röm 9–11, mit dem Zielsatz: ‚Ganz Israel wird gerettet werden' (11,26)."

Im folgenden sei deshalb versucht, aus Röm 9–11 Hilfen zum Abbau des christlichen Antijudaismus zu gewinnen[3].

1. In Röm 9,4f zählt der Apostel die Vorzüge („Heilsprivilegien") der Juden, die er in 9,3 als seine „Brüder" und als seine „Verwandten dem Fleisch nach" bezeichnet, auf: „Sie sind Israeliten, ihrer sind die Sohnschaft und die Herrlichkeit und die Bundesschlüsse und die Gesetzgebung und der Kult und die Verheißungen, ihrer [sind] die Väter, und aus ihnen [stammt] der Christus [der Messias] dem Fleisch nach ...". Paulus bedenkt zunächst in diesem Text seine „Verwandten dem Fleisch nach", die Juden, mit dem Ehrennamen „Israeliten", der von dem Patriarchen Jakob (vgl. Gen 32,28f) auf das Zwölfstämme-

[3] Zu dem offensichtlichen Widerspruch zwischen dem, was der Apostel in 1 Thess 2,14–16 über die Juden sagt, und seinen Ausführungen über das Endheil Israels in Röm 9–11 vgl. den folgenden Beitrag in diesem Band S. 73–76.

volk übergegangen ist. „Sind sie aber Israeliten, so besagt das einen unvergänglichen Reichtum, der nun entfaltet wird" (H. Schlier)[4]: Einmal in der „Sohnschaft" Israels (vgl. Ex 4,22: „So spricht der Herr: Israel ist mein erstgeborener Sohn"; Os 11,1), die besondere Nähe zu Gott bedeutet; in der „Herrlichkeit", die Israel auf seinen Wegen begleitete und in der Weise der šechinā im Tempel geheimnisvoll präsent ist und auch in die Zerstreuung mitzog; in den „Bundesschlüssen" (mit Abraham: Gen 15,18; 17,2ff; mit Isaak und Jakob: Lev 26,42; mit Israel am Sinai: Ex 19,5; 34,16 u.a.); in der „Gesetzgebung" am Sinai (Ex 20; Dtn 5); im „Kult" (in den Festfeiern und im täglichen Gottesdienst mit all ihren Vorschriften); in den „Verheißungen", bei denen der Apostel wohl vor allem an die messianischen Verheißungen denkt; mit der Herkunft der Juden von den „Vätern" (Abraham, Isaak und Jakob), um deretwillen sie die bleibenden „Geliebten" Gottes sind (Röm 11,28; s. dazu w.u.); mit der Abkunft des Messias „dem Fleisch nach" aus „ihnen"; dem Volk der Juden: Jesus ist ja Jude[5], wenn auch noch wesentlich mehr, weil er „Gott ist über alle" (oder: „über allem") (Röm 9,5c). „Es ist die Ehre Israels, daß der Christus aus ihm kommt" (H. Schlier).[6] Man sollte nicht übersehen, daß in dem langen Relativsatz in Röm 9,4f als einziges regierendes Verbum das Präsens „sind" (εἰσιν) erscheint; das bedeutet doch: die von Paulus aufgezählten „Vorzüge" der Juden *bestehen immerzu,* sie geben ihnen eine bleibende Dignität, auch wenn sie das Evangelium ablehnen.[7]

2. In der Judenmission, die Paulus neben der Heidenmission nach Ausweis der Apostelgeschichte mit Eifer betrieb, hatte er gewisse Erfolge. Er nennt die Juden, die durch die Gnade Gottes zum Glauben an Christus gekommen sind, im Anschluß an biblische Sprechweise in Röm 11,5 den „Rest", der „in der Jetzt-Zeit ... aufgrund der Gnadenwahl (Gottes) vorhanden ist"; „die übrigen aber wurden verstockt" (11,7c): so formuliert der Apostel die Erfahrung, die er und die anderen Missionare der Urkirche in der Judenmission machen mußten; die Hauptmasse der Juden will vom rettenden Evangelium nichts wissen.

---

[4] Der Römerbrief (HThKNT VI) (Freiburg–Basel–Wien ²1979) 286.

[5] Vgl. dazu etwa *L. Volken,* Jesus der Jude und das Jüdische im Christentum (Düsseldorf ²1985); *D. J. Harrington,* The Jewishness of Jesus, in: CBQ 49 (1987) 1–13; *F. Mußner,* Warum mußte der Messias Jesus ein Jude sein?, in: *ders.,* Die Kraft der Wurzel, 89–92; *W. Feneberg,* Jesus der nahe Unbekannte (München 1990).

[6] Der Römerbrief (s. Anm. 4) 287.

[7] *H. Schlier* entwertet in seinem Kommentar faktisch diese Israel von Gott gewährten „Vorzüge", wenn er in seiner Auslegung von Röm 9,4f doch dann immer wieder mit einem „aber jetzt" operiert: „aber jetzt" sind sie auf die Ekklesia übergegangen. Paulus selbst kennt in Röm 9,4f dieses „aber jetzt" nicht.

Aus dieser für ihn so bitteren und zunächst unbegreiflichen Erfahrung taucht, und zwar vermutlich nicht bloß für ihn, sondern auch für die ganze Urkirche zu seiner Zeit, die furchtbare Frage auf: „Hat Gott sein Volk verstoßen?“ (11, 1) zur Strafe dafür, daß es in seiner Hauptmasse das Evangelium ablehnt. Und in 11, 11 stellt der Apostel eine weitere Frage: „Sind sie (die „verstockten“ Juden) etwa gestrauchelt, damit sie (für immer) hinfielen?“ Auf beide Fragen gibt Paulus zunächst die knappe und so entschieden klingende Antwort: „Keineswegs!“ (μὴ γένοιτο). Daß Gott sein Volk nicht verstoßen hat, erkennt er darin, daß nicht bloß er selbst, der ehemalige fanatische Christenfeind, durch die umwerfende Gnade Gottes, erfahren vor Damaskus, zum Glauben an den Messias Jesus gekommen ist (vgl. 11, 1 b), sondern auch andere Juden, von ihm als „Rest“ bezeichnet (vgl. 11, 5–7 a). Im Grunde ergibt sich aber der *bleibende* Heilswille Gottes Israel gegenüber schon aus dem vom Apostel in 10, 21 unmittelbar vor der ersten Frage („hat Gott sein Volk verstoßen?“) zitierten Gottesspruch über Israel: „Den ganzen Tag streckte ich meine Hände aus nach einem ungehorsamen und widerspenstigen Volk“ (Jes 65, 2); das heißt doch: *immerzu* streckt Gott seine Hände aus *nach seinem Volk Israel,* auch wenn dieses Volk die Evangeliumsbotschaft ablehnt. Der Gottesspruch spricht keine Strafandrohung und kein Strafurteil aus, ist vielmehr ein Hoffnungsspruch für Israel! „Nicht hat Gott sein Volk verstoßen, das er zuvor erkannt (d. h. erwählt) hat!“ (11, 2 a).

3. „Nicht *du* trägst die Wurzel, vielmehr (trägt) die Wurzel dich“ (Röm 11, 18). Dies schreibt der Apostel der heidenchristlichen Gemeinde von Rom, und er warnt damit, wie aus dem Kontext hervorgeht, die Heidenchristen vor einem „Sich-Rühmen“ gegenüber den Juden, und zwar gegenüber den „verstockten“ Juden: „rühme dich nicht wider die Zweige“ (des „Edelölbaums“), auch wenn „einige der Zweige ausgebrochen wurden“ (11, 17). Es scheint, daß die heidenchristliche Gemeinde in Rom Anlaß zu solcher Mahnung des Apostels gegeben hat; statt daß sie, wie Paulus selbst, von Schmerz über die „Verstockung“ Israels erfüllt wäre, verfällt sie der Ruhmsucht gegenüber den „ungläubigen“ Juden. „Das ‚Sichrühmen‘ äußert sich beim Heidenchristen darin, daß er zwischen sich und Israel den Vergleich zieht: *jene ausgehauen, ich eingepflanzt“,* während in Wirklichkeit „das ‚Sichrühmen‘ des Heidenchristen wider die Juden jeder Grundlage entbehrt“ (F. W. Maier)[8]; denn seine Bekehrung zum Glauben an Christus war reines Gnadengeschenk Gottes. Sola gratia, allein aus

[8] Israel in der Heilsgeschichte nach Röm 9–11 (Bibl. Zeitfragen XII/11/12) (Münster 1929) 131 f.

Gnade, wurden sie, obwohl „Wildschößlinge", „an der Natur vorbei" (11,24) in den „Edelölbaum" „eingepfropft", und wurden auf diese Weise „Mitteilhaber an der Wurzel des fetten Ölbaums", wobei bei der „Wurzel" nicht bloß an die Väter („Patriarchen") Israels gedacht ist, sondern an den ganzen „Edelölbaum" mit seinen „Zweigen", „unter die" (ἐν αὐτοῖς) die Heidenchristen „eingepfropft wurden" (vgl. 11,17b)[9]. Und insofern „trägt" *Israel* die Kirche, und nicht umgekehrt. Drastisch formuliert: Nicht die Kirche schleppt den Juden durch die Zeiten hindurch mit, sondern der Jude die Kirche!

4. Eine oft in der christlichen Theologie vorgetragene These lautet: Die Juden sind für immer vom Heil ausgeschlossen, sie sind „verloren", weil sie das Evangelium abgelehnt haben und ablehnen. Und dies, obwohl der Apostel das Gegenteil lehrt: „*Ganz* Israel wird gerettet werden" (11,26).

Der Streit über diese Ansage kreist vor allem um zwei Fragen: Wer ist mit „ganz Israel" gemeint? Und was heißt „gerettet werden"? Ist mit „ganz Israel" die sogenannte Parusiegeneration gemeint oder Israel in seiner diachronen Erstreckung von Abraham an? Für das letztere sprechen folgende Gründe:

- Alle Juden („ganz Israel") gehören zum „Edelölbaum", aus dem „einige Zweige" vorläufig „ausgebrochen" wurden (die verstockten „übrigen")
- Die „Verstockung" Israels dem Evangelium gegenüber dauert durch die Zeiten an
- Die „ausgehauenen Zweige" existieren nicht nur in der „Parusiegeneration", sondern seit der Zeit, in der das Evangelium in der Welt verkündet wird
- Die „ausgehauenen Zweige" werden wieder in ihren Edelölbaum „eingepfropft" werden
- Auch den (judenchristlichen) „Rest" gibt es immerzu
- Die Heidenmission geht weiter, „bis die Vollzahl der Heiden (in das messianische Heil) eingegangen ist"
- Der Triumph der Gnade muß ein vollständiger sein: das liegt in der Konsequenz der paulinischen Heilslehre[10]. Gott erbarmt sich *aller!*[11]
- Gott macht schon im „Alten Testament" durch den Mund des Pro-

[9] Näheres dazu bei *F. Mußner*, „Mitteilhaberin an der Wurzel". Zur Ekklesiologie von Röm 11,11–24, in: *ders.*, Die Kraft der Wurzel, 153–159.

[10] Vgl. dazu *M. Theobald*, Die überströmende Gnade. Studien zu einem paulinischen Motivfeld (fzb 22) (Würzburg 1982) 129–166.

[11] Vgl. dazu *F. Mußner*, Heil für alle. Der Grundgedanke des Römerbriefs, in diesem Band S. 29–38.

pheten folgende Verheißungen: „Israel, ich werde dich niemals vergessen!“ (Jes 44,21); „Israel wird gerettet durch Gott mit ewiger Rettung“ (Jes 45,17); „In Gott finden Heil und Ruhm alle Nachkommen Israels“ (Jes 45,25).

Aus allen diesen Gründen scheint die Annahme berechtigt zu sein, daß mit „ganz Israel“ das Volk der Juden in seiner diachronen Erstreckung von Abraham an gemeint ist.

Was die zweite Frage (was heißt „gerettet werden“?) angeht, so ist zunächst anzumerken, daß „gerettet werden“ nicht heißt: „sich bekehren“ (in dem Sinn: die Juden werden sich kurz vor der Parusie zum Evangelium „bekehren“); vielmehr läßt der syntaktische Aufbau des vom Apostel in Röm 11,26 entwickelten Argumentationsganges erkennen, daß der Modus der „Rettung“ ganz Israels mit dem Kommen des „Retters aus Sion“, mit dem höchstwahrscheinlich der Parusiechristus gemeint ist, zu tun hat: „wie und weil geschrieben steht – die Partikel καθώς hat modale und begründende Bedeutung –: Kommen wird der Retter aus Sion, er wird hinwegwenden die Gottlosigkeiten von Jakob (= Israel)“. Die Juden werden von Gott nicht verworfen, sondern durch seinen Parusiechristus „gerettet werden“, sie erlangen das endgültige Heil[12].

5. „Was das Evangelium betrifft, sind sie (die Juden) zwar Feinde (Gegner) – um euretwillen, was die Erwählung betrifft, aber *Geliebte* – um der Väter willen“, schreibt der Apostel in Röm 11,28, und er begründet die zweite Aussage dieses Verses in 11,29 so: „Denn unreuig sind dic Gnadenerweise und der Ruf Gottes“.

Die Juden sind Gegner des Evangeliums „um euretwillen“: das klingt merkwürdig; aber der Apostel hat schon zuvor in 11,11 bemerkt, daß „ihr (der Juden) Fall zum Heil für die Heiden“ wurde, da ja die Ablehnung des Evangeliums durch die Hauptmasse der Juden die Missionare der Urkirche, vor allem Paulus selbst, dazu trieb, das Evangelium den Heiden zu verkünden, „und sie werden (im Unterschied von den Juden) auch hören“ (Apg 28,28)[13]. Trotz dieser Gegnerschaft der Juden dem Evangelium gegenüber bleiben sie dennoch „Geliebte“ Gottes „um der Väter [Israels] willen“, die Gott einst erwählt hat, wodurch auch ihre Nachkommen das erwählte Volk Gottes wurden. „Diese Liebe Gottes kann deshalb nach dem schon 11,16 veranschau-

---

[12] Vgl. Näheres dazu bei *F. Mußner*, „Ganz Israel wird gerettet werden“ (Röm 11,26), in: *ders.*, Traktat über die Juden, 52–67; *F. Mußner*, Israels „Verstockung“ und Rettung nach Röm 9–11, *in: ders.*, Die Kraft der Wurzel, 39–54. Jeweils mit Literatur.

[13] Näheres dazu bei *F. Mußner*, Die Erzählintention des Lukas in der Apostelgeschichte, in diesem Band S. 101–114.

lichten Gesetz ‚wie die Wurzel, so der Stamm und die Zweige', d. h. auf Grund der *Kontinuität Israels mit den Vätern,* auch dem ungläubigen Israel trotz seines gegenwärtigen Unglaubens nimmermehr verlorengehen" (F. W. Maier)[14]. Gott revoziert seine „Wahl" nie; seine Israel erwiesenen „Gnadengaben" gereuen ihn nie (Röm 11,29). Und dies ist auch der letzte und eigentliche Grund, warum Gott am Ende der Zeiten „ganz Israel" aus reinem Erbarmen durch seinen Christus „retten" wird. Gott liebt die Juden in alle Ewigkeiten, und deshalb muß auch der Christ sie lieben. „Durch alle Irrungen und Wirrungen der Zeit leuchtet am Horizont der Zukunft der Glanz der ewigen Bestimmung des Volkes Abrahams" (F. W. Maier)[15].

6. Gott wird den Bund, den er einst mit den Vätern Israels und mit Israel selbst geschlossen hat, erneuern, „wenn ich hinweggenommen habe ihre Sünden" (Röm 11,27). Gott kündigt, so lehrt der Apostel, den Bund mit Israel niemals auf; gerade in der endzeitlichen „Rettung ganz Israels" wird sich das vor aller Welt manifestieren[16]. Der Papst sprach bei seiner Begegnung mit den Vertretern der deutschen Judenschaft am 17. November 1980 in Mainz deshalb mit Recht von „dem Gottesvolk *des von Gott nie gekündigten Alten Bundes".*

Der Apostel Paulus bietet in Röm 9–11 genügend theologische Hilfen, die zum Abbau des christlichen Antijudaismus beitragen können. Der Christ sollte sie beachten und die Mahnung des Apostels nie vergessen, die so oft in der Zeit der Kirche vergessen worden ist: „Denke nicht hochmütig [über die „verstockten" Juden], vielmehr fürchte dich; denn wenn Gott die natürlichen Zweige nicht verschont hat, wird er auch dich [den Heidenchristen] nicht schonen!" (Röm 11,20b.21). Er kann dich jederzeit wieder „aushauen" (vgl. 11,22c).

---

[14] Israel in der Heilsgeschichte (s. Anm. 8) 145. Vgl. auch Damaskusschrift VIII,16f: „Mit der Liebe, mit der Gott die Früheren (= die Väter: VIII,15), die für ihn Zeugnis ablegten, geliebt hat, liebt er diejenigen, die nach ihnen kamen; denn ihnen gehört der Bund der Väter."

[15] Israel in der Heilsgeschichte (s. Anm. 8) 146.

[16] Näheres dazu bei *F. Mußner,* „Der von Gott nie gekündigte Bund". Fragen an Röm 11,27, in diesem Band S. 39–49.

Paulinischer Antijudaismus?

Zum Widerspruch zwischen 1 Thess 2,14–16 und Röm 9–11

I. Der unleugbare Widerspruch

Es läßt sich nicht bestreiten, daß der Text von 1 Thess 2,14–16 antijüdisch klingt. Nach der „Studienübersetzung", die sich „Münchener Neues Testament" nennt, lautet der Text in engem Anschluß an den Urtext so: „[14]Denn ihr, Nachahmer wurdet ihr, Brüder, der Gemeinden Gottes, die sind in der Judaia in Christus Jesus, weil dasselbe littet auch ihr von den eigenen Stammesgenossen gleichwie auch sie selbst von den Judaiern, [15]die auch den Herrn töteten, Jesus, und die Propheten, und uns verfolgten und Gott nicht gefallen und allen Menschen feindlich sind, [16]die uns hindern, zu den Heiden zu reden, damit sie [die Heiden] gerettet werden, auf daß sie [die Juden] auffüllen ihre Sünden allzeit. (Es) kam aber über sie der Zorn (bis) zum Ende".

Man hat diese so eindeutig antijüdisch klingenden Sätze des Apostels zu entschärfen versucht: Hier liege eine nachpaulinische „Interpolation" vor[1]; oder: hier schreibe Paulus nach den Schablonen des paganen Antijudaismus der Antike[2]; oder: hier habe er ein antijüdisch klingendes Traditionsstück der Urkirche verarbeitet. Jüngst hat Ekkehard Stegemann den Vorschlag unterbreitet, den Aorist ἔφθασεν („hat erreicht", „kam über sie") in V. 16c „entweder auf etwas schon in der Vergangenheit Eingetretenes (historischer Aorist) oder auf einen wiederholten Vorgang (komplexiver Aorist) bzw. eine immer wiederkehrende Erfahrung (gnomischer Aorist)" zu beziehen, und er bemerkt, es könne „ja kaum gemeint sein, daß die Juden stets ihr Maß an Sünden voll machen, sondern daß sie jetzt – nach der Tötung des Herrn Jesus und der Propheten – das Maß ihrer Sünden voll machen, indem sie

---

[1] Die Argumente, die die Vertreter der Interpolationshypothese bringen, hat vor allem I. Broer kritisch durchgeprüft, mit dem Ergebnis, daß sie sich nicht halten lassen; vgl. *I. Broer*, „Antijudaismus" und Judenpolemik im Neuen Testament. Ein Beitrag zum besseren Verständnis von 1 Thess 2,14–16, in: BN 20 (1983) 59–89 (mit Literatur).

[2] Vgl. dazu etwa *G. Dautzenberg*, Mt 5,43 c und die antike Tradition von der jüdischen Misanthropie, in: *L. Schenke* (Hg.), Studien zum Matthäusevangelium (Festschrift f. Wilhelm Pesch) (Stuttgart 1988) 47–77 (bes. 58–75, mit den Antworten des Josephus und des Philo auf den Vorwurf der jüdischen Misanthropie).

,uns' (d.h. mich, Paulus, und die Heidenmissionare) vertreiben und so an der Verkündigung des aus dem Endgericht rettenden Evangeliums unter den Heiden in der Diaspora hindern."[3] Stegemann schlägt vor, den V. 16c so zu übersetzen: „Stets hat sie aber der Zorn (die Strafe) schließlich erreicht". Woran freilich der Apostel konkret bei dieser Zornesstrafe an den Juden denkt, weiß auch Stegemann nicht zu sagen; nach ihm „insinuiert Paulus ... an unserer Stelle, daß die Straftaten der Juden auch gegenwärtig nicht unbestraft bleiben werden". Der klassische christliche Topos „der ewigen Verwerfung der Juden" sei für 1 Thess 2,14–16 auszuschließen, vorausgesetzt, daß seine vorgeschlagene Interpretation richtig sei[4], die auf jeden Fall beachtenswert ist.

Wie dem auch sei: Das paulinische Statement über die Juden in 1 Thess 2,14–16 klingt hart und antijüdisch und steht in eklatantem Widerspruch zu den Sätzen des Apostels in Röm 11, vor allem zu dem „Spitzensatz" in Röm 11,26: „Ganz Israel wird gerettet werden". Man hat zur Lösung dieses Widerspruchs auf die „Entwicklung" der Judentheologie des Apostels hingewiesen, besonderes eindrücklich R. Penna in seinem Beitrag: L'évolution de l'attitude de Paul envers les Juifs[5], mit dem Ergebnis: „Au début, ils [die Juden] constituent une antithèse; à la fin, ils sont un mystère".

II. Versuch einer Lösung des Widerspruchs

Der Gedanke der „Entwicklung" im Denken des Apostels mag hilfreich sein[6], obwohl der Begriff „Entwicklung" nicht sonderlich glücklich ist. Hat sich z.B. die „Rechtfertigungslehre" des Paulus nach dem Zeugnis seiner Briefe „entwickelt"? Sie taucht, literarisch fixiert, zuerst im Galaterbrief in der heftigen Auseinandersetzung mit seinen judenchristlichen Gegnern auf und wird von ihm dann breit im Brief an die Römer entfaltet. Schaut man auf den 1. Thessalonicherbrief, den frühesten Brief, den wir aus der Feder des Apostels besitzen, so fällt einem sofort auf, daß in ihm die spezifisch paulinische Rechtferti-

[3] *E. Stegemann,* Zur antijüdischen Polemik in 1 Thess 2,14–16, in: Kirche und Israel. Neukirchener Theol. Zeitschr. 5 (1990) 54–64 (59; 61) (mit weiterer Literatur).
[4] Ebd. 61.
[5] In: *A. Vanhoye* (Ed.), L'Apôtre Paul. Personalité, style et conception du ministère (Bibl. Eph. Theol. Lov. LXXIII) (Leuven 1986) 390–421.
[6] Vgl. dazu auch *F. Mußner,* Gesetz, Abraham, Israel nach dem Galater- und Römerbrief, in: *ders.,* Die Kraft der Wurzel, 27–38.

gungslehre mit ihren typischen „Basissätzen“[7] nicht aufscheint, was W. G. Kümmel zu der Bemerkung veranlaßte, daß Paulus „sein Evangelium vom gottgewirkten Endheil durch Christus nicht notwendigerweise in der jüdischen Terminologie der Rechtfertigungslehre ausdrücken mußte ...“[8] So erscheint auch ein Lieblingsterm des Apostels, nämlich χάρις („Gnade“), in 1 Thess nur im Anfangsgruß (1, 1) und im Schlußwunsch (5,28).

Es bleibt die Frage: Was hat Paulus veranlaßt, im Römerbrief ganz anders klingende Sätze über die Juden zu schreiben, als Jahre zuvor im 1. Thessalonicherbrief? Wie uns scheint, hängt die Antwort auf diese Frage mit der wachsenden Einsicht des Apostels in die Konsequenzen seiner Rechtfertigungslehre zusammen, mit der er verkündigt, gerade im Römerbrief, daß *alle* Menschen zum Heil durch Christus berufen sind, und zwar sola gratia und sola fide[9]. Die Juden aber scheinen sich diesem Heilsangebot Gottes zu entziehen, sie bleiben dem Evangelium gegenüber „verstockt“ (vgl. Röm 11,25b.28). Der Apostel fragt besorgt: „Hat Gott (deshalb!) sein Volk verstoßen?“ (11,1; vgl. auch 11,11). Hätte Gott sein Volk für immer „verstoßen“, d.h. vom ewigen Heil ausgeschlossen, so wäre die Folge, daß Gott gerade das Volk, das er einst erwählt hat (11,2) und das der Träger der Verheißungen wurde (vgl. 9,4), für immer verlieren würde. Das wäre ein seltsamer Schwachpunkt in seinem Heilshandeln! Gott ist zwar der, der „verhärtet“, wen er will, aber er ist auch der, der „sich erbarmt“, wessen er will (vgl. 9,18). Dies demonstriert Paulus in 9,17 zwar am Paradigma „Pharao“, *aber dies doch innerhalb seiner Ausführungen in 9–11,* in denen es um die Frage nach dem Endheil *Israels* geht: Gott „verhärtet“ Israel, so daß seine Augen nicht sehen und seine Ohren nicht hören (vgl. 11,8), nämlich was die Botschaft des Evangeliums angeht. Aber am Ende, wenn „der Retter aus Sion“ kommt, erbarmt er sich Israels und rettet es (11,26.31) – sola gratia, „allein aus Gnade“, und zwar ohne „Massenbekehrung“ der Juden vor der Parusie[10]. Gerade dieses „allein aus Gnade“, zuletzt sich manifestierend in der Rettung ganz Israels, ist aber ein wesentliches Implikat der Lehre des Apostels, daß die Gnade

[7] Vgl. dazu *F. Mußner,* Petrus und Paulus – Pole der Einheit (QD 76) (Freiburg i.Br./Basel/Wien 1976) 86–99.

[8] *W. G. Kümmel,* Das literarische und geschichtliche Problem des ersten Thessalonicherbriefes, in: *ders.,* Heilsgeschehen und Geschichte. Gesammelte Aufsätze 1933–1964 (Marburg 1965) 406–416 (416).

[9] Dazu *F. Mußner,* Heil für alle. Der Grundgedanke des Römerbriefs, in diesem Band 29–38.

[10] Vgl. dazu *F. Mußner,* Israels „Verstockung“ und Rettung nach Röm 9–11, in: *ders.,* Die Kraft der Wurzel, 39–54.

stärker als die Sünde ist (vgl. 5,15–21)[11]. „Als aber die Sünde sich mehrte, wurde überströmend (übermächtig) die Gnade" (5,20b). Dieses wesentliche Element der paulinischen Rechtfertigungs- und Gnadenbotschaft – die περισσεία, das „Überströmen" und der πλοῦτος, der „Reichtum" der Gnade – ist in den Diskussionen über den „Modus" und den Grund der endzeitlichen „Rettung ganz Israels" völlig übersehen worden, bis Michael Theobald darauf aufmerksam machte[12].

Wenn Paulus seine περισσεία-Lehre konsequent durchgedacht hat, was anzunehmen ist, dann *mußte* er im Römerbrief, in dem er sie vor allem vortrug, zu anderen Sätzen über die Juden kommen als im ersten Thessalonicherbrief, in dem er seine Erfahrungen mit den die Mission behindernden Juden noch ganz in die sprachlichen Schablonen des antiken Antijudaismus kleidete.

Der Widerspruch zwischen den Sätzen des Apostels im ersten Thessalonicherbrief und seinen Sätzen im Römerbrief über die Juden ist so eklatant, daß er sich nicht wegreden läßt[13]. Daß er im Römerbrief anders über sie schreibt, läßt sich aber erklären: diese Sätze im Römerbrief ergaben sich aus der wachsenden Einsicht des Apostels in die Konsequenzen seiner Rechtfertigungsbotschaft, insbesondere der zu ihr unlösbar gehörenden Lehre von der „Übermacht" der Gnade, durch die am Ende auch „ganz Israel gerettet werden wird". „Denn zusammengeschlossen hat Gott alle (Juden und Heiden) in Ungehorsam, damit er sich *aller* erbarme" (Röm 11,32): Israel ist von seinem Erbarmen nicht ausgeschlossen. „Das zerbricht jede Wahrnehmung einer historischen Kontinuität und rational begreifbaren Entwicklung" (E. Käsemann)[14].

---

[11] Vgl. dazu *M. Theobald,* Die überströmende Gnade. Studien zu einem paulinischen Motivfeld (fzb 22) (Würzburg 1982).

[12] Dabei läßt sich die spannungsvolle Dialektik von schuldhaftem Nicht-hören-wollen (vgl. dazu Röm 10,18) und von Gott verfügtem Nicht-hören-Können (vgl. dazu 11,8) rational nicht auflösen; sie führt hinein in das undurchdringliche Geheimnis der Prädestination, das vom Apostel in Röm 9,14–21 angesprochen wird.

[13] Zu den Antijudaismen im Neuen Testament überhaupt vgl. auch die erhellenden Ausführungen bei *G. Theißen,* Aporien im Umgang mit den Antijudaismen des Neuen Testaments, in: *E. Blum* u.a. (Hg.), Die Hebräische Bibel und ihre zweifache Nachgeschichte (Festschrift f. R. Rendtorff) (Neukirchen/Vluyn 1990) 535–553. Theißen bemerkt u.a.: „die neutestamentlichen Antijudaismen gehören in jedem Fall in den Trennungsprozeß von Juden und Christen, der sich nicht ohne Bitterkeit und Verletzungen vollzogen hat" (ebd. 544).

[14] An die Römer (Tübingen ⁴1980), zu Röm 11,32.

„Christus (ist) des Gesetzes Ende zur Gerechtigkeit für jeden, der glaubt“ (Röm 10,4)

Um zu erkennen, was der Apostel Paulus mit diesem apodiktisch klingenden Satz des Römerbriefes sagen will, ist eine sorgfältige Analyse desselben nicht zu umgehen [1]. Denn der Satz ist leicht Mißverständnissen ausgesetzt.

I. Analyse des Textes

Im griechischen Urtext ist der Satz ein sog. Nominalsatz, d.h. es fehlt in ihm das Verbum. Es bereitet aber keine Schwierigkeiten, das richtige Verbum zu ergänzen. Es gibt faktisch nur zwei Möglichkeiten der Ergänzung: entweder die Copula ἔστιν oder das Verbum γέγονεν. Also entweder so: „Christus *ist* des Gesetzes Ende zur Gerechtigkeit für jeden, der glaubt“, oder: „Christus *ist* das Ende des Gesetzes *geworden* zur Gerechtigkeit für jeden, der glaubt“.

Besondere Schwierigkeiten bereitet, wie die Auslegungsgeschichte zeigt, die richtige semantische Wiedergabe des griechischen Terms τέλος am Anfang des Verses. W. Bauer notiert in seinem Griechisch-Deutschen WB zu den Schriften des NT (Berlin [6]1988) s.v. τέλος folgende Bedeutungen: 1. „das Ende“ (in dem Sinn: das Aufhören, das letzte Stück, der Endpunkt, der Abschluß) im Gegensatz zu ἀρχή („Anfang“); „das Ziel“, „der Ausgang“ (W. Bauer bemerkt dabei: „Vielleicht gehört Rö 10,4 hierher, ist Christus des Gesetzes Ziel und zugleich Ende, etwa im Sinne von Gal 3,24f“) [2]; 2. „der Rest“; 3. „der Zoll, die indirekte Steuer“.

Ich selbst habe den Term mit „Ende“ wiedergegeben und damit

---

[1] Vgl. auch *H. Hellbardt*, Christus, das Telos des Gesetzes, in: EvTh 3 (1936) 331–346; *F. Flückiger*, Christus, des Gesetzes Telos, in: ThZ 11 (1955) 153–157; *R. Bring*, Die Erfüllung des Gesetzes durch Christus, in: KuD 5 (1959) 1–22; *G. E. Howard*, Christ the End of the Law, in: JBL 88 (1969) 331–337; *F. Schröger*, Gesetz und Freiheit. Vom Sinn des Pauluswortes: Christus, des Gesetzes Ende, in: ThGl 61 (1971) 1–14. Über den Diskussionsstand berichtet gut *U. Wilckens*, Der Brief an die Römer II (EKK VI,2) (Zürich-Neukirchen 1980) 221–224.

[2] Wb 1618.

schon eine Entscheidung im Verständnis der Aussage getroffen. Bevor ich diese näher begründe, führe ich in wörtlichem Anschluß an den Römerbriefkommentar von O. Michel[3] noch folgende Auslegungsvorschläge an:

„Man hat versucht, hinter der hellenistischen Wendung τέλος νόμου eine frühjüdische Vorstellung zu erkennen. Daß ein Rabbi als letztes Glied einer Reihe die Mischna bzw. die Gemara abschließt und so zum Ende (סוֹף) der Mischna oder Gemara werden kann, ist nicht ungewöhnlich (BM 85–86a). Mischna und Gemara sind dann keineswegs aufgehoben, sondern zum Abschluß gekommen, so daß weiteres Material nicht mehr eingefügt werden darf (Str-B. III 277). Nach der Meinung des R. Joseph (Nidda 61b) werden die Gebote der Tora in der Messiaszeit teilweise ohne praktische Bedeutung sein (Str-B. I 247; Gaugler R II 99).

K. Barth sucht in τέλος νόμου eine Umschreibung des hebr. Begriffes כְּלָל (= Das Allgemeine, das Prinzip, die Gesamtheit, die Summe). Nach ihm ist τέλος νόμου eine Art „Zusammenfassung" (ἀνακεφαλαίωσις) des Gesetzes. Es geht also um Jesus Christus allein, wenn man sich um das Gesetz bemüht (Kirchliche Dogmatik II 2, 1948, 269).

Die Auslegung der Kirchenväter von τέλος νόμου ist nicht eindeutig. Irenaeus adv. haer. 4, 12, 4 bezeichnet Christus als „Anfang und Ende des Gesetzes" (nach Röm 10,4). Clem. Al. versteht τέλος als „Erfüllung" und als „Ziel" (strom. 2, 42, 5; 4, 130, 3; 6, 94, 6). So geht τέλος geradezu in die Bedeutung von πλήρωμα über. Origenes paraphrasiert: „Finis enim legis Christus: hoc est perfectio legis et justitia Christus est" (Ruf. 1160B). In seinen Kommentaren wird allerdings auch behauptet, daß Christus des Gesetzes Ende und Ziel sei. Nach Euseb. demonstr. ev. 8, 2, 33 ist Christus des Gesetzes Ziel, indem er es vollendet, wie es in Mt 5,17 heißt" (O. Michel).

Warum bin ich mit O. Michel, E. Käsemann[4] u.a. der Meinung, daß der Term τέλος mit „Ende" wiederzugeben ist? Das ergibt sich aus der gesamten, christologisch interpretierten Gesetzestheologie des Apostels Paulus. Ich zitiere dazu vor allem den wichtigen „Parallel"-Text von Gal 3,19–25[5]: „Was ist es also mit dem Gesetz? Um der Übertretungen willen ist es hinzugefügt worden, bis komme der Same, dem die Verheißung galt, angeordnet durch Engel, durch die Hand eines Mittlers. Der Mittler aber ist nicht (sc. Mittler) eines einzigen (einer Einzel-

[3] *O. Michel*, Der Brief an die Römer (Göttingen [5]1978) 326f.
[4] *E. Käsemann*, An die Römer (Tübingen [4]1980) (zu Röm 10,4).
[5] Vgl. zur Auslegung dieses Textes *F. Mußner*, Der Galaterbrief (Freiburg/Basel/Wien [5]1988) 245–260.

person). Gott aber ist ein einziger (eine Einzelperson). Ist nun das Gesetz gegen die Verheißung (Gottes)? Auf keinen Fall! Denn (nur dann), wenn ein Gesetz gegeben worden wäre, das Leben zu geben vermöchte, wäre wirklich aus Gesetz die Gerechtigkeit gekommen. Vielmehr (gilt), daß die Schrift alles unter Sünde zusammenschloß, damit die Verheißung aus Glauben an Jesus Christus den Gläubigen gegeben werde. Bevor aber der Glaube kam, waren wir unter dem Gesetz in Gewahrsam gehalten bis zu dem Glauben, der geoffenbart werden sollte. So ist das Gesetz unser Zuchtmeister bis auf Christus hin (εἰς Χριστόν) gewesen, damit wir aus Glauben gerechtfertigt würden. Seit aber der Glaube gekommen ist, stehen wir nicht mehr unter einem Pädagogen". Das Denkschema, das in diesem Text wirksam ist, ist eindeutig ein heilsgeschichtlich-temporales (vgl. nochmals: „*Bevor* aber der Glaube kam"… „*Seit* aber der Glaube gekommen ist"). Das ist deutlich eine zeitlich verstandene Zäsur, die vom Apostel als „Kommen des Glaubens" signalisiert ist: die Zeit des Glaubens löst die Zeit des Gesetzes ab. Vgl. dazu auch Röm 3,21–25: „Jetzt aber ist *ohne Gesetz* die Gottesgerechtigkeit offenbart worden, bezeugt vom Gesetz und den Propheten, eine *Gottesgerechtigkeit* aber durch Glauben an Jesus Christus, *für alle, die glauben.* Denn es ist da kein Unterschied: Alle nämlich haben gesündigt und ermangeln der Herrlichkeit Gottes, (doch jetzt sind sie alle) gerechtgesprochen *geschenkweise* durch seine Gnade aufgrund der Erlösung in Christus Jesus, den Gott als Sühne aufgestellt hat und durch Glauben in seinem Blut …".

Von da zurück zu Röm 10,4. Es läßt sich nun klar erkennen, daß der Term τέλος mit „Ende" wiederzugeben ist: „Christus ist des Gesetzes *Ende*"; mit ihm ist die Zeit des Gesetzes zu ihrem Ende gekommen und die Zeit des Glaubens angebrochen. „Christus ist des Gesetzes Ende … für jeden, der glaubt."

Ein Jude wird wahrscheinlich einwenden, es sei Unsinn, Gesetz (Tora) und Glauben in der Weise auseinanderzureißen, wie es Paulus tut. Paulus habe damit nicht bloß das Wesen des Gesetzes mißverstanden, sondern auch das Wesen des Glaubens; das sei eklatant zu sehen[6]. Wir müssen deshalb fragen: Was ist das eigentlich für ein „Glaube", von dem Paulus in Röm 10,4 (und auch anderswo in seinen Briefen) spricht? Aus dem Kontext von Röm 10,4 geht klar hervor, an welchen „Glauben" Paulus dabei denkt; vor allem aus Röm 10,9: „Wenn du mit deinem Mund *Jesus* als Herrn bekennst und mit deinem Herzen glaubst, *daß Gott ihn von den Toten erweckt hat,* wirst du geret-

[6] Besonders im Hinblick auf eine Formulierung wie diese: „Das Gesetz ist nicht aus Glauben" (Gal 3,12), die in den Ohren eines Juden doch ungeheuerlich klingen muß.

tet werden". Der „Glaube", den Paulus in 10,4 anspricht, ist also kein anderer Glaube als der Glaube an Jesus Christus, den gekreuzigten und auferstandenen Herrn.

M. Buber hat in seinem Buch „Zwei Glaubensweisen"[7] den Glauben der Christen, der als Glaube *an* (Jesus Christus) ein objektsbezogener Glaube sei (ein Daß-Glaube), scharf abgehoben vom Glauben Israels, der ganz und gar emunā sei, Vertrauen, Du-Glaube. Dazu ist einmal zu sagen: Es liegt in der Natur der Sache, daß durch die Erkenntnis und Anerkenntnis Jesu Christi als des verheißenen Messias und als des definitiven Heilbringers durch die christliche Gemeinde aus der emunā nun in entschiedener Weise eine πίστις εἰς (Glaube an) werden mußte, zum andern muß aber auch gesagt werden: das emunā-Element ist gerade bei Paulus nicht verlorengegangen, wie M. Luther mit Recht betont hat. „Glauben an Jesus Christus" heißt im Sinn des Paulus: Das unbedingte Vertrauen haben, daß Gott mich durch den gekreuzigten und auferstandenen Christus rettet[8]. Von da aus beantwortet sich nun allmählich die Frage, warum nach der Meinung des Apostels Christus das Ende des Gesetzes ist: *weil allein der Glaube an den gekreuzigten und auferstandenen Christus heilsvermittelnde Funktion besitzt.* Paulus sah sich nach seiner „Bekehrung" zum Christentum vor eine Alternative gestellt, die sich für ihn aus der gläubigen Übernahme des Credo der christlichen Gemeinde ergab – der Apostel zitiert es in 1 Kor 15,3–5, wie es scheint, wörtlich: „Ich habe euch unter den Hauptstücken übergeben, was auch ich übernommen habe: Christus starb für unsere Sünden gemäß den Schriften, und er wurde begraben, und er ist auferweckt worden am dritten Tag gemäß den Schriften, und er erschien dem Kephas, hierauf den Zwölfen". In unserem Zusammenhang kommt es vor allem auf das Teilstück an: „Christus starb für unsere Sünden."

Dieses „er starb *für* unsere Sünden" – es könnte genauso formuliert sein: er starb für uns Sünder (= an unserer Stelle, stellvertretend für uns Sünder) – implizierte für den Apostel die vorher genannte Alternative, die man so formulieren muß: *Entweder* kommt das Heil vom gekreuzigten und auferstandenen Christus *oder* vom „Tun" des Gesetzes, von den von Gott selbst verordneten „Werken des Gesetzes". Da aber Paulus mit der christlichen Gemeinde überzeugt ist, daß das Heil in einem exklusiven Sinn allein vom gekreuzigten und auferstandenen Christus kommt, der für uns in den Tod gegangen ist, schied für ihn die andere

[7] Zürich 1950. Vgl. dazu auch *L. Wachinger*, Der Glaubensbegriff Martin Bubers (München 1970).
[8] Vgl. dazu auch *Mußner*, Galaterbrief (s. Anm. 5), 195, Anm. 30.

Möglichkeit, das Heil auf dem Weg des Gesetzes zu erlangen, endgültig aus. Vor dieser Alternative stehend entschied sich der Apostel für das ὑπέρ (für) des alten Credo und damit in Sachen und Fragen des Heils für den Weg des *Glaubens*. Käme nämlich das Heil, die Gerechtigkeit, weiterhin vom Gesetz, „wäre folglich Christus vergeblich gestorben" (Gal 3,21 b). Paulus ist aber mit der christlichen Gemeinde überzeugt, daß Christus nicht vergeblich gestorben ist, daß vielmehr das Heil den Menschen in einem exklusiven Sinn auf dem Weg des Glaubens an den gekreuzigten und auferstandenen Christus vermittelt wird, der ihm nach seinem eigenen Zeugnis vor Damaskus erschienen ist – weshalb Paulus nicht als „Apostat" bezeichnet werden darf –, und darum *und nur darum* ist Christus für ihn „des Gesetzes Ende". Das heißt: Ohne Berücksichtigung des christologischen Kontextes ist Röm 10,4 nicht richtig zu verstehen. In dem Vers selbst kommt der christologische Kontext in einem abgekürzten Verfahren zur Sprache, nämlich in dem Würdenamen Χριστός. Χριστός ist hier gewissermaßen eine abkürzende Chiffre für das mit dem Namen „Jesus Christus" verbundene Heilsgeschehen, in dessen Zentrum nach christlichem und paulinischem Verständnis Tod und Auferstehung Jesu stehen. Christus ist also nicht durch sein bloßes Erscheinen in der Welt „des Gesetzes Ende", sondern aufgrund seines heilbringenden Todes und seiner heilbringenden Auferstehung von den Toten, diesen zwei Heilsfakten, von denen her Paulus seine Theologie, und speziell seine Gesetzestheologie, durchreflektiert und aufbaut[9]. Von da her ergibt sich, daß nach Paulus Christus des Gesetzes Ende ist zum Heil *für jeden, der glaubt,* nämlich für jeden, der an Christus glaubt. Ich sage deshalb, die Analyse von Röm 10,4 damit abschließend: Wer den Term τέλος in Röm 10,4 mit „Erfüllung", „Zusammenfassung", „Aufgipfelung" oder dergleichen übersetzt, hat die paulinische Theologie mißverstanden[10].

[9] Der Jude erwartet vom Messias einen „durchschlagenden Erfolg" (J. Bloch). Paulus war überzeugt, daß Kreuz und Auferstehung des Messias Jesus einen solch „durchschlagenden Erfolg" bedeuten und die „Äonenwende" darin sich schon vollzieht. Vgl. dazu auch *A. van Dülmen,* Die Theologie des Gesetzes bei Paulus (Stuttgart 1968) 185–204. Der mit Christus schon angebrochene „neue Äon" steht freilich sub signo crucis, was eine „triumphalistische" Ekklesiologie nicht zuläßt.

[10] Paulus kennt zwar auch eine „Erfüllung" („Fülle") und „Aufgipfelung" des Gesetzes (vgl. Röm 13,8–10; Gal 5,14). Aber die „Erfüllung" und „Aufgipfelung" des Gesetzes ist für ihn nicht Christus, sondern die Liebe: „Das ganze Gesetz ist in dem einen Wort erfüllt, in dem (von Lev 19,18): *Du sollst deinen Nächsten lieben wie dich selbst!"* (Gal 5,14). Die Paulusschule hat die paulinische These von Röm 10,4 noch radikalisiert, aber ganz im Sinn des Apostels, wenn sie in Eph 2,14f formuliert: „nachdem (Christus) in seinem (Kreuzes-)Fleisch das Gesetz der Gebote mit (seinen) Verordnungen *zunichte gemacht hat"*. Paulus spricht in Gal 6,2 auch vom *„Gesetz* des Christus", meint damit aber nicht die alttestamentlich-jüdische Tora, sondern Jesu Verhalten und Wort als letztgültige sitt-

Zur Not kann man Röm 10,4 mit U. Wilckens so verstehen: „Wenn ... Christus τέλος νόμου ist, indem er dem Glaubenden Gerechtigkeit schafft, so bewirkt er darin nicht nur das, was das Gesetz nicht bewirken konnte (vgl. 8,3), sondern erfüllt auch das, was die Juden vom Gesetz erwarten. In diesem Sinn ist Christus τέλος νόμου als das Ziel der Tora, auf das hin die Juden ‚gelaufen' sind. Das Ziel ist zwar Christus, nicht die Tora; aber die Gerechtigkeit, die Christus dem Glaubenden schafft, ist ja ursprünglich eben das Ziel der Tora, das diese jedoch Sündern gegenüber zu verwirklichen ‚zu schwach war' (8,3). Im Sinn von 8,2 kann man sogar sagen: Christus ist das Ziel des Gesetzes, sofern in Christus Jesus die Tora zum ‚Gesetz des Geistes des Lebens' geworden ist" (Der Brief an die Römer [s. Anm. 1] 223).

II. Vielleicht ein Mißverständnis?

Dennoch könnte die Frage auftauchen: *Hat Paulus das Gesetz vielleicht „mißverstanden"?* Das kann man jüdischerseits hören, etwa von dem jüdischen Gelehrten H.-J. Schoeps in seinem Paulusbuch[11], in dem er auf den Seiten 224–230 von dem „grundlegenden Mißverständnis" spricht, nämlich im Hinblick auf das Gesetzesverständnis des Apostels. Schoeps fragt: „Hat Paulus das Gesetz als das Heilsprinzip des ‚alten Bundes' überhaupt richtig verstanden?", und antwortet: „Diese Frage glaube ich verneinen zu müssen, denn Paulus ist nach meinem Urteil einer eigentümlichen Perspektivenverzerrung erlegen, die freilich im geistigen Raum des jüdischen Hellenismus schon vorbereitet war. Paulus hat nämlich nicht wahrgenommen und aus bestimmten Gründen ... vielleicht gar nicht wahrnehmen können, daß das Gesetz im biblischen Verstande *Bundesgesetz* ist, d.h. in modernen Worten die Verfassungsakte des Sinaibundes, die Rechtssatzung, Hausordnung Gottes für sein ‚Haus Israel'."[12] Dabei habe Paulus auch, wenn er vom jüdischen νόμος spricht, „eine – im Diasporajudentum offenbar gewöhnliche – doppelte Verkürzung vorgenommen: Er hat einmal die Thora, die den Juden *Weisung* bedeutet: Gesetz *und*

liche Norm für den Christen; vgl. dazu *H. Schürmann*, Jesu ureigener Tod (Freiburg i. Br./Basel/Wien 1975) 97–120 („Das Gesetz des Christus" [Gal 6,2]) (106: „Die Wortbildung „das Gesetz des Christus" ... besagt etwas Doppeltes: Formal wird der Weisung Jesu die denkbar höchste Autorität zugesprochen; inhaltlich wird sie betont abgesetzt von der Tora des Mose").

[11] *H.-J. Schoeps*, Paulus. Die Theologie des Apostels im Licht der jüdischen Religionsgeschichte (Tübingen 1959).

[12] Ebd. 224.

Lehre auf das ethische (und rituelle) Gesetz reduziert; er hat zum anderen das Gesetz aus dem übergreifenden Zusammenhang des Gottesbundes mit Israel herausgelöst und isoliert."[13] „Die Verfassungsakte des Sinaibundes ... ist in der Form einer Rechtssatzung gegeben, die das israelitische Volk als עם סגולה an seinen Bundesgott binden soll. Insbesondere ist dies die deuteronomische Konzeption, die Bund und Gesetz eng zusammenrückt. Das Volk bewahrt den Bund, indem es die Gesetze beachtet. Und der Gegenseitigkeitscharakter des Bundesvertrages kommt im Deut. dadurch zum Austrag, daß Gottes Segen und Fluch geradezu von der Stellungnahme des Volkes, seinem Halten oder Nichthalten der Gesetze in Abhängigkeit gebracht wird (Deut. 28,1ff; 15ff). Die strikte Einhaltung der Bundesverfassung wird von jedem Mitglied des Volkes verlangt, damit der Bund realpräsent werden kann; das ‚Heil' des einzelnen hängt daran. ‚Welcher Mensch das tut, der wird darin leben' (Lev. 19,5), d.h., er wird in der lebendigen Gottesgemeinschaft des Heils und der Heiligkeit stehen."[14]

Schoeps zitiert einen Satz aus Mekhilta Ex 12,6 (bei Sch. irrtümlich 20,6): „Unter Bund ist nichts anderes als die Thora zu verstehen"[15], wobei sich die Mekhilta ausdrücklich auf Deut 28,69 beruft. Schon die Übersetzung des hebr. ברית im Griechischen mit διαθήκη in der LXX habe eine Bedeutungsverschiebung mit sich gebracht. „Aus dem freiwilligen Gegenseitigkeitsvertrag wird eine einseitige autoritative Rechtsverfügung im Sinne einer testamentarischen Anordnung des hellenistischen Privatrechts, aus dem der Profangebrauch des Terminus auch stammt."[16] Auch für Paulus gelte das. „Weil für Paulus die Einsicht in den Charakter der hebräischen *berith* als eines Gegenseitigkeitsvertrages nicht mehr gegeben ist, hat er auch den innersten Sinn des jüdischen Gesetzes nicht mehr erkennen können, daß sich in seiner Befolgung der Bund realisiert. Deshalb beginnt die paulinische Gesetzes- und Rechtfertigungstheologie mit dem verhängnisvollen Mißverständnis, daß er Bund und Gesetz auseinanderreißt und Christus als des Gesetzes Ende an dessen Stelle treten läßt."[17]

Was ist dazu zu sagen und zwar von Paulus selbst her?[18] Der Kontext von Röm 10,4 hilft wieder weiter. Da ist gleich im folgenden V.

[13] Ebd. 225.

[14] Ebd. 226f.

[15] *Winter-Wünsche,* Mechiltha (Leipzig 1909) 15.

[16] Ebd. 228.

[17] Ebd. 230.

[18] Vgl. dazu ausführlich *Mußner,* Galaterbrief (s. Anm. 5), 188–204 („Hat Paulus das Gesetz ‚mißverstanden'?"); *G. Jasper,* Das „grundlegende Mißverständnis" des Paulus nach jüdischer Sicht, in: Judaica 15 (1959) 143–161.

von der „Gerechtigkeit, jener aus Gesetz“ die Rede, und dieser „Gerechtigkeit aus *Gesetz*“ wird im V.6 „die Gerechtigkeit *aus Glauben*“ gegenübergestellt. Für Paulus gibt es also eine zweifache Gerechtigkeit: jene aus dem Gesetz, die aus der Befolgung der Weisungen der Thora gewonnen wird, und jene, die aus dem Glauben, nämlich aus dem Glauben an Jesus Christus, den Gekreuzigten und Auferstandenen, kommt. Paulus zitiert dabei im Hinblick auf die Gerechtigkeit, die aus dem Gesetz kommt, einen Satz aus Lev 18,5 LXX: ὁ ποιήσας ἄνθρωπος ζήσεται ἐν αὐτῇ (oder: ἐν αὐτοῖς [so LXX,P⁴⁶ ℵ D G pl, auch Gal 3,12]), d.h.: der Mensch, *der sie erfüllt [nämlich die Forderungen, die Weisungen der Tora], wird in ihr [bzw. durch sie] leben*“. Der Ton liegt dabei einmal auf dem ὁ ποιήσας, dem „erfüllen“, zum andern auf ζήσεται, „er wird leben“. Lev 18,5 ist ein Gottesspruch, eine Zusage Gottes. Gott sagt zu, daß jener das Leben, das Heil erlangen wird, der die Weisungen der Tora *erfüllt*. Paulus ist aber überzeugt, und zwar aufgrund von Schriftaussagen selbst, wie aus den ersten Kapiteln des Römerbriefs hervorgeht, als auch aufgrund seiner Erfahrungen und Beobachtungen, daß kein Mensch, ob Jude oder Heide, die Forderungen des heiligen Gottes, wie sie in der Tora geoffenbart sind bzw. in der Gewissensstimme sich anmelden, wirklich erfüllt[19] und daß deshalb der Fluch Gottes drohend über der ganzen Menschheit lastet (vgl. Gal 3,10; Deut 27,26)[20].

Der Apostel selbst formuliert diese Erfahrung in Röm 3,9b–20 im Anschluß an das AT so: „Wir haben vorhin dargetan, daß alle, Juden wie Griechen, unter die Sünde geraten sind. So steht es ja geschrieben: keiner ist gerecht, nicht ein einziger. Keiner ist da, der verständig wäre, keiner, der Gott sucht. Alle sind abgewichen; alle sind untüchtig geworden. Keiner ist, der das Rechte tut, auch nicht ein einziger. Ein offenes Grab ist ihre Kehle, mit den Zungen treiben sie Trug, Natterngift ist unter ihren Lippen. Ihr Mund fließt über von Fluch und Bitterkeit. Ihre Füße sind schnell beim Blutvergießen. Verwüstung und Leid ist auf ihren Wegen, und den Weg des Friedens haben sie nicht erkannt. Wir aber wissen, daß alles, was das Gesetz sagt, denen gilt, die unter dem Gesetz stehen, damit jeder Mund verstumme *und die ganze Welt vor Gott schuldig dastehe.* Denn aufgrund von Gesetzeswerken wird niemand von ihm gerechtgesprochen, kommt doch durch das Gesetz Erkenntnis der Sünde“. Das sind außer der Einleitung und Ausleitung dieses Textes wörtliche Zitate aus dem AT, hauptsächlich aus den Psalmen, d.h. die Schrift selber offenbart dem Apostel die totale Verfallenheit der Welt,

---

[19] Vgl. dazu auch *Mußner,* Galaterbrief (s. Anm. 5), 229–231 (zu Gal 3,12).
[20] Vgl. dazu ebd. 223–226.

ob Juden oder Heiden, an die Sünde[21]. Diese Überzeugung hatte sich sicher in ihm noch gefestigt im Hinblick auf den gewaltsamen Tod Jesu, des Gerechten, den er allerdings mit der christlichen Gemeinde als einen Tod „für unsere Sünden" interpretiert, im Anschluß an Jesu Selbstdeutung seines Todes in den eucharistischen Einsetzungsworten[22]. Gerade hier aber, im Mund Jesu selbst, fand sich auch der Hinweis auf den „Neuen Bund" in seinem Blut (vgl. Lk 22,20; 1 Kor 11,25: also von Paulus selbst zitiert!). So vermochte Paulus in der Tat Gesetz (Tora) und Bund nicht mehr zusammenzudenken, wie es das Judentum bis heute tut, und so entstand das scheinbare „Mißverständnis" des Paulus hinsichtlich der Tora. Es mag sein, daß Paulus durch die schon zuvor im hellenistischen Judentum erfolgte Übersetzung des hebräischen תורה mit dem griechischen νόμος eine semantisch eingeschränkte Bedeutung von תורה mitbekommen hat; als ein in Jerusalem selbst rabbinisch ausgebildeter Mann wird er vermutlich gewußt haben, daß νόμος die Übersetzung von תורה ist und also auch, daß תורה die „Weisungen" Gottes meint, die er Israel auferlegt hat.

III. Für jeden, der glaubt

Von da aus noch einmal zurück zu Röm 10,4: „Christus ist des Gesetzes Ende zur Gerechtigkeit für jeden, der glaubt". Häufig wird einfach nur der 1. Teil des Verses zitiert („Christus ist des Gesetzes Ende") und der 2. Teil desselben unterschlagen („zur Gerechtigkeit für jeden, der glaubt"). Damit entsteht aber laufend eine dann zum Mißverständnis führende Verabsolutierung des Versstückes „Christus ist des Gesetzes Ende", während in Wirklichkeit von Paulus ausdrücklich gesagt wird: „Christus ist des Gesetzes Ende zur Gerechtigkeit für jeden, *der glaubt.*" Der Glaubende ist, wie wir im Teil I ausführten, für Paulus

---

[21] Vgl. dazu auch *G. Eichholz,* Die Theologie des Paulus im Umriß (Neukirchen/Vluyn 1972) 63–81 („Der Mensch der Völkerwelt als Gottes Angeklagter"), 82–100 („Der Jude als Gottes Angeklagter"). Eichholz bemerkt: „Was Paulus über den Menschen sagt, ist freilich weder beim Menschen der Völkerwelt noch beim Juden das Ergebnis einer phänomenologischen Analyse seiner Existenz. Eher ist von einer prophetischen Apokalypse menschlicher Existenz im Sinn einer prophetischen Dechiffrierung ihrer Chiffren zu sprechen. Deshalb ist ... zu sagen, daß die faktische Wirklichkeit des Menschen zur Sprache kommt, wie sie dem Menschen selbst so nicht durchsichtig wird" (64). Erst das Evangelium macht eine solche „Apokalypse" des menschlichen Wesens möglich. Der Mensch als solcher ist der Adressat der paulinischen Rechtfertigungslehre; sie drängt von ihrem Wesen her „über den Horizont einer nur jüdischen Adressatenschaft" hinaus, wie Eichholz mit Recht betont (226).

[22] Vgl. dazu auch *H. Schürmann,* Jesu ureigener Tod. Exegetische Besinnungen und Ausblick (Freiburg i. Br./Basel/Wien 1975) 16–65 („Wie hat Jesus seinen Tod bestanden und verstanden?").

der Christusgläubige. Wir fragen: Gilt der Satz auch für den Nicht-Christusgläubigen?

Das Zweite Vatikanische Konzil lehrt in seiner Erklärung über das Verhältnis der Kirche zu den nichtchristlichen Religionen, Art. 2: „Die katholische Kirche lehnt nichts von alledem ab, was in diesen Religionen wahr und heilig ist. Mit aufrichtigem Ernst betrachtet sie jene Handlungs- und Lebensweisen, jene Vorschriften und Lehren, die zwar in manchem von dem abweichen, was sie selber für wahr hält und lehrt, doch nicht selten einen Strahl jener Wahrheit erkennen lassen, die alle Menschen erleuchtet." [23]

Wie ist es aber mit den Juden? Was sagt Paulus über sie? Einmal bezeugt er in Gal 5,3 jedem Beschnittenen, „daß er verpflichtet ist, das ganze Gesetz zu halten"; er dispensiert also den Juden, der Jude bleibt, nicht vom Gesetz, obwohl er persönlich von der Ohnmacht des Gesetzes, das Heil zu vermitteln, überzeugt ist. Zum anderen schreibt er in Röm 11,26–29: „Ganz Israel wird gerettet werden, wie geschrieben steht: Kommen wird aus Sion der Retter, abwenden wird er die Gottlosigkeiten von Jakob, *und dies [wird sein] für sie der Bund von mir her,* wenn ich hinwegnehmen werde ihre Sünden. Im Hinblick auf das Evangelium sind sie zwar Gegner euretwegen, aber hinsichtlich der Wahl (sind sie) Geliebte (Gottes) wegen der Väter. Denn unwiderruflich sind die Gnadengaben und der Ruf Gottes". Und dann im V. 32: „Denn zusammengeschlossen hat Gott *alle* unter Ungehorsam, *um sich aller zu erbarmen"*. Damit ist ein Dreifaches gesagt:

1. Auch Israel wird das Heil erlangen, auch wenn es den Weg des Gesetzes weitergegangen ist und weitergeht, und in dieser Zeit in Jesus Christus nicht seinen Messias zu erkennen vermag, sich vielmehr an „dem Stein des Anstoßes stößt", den Gott in Sion hingelegt hat (vgl. Röm 9,32f).
2. In dieser kommenden Rettung „ganz Israels" offenbart sich die Bleibendheit des Bundes Gottes mit Israel, seinem Volk [24].
3. Der Weg zum Heil führt letzten Endes für alle, ob Juden oder Heiden, über das Erbarmen, die Barmherzigkeit Gottes. ἔλεος, „Erbarmen" ist das Schlußwort Gottes am Ende der Geschichte.

---

[23] Vgl. dazu auch *H. R. Schlette,* Die Religionen als Thema der Theologie (QD 22) (Freiburg i. Br./Basel/Wien 1963); *J. Heislbetz,* Theologische Gründe der nichtchristlichen Religionen (QD 33) (Freiburg i. Br./Basel/Wien 1967); *F. Mußner,* Anknüpfung und Kerygma in der Areopagrede (Apg 17,22b–31), in: *ders.,* PRAESENTIA SALUTIS. Gesammelte Studien zu Fragen und Themen des Neuen Testamentes (Düsseldorf 1967) 235–243.

[24] Vgl. dazu Näheres bei *F. Mußner,* „Der von Gott nie gekündigte Bund". Fragen an Röm 11,27, in diesem Band S. 39–49.

Die Stellung zum Judentum in der „Redenquelle“ und in ihrer Verarbeitung bei Matthäus

Meine Ausführungen sind vor allem von folgenden Fragen bewegt:
- Warum kam es in der Urkirche überhaupt zur Sammlung von Herrenworten?
- Hat die Sammlung von Herrenworten in der „Redenquelle“ und ihren Vorstufen einen ihrer „Sitze im Leben“ in dem allmählichen Ablösungsprozeß der Kirche von Israel?
- Hängen die israelkritischen Akzente im Q-Material und in seiner redaktionellen Verarbeitung bei Mt auch mit diesem Ablösungsprozeß zusammen?

I. Konsequenzen der Trennung der Kirche von Israel für die Jesusüberlieferung

Unleugbare Tatsache ist: Die Urkirche hat sich verhältnismäßig rasch von der jüdischen Religionsgemeinschaft getrennt. Dieser Trennungsprozeß ist im Neuen Testament argumentativ dokumentiert[1]. Eine weitere Tatsache ist die: In den Evangelien findet sich eine Beschränkung auf einen einzigen normativen Lehrer, den Messias Jesus von Nazareth, während das Judentum viele Lehrer hat[2]. Beide Tatsachen hängen mit dem nachösterlichen Christuskerygma zusammen, das aber seinen Anhalt in dem unerhörten Anspruch Jesu[3] und im Osterereignis[4] hat[5]. Galt aber Jesus von Nazareth als der einzige normative

[1] Näheres dazu bei *F. Mußner*, Die Kraft der Wurzel. Judentum – Jesus – Kirche (Freiburg–Basel–Wien [2]1989) 164–171.
[2] Näheres dazu bei *F. Mußner*, Traktat über die Juden (München [2]1988) 363–370. „Wir wissen schon aus den Plsbr. [Paulusbriefen], daß die Worte des Herrn im apostolischen Zeitalter maßgebende kirchliche Autorität gewesen sind, vgl. 1 Thess 4,15; 1 Kor 7,10.12.25; 9,14; 11,23 ff“ (*W. G. Kümmel*, Einleitung in das Neue Testament [Heidelberg [19]1978] 42).
[3] Vgl. dazu *F. Mußner*, Die Kraft der Wurzel (s. Anm. 1) 104–124.
[4] Vgl. dazu etwa *H. Merklein*, Die Auferweckung Jesu und die Anfänge der Christologie (Messias bzw. Sohn Gottes und Menschensohn), in: ZNW 72 (1981) 1–26.
[5] *A. Polag* spricht in seinem Buch „Die Christologie der Logienquelle“ (Neukirchen-Vluyn 1977) im Blick auf den christologischen Willen der primären Tradenten des Q-

Lehrer, dann ist es auch begreiflich, daß man in der Jesusgemeinde vermutlich schon ziemlich früh – daranging, Lehrsprüche Jesu zu sammeln, wenn auch nicht gleich in einer verhältnismäßig festumrissenen „Redenquelle". Es wird Stufen in der Entwicklung von Q gegeben haben[6]. Und angesichts der beiden oben angeführten Tatsachen ist es nicht verwunderlich, daß sich im Material von Q antijüdische, israelkritische Akzente finden, die im folgenden ins Auge gefaßt werden und die vom Mt-Evangelisten im Zusammenhang seines beobachtbaren „Antijudaismus" noch verstärkt wurden.

In unserem Beitrag müssen wir uns freilich auf besonders signifi-

---

Materials von einer „Christologie des Anspruchs" (im Unterschied von einer „Christologie der *Titel*" bzw. von einer „Christologie der *Aussage*); vgl. ebd. 127f.

[6] Vgl. dazu die Untersuchungen zur Redenquelle von *D. Lührmann,* Die Redaktion der Logienquelle (Neukirchen-Vluyn 1969); *S. Schulz,* Q – Die Spruchquelle der Evangelisten (Zürich 1972); *P. Hoffmann,* Studien zur Theologie der Logienquelle (Münster [1]1972); *R. A. Edwards,* A Theology of Q. Eschatology, Prophecy and Wisdom (Philadelphia 1975); *A. Polag,* Die Christologie der Logienquelle (s. Anm. 5); *H. Schürmann* rechnet mit vier Stufen, wie er mir mündlich darlegte: 1. Stufe: Ein Grundwort und ein Zusatzwort dazu; 2. Stufe: Spruchreihungen (Spruch; vorgebauter Spruch; angehängter Spruch); 3. Stufe: frühe Sammlungen (Kompositionen) von Sprüchen zu didaktisch-katechetischen Zwecken; 4. die „Redenquelle" als ganze, mit stereotyper Einleitung: „Und Jesus sagte", wodurch das „Hoheitsbewußtsein" Jesu für seine Anhängerschaft zur Geltung gebracht wird. Vgl. auch noch *H. Schürmann,* Beobachtungen zum Menschensohn-Titel in der Redenquelle. Sein Vorkommen in Abschluß- und Einleitungswendungen, in: *ders.,* Gottes Reich – Jesu Geschick (Freiburg i. Br.–Basel–Wien 1983) 158: „Am Anfang stehen Einzellogien („Grundworte"), an die sich „Zusatzworte", „Kommentare" u. a. anhängen und die sich bald zu Spruchreihen zusammenfinden. Aus diesen werden – meist zu kerygmatischem Zweck – „frühe Kompositionen" gebildet. Am Ende werden aus diesen ‚Reden Jesu', die je ihren eigenen ‚Sitz im Leben' der Gemeinden haben. Aus diesen fügt sich die ‚Reden-Quelle' zusammen. Vermutlich müssen jeweils die ersten beiden und die letzten beiden Entwicklungsstufen eng zusammengedacht werden."

Für *A. Polag* ergeben sich „mindestens drei Stufen des christologischen Bekenntnisstandes der Tradenten" (vgl. a. a. O. 198f): 1. Stufe: Die Texte der Primärtradition „bringen den Anspruch Jesu auf Alleinvermittlung der Basileia zum Ausdruck", wobei im Material aber auch schon „eine Entwicklung des Jesusgeschehens angedeutet" ist, nämlich „die Ablehnung Jesu durch das Volk und die Reaktion Jesu in der Unheilsansage". 2. Stufe: In der Theologie der Tradenten bilden „die Gläubigen das eschatologische Bundesvolk ..., das Jesus zu seinem Führer und Retter hat und in das man auch in der Gegenwart noch eintreten kann, bis Jesus allen sichtbar zum endzeitlichen Gericht erscheint", nämlich als der „Menschensohn". 3. Stufe: Die späte Redaktion von Q; diese „zeigt deutlich den prägenden Einfluß schriftgelehrter Tradition" (Material mit eindeutigen Spuren einer christologischen Reflexion; Ausstattung Jesu mit dem Geist Gottes zur Befähigung „zur Offenbarung des Willens Gottes"). Vgl. auch noch *D. Zeller,* Redaktionsprozesse und wechselnder „Sitz im Leben" beim Q-Material, in: *J. Delobel* (Hg.), Logia. Les Paroles de Jésus – The Sayings of Jesus (Leuven 1982) 395–409; Z. rechnet mit einer „Hierarchie von Bearbeitungsphasen, wobei mit zunehmender Reichweite und Komplexität auch die Wahrscheinlichkeit wächst, daß sie sich schriftlich niederschlugen, daß wir es also mit Redaktion zu tun haben" (402). Zellers „Methodische Besinnung" (ebd. 396–399) scheint mir sehr beachtenswert zu sein.

kantes Material aus der „Redenquelle" beschränken. Für unseren Argumentationsgang scheinen besonders jene Materialien aus Q zur Untersuchung geeignet zu sein, die A. Polag in seinem Textheft zur Logienquelle „Fragmenta Q"[7] unter dem Buchstaben F („Auseinandersetzung") und G („Bekenntnis") zusammengestellt hat; dazu kommt noch das „Jerusalem-Wort" (Nr. 51 bei Polag). Unsere Untersuchung steht dabei unter der Fragestellung: Zeigen sich in diesem Material antijüdische, israelkritische Akzente? Traditionsstufen in diesem Material werden dabei von uns kaum berücksichtigt, zumal man erfahrungsgemäß doch nur zu Hypothesen kommt, über die es keinen unanimis consensus unter den Exegeten gibt. Eine gewisse Einmütigkeit herrscht aber bei ihnen darüber, daß „Lk die Reihenfolge von Q besser bewahrt hat als Mt" (W. G. Kümmel)[8].

II. Israelkritische Logien in Q

1. Jesu angebliche Besessenheit durch Beelzebul (Lk 11,14–23 par Mt 12,22–30)[9]

„Da Lk 11,14–23 und Mt 12,22–30 über die gemeinsame Grundlage Mk 3,22–27 hinaus Übereinstimmungen aufweisen, können wir annehmen, daß Q hier eine der in der Mk-Überlieferung begegnenden ähnliche Tradition enthielt" (D. Lührmann)[10]. Hat der Vorwurf, Jesus von Nazareth sei ein vom Satan Besessener und in dessen Kraft habe er seine Wunder gewirkt, bei Juden in der Auseinandersetzung mit der Christusverkündigung der Urkirche eine Rolle gespielt? Es scheint so, weil ein ähnlicher Vorwurf auch im Joh-Evangelium, in dem der Streit zwischen Kirche und Judentum eine wichtige Rolle spielt[11], anzutreffen ist: „Viele von ihnen [den Juden] sagten: Einen Dämon hat er und

[7] Neukirchen-Vluyn 1979.

[8] Einleitung in das Neue Testament (s. Anm. 2) 42.

[9] Vgl. dazu außer den Kommentaren *D. Lührmann,* Redaktion (s. Anm. 6) 32–43; *S. Schulz,* Q (s. Anm. 6) 203–213; *A. Fuchs,* Die Entwicklung der Beelzebulkontroverse bei den Synoptikern. Traditionsgeschichtliche und redaktionsgeschichtliche Untersuchung von Mk 3,22–27 und Parallelen, verbunden mit der Rückfrage nach Jesus (Linz 1980).

[10] Die Redaktion der Logienquelle (s. Anm. 6) 32. – Zum Problem der „Doppelüberlieferungen" vgl. *R. Laufen,* Die Doppelüberlieferungen der Logienquelle und des Markusevangeliums (BBB 54) (Königstein/Ts. – Bonn 1980) 126–155 (Behandlung der Beelzebulperikope).

[11] Vgl. etwa *K. Wengst,* Bedrängte Gemeinde und verherrlichter Christus. Der historische Ort des Johannesevangeliums als Schlüssel zu seiner Interpretation (Neukirchen-Vluyn ³1990).

ist von Sinnen" (Joh 10,20; vgl. auch 7,20; 8,48.52)[12]. Die mit dem Vorwurf der Besessenheit beginnende Redeeinheit in Q (Lk 11,14–26 = Mt 12,22–30.43–45)[13] hat ihre Höhepunkte in dem anspruchsvollen Hoheitsbewußtsein Jesu, wie es hier in seinen Worten zum Ausdruck kommt, daß das Reich Gottes schon „zu euch gelangt ist", weil *er* „mit dem Finger Gottes die Dämonen" austreibt (Lk 11,20 = Mt 12,28), und: „wer nicht mit mir ist, der ist gegen mich, und wer nicht mit mir sammelt, der zerstreut" (Lk 11,23 = Mt 12,30). Jesus ruft damit Israel in die Entscheidung. Daß Jesus ein „Zauberer" gewesen sei, diese Anschuldigung spielte im jüdisch-christlichen Streit eine Rolle[14]. Der Hinweis auf „eure Söhne" in Lk 11,19 (= Mt 12,27) ist ein Hinweis auf jüdische Exorzisten, durch den die Gegner mit der Frage, mit wessen Hilfe denn sie die Dämonen austrieben – natürlich auch mit Hilfe des Fingers Gottes! –, in Verlegenheit gebracht werden sollen. So spiegelt sich in der Perikope die Trennung der Kirche von Israel und der „Rückzug" der Urkirche auf ihren normativen Lehrer Jesus wider; und insofern wirkt die Perikope israelkritisch[15]. Die „Christologie des Anspruchs" (A. Polag) zeigt sich in ihr überdeutlich. Jesu Heilungswerk wird positiv gedeutet, und die Einwände werden zurückgewiesen, die gegen die urkirchlichen Exorzisten von jüdischer Seite erhoben wurden – vgl. etwa Apg 3,12.16: Nicht aus der „eigenen Kraft" der Apostel ist der Gelähmte geheilt, vielmehr durch den Glauben des Geheilten „an seinen Namen". Auch das der Beelzebulperikope unmittelbar folgende Bildwort vom Starken (Lk 11,21f = Mt 12,29) ist „noch von der Kontroverse Lc 11,15ss bestimmt und entlarvt die Verleumder Jesu als seine Gegenspieler" (D. Zeller)[16], auch im nachösterlichen Bereich.

---

[12] *R. Schnackenburg* bemerkt: „Vielleicht verbirgt sich hinter den Worten aber auch die zeitgenössische jüdische Polemik: Jesu Selbstanspruch ist Wahnsinn; man soll der christlichen Verkündigung kein Gehör schenken" (Das Johannesevangelium II, Freiburg i. Br. – Basel – Wien ²1977, 381).

[13] Um die Rekonstruktion ihrer Q-Form bemüht sich etwa auch *D. Zeller* in seinem „Kommentar zur Logienquelle" (Stuttgart 1984) 59f.

[14] Material bei *P. Billerbeck,* Kommentar zum Neuen Testament aus Talmud und Midrasch I, 631. Die Unterstellung in Lk 11,15b „war offenbar weiter verbreitet" (*D. Zeller,* Redaktionsprozesse [s. Anm. 6] 405).

[15] Vgl. auch *D. Lührmann,* Redaktion (s. Anm. 6) 33f.

[16] Redaktionsprozesse (s. Anm. 6) 406.

2. *Die Zeichenforderung (Lk 11,16.29–32 par Mt 12,38–42)*

Es geht um „ein Zeichen vom Himmel“, das „andere“ (als „einige aus ihnen“, vgl. 11,15) von Jesus fordern (11,16), nämlich zum Erweis der Legitimität seines Anspruchs. Jesus kommt auf diese Forderung zurück: „dieses Geschlecht ist ein böses Geschlecht, es fordert ein Zeichen, aber es wird ihm kein Zeichen gegeben werden, außer das Zeichen des Jona“ (Lk 11,29 par Mt 12,39). Das Wort klingt zunächst rätselhaft, und die Adressaten sind bei Lk die versammelten Volksmassen (Lk 11,29a), die keineswegs mit den ἕτεροι von 11,16 identisch sein müssen. Eine Erklärung des Rätselwortes bietet Lk 11,30 (par Mt 12,40): „Wie nämlich Jona den Niniviten ein Zeichen geworden ist, so wird es auch der Menschensohn werden für dieses Geschlecht“, womit der kommende Menschensohnrichter anvisiert ist. „Offensichtlich“, meint H. Schürmann, handelt es sich bei dem Deutewort des V. 30 „um eine sekundäre Hinzufügung“, um ein „interpretierendes ‚Kommentarwort‘ “[17]. So „offensichtlich“ scheint mir das nicht zu sein; eher scheinen mir Lk 11,31f par Mt 12,40f in die Q-Tradition sekundär hinzugefügte „Kommentarworte“ zu sein, weil sie die Antwort auf das mit 11,30 gegebene Problem geben, inwiefern denn der Menschensohn für dieses Geschlecht „ein Zeichen“ sein wird: *Weil* dieses Geschlecht auf die Umkehrpredigt Jesu nicht gehört hat, obwohl Jesus „mehr“ ist als Jona und Salomo! „Dieses Geschlecht“ wird dafür vom kommenden Menschensohnrichter zur Rechenschaft gezogen werden, wobei die Frage entsteht, wer mit „diesem Geschlecht“ gemeint ist, dem das Gericht angedroht wird. Nach J. Ernst[18] „nicht die Generation Jesu“, „sondern das erwählte Heilsvolk als ganzes“, also das Volk Israel, das Volk der Juden. Doch muß hier differenzierter geredet werden. Denn die VV 29–36 sind zwar „zu den Volksscharen gesprochen, reden indessen über diejenigen Kritiker aus dem Volk, die ein Zeichen vom Himmel fordern (vgl. V 16)“ (G. Schneider)[19]. Nach Mk 8,11 sind es die Pharisäer, die „ein Zeichen vom Himmel“ fordern; nach Mt 12,38 wollen „einige der Schriftgelehrten und Pharisäer“ von Jesus ein Zeichen sehen. Wahrscheinlich ist jedoch, daß die Q-Tradenten auf-

---

[17] Beobachtungen (s. Anm. 6) 164. Zum Problem „Kommentarworte“ s. Näheres bei *J. Wanke,* „Kommentarworte“. Älteste Kommentierung von Herrenworten, in: BZ, NF 24 (1980) 208–233; *ders.,* „Bezugs- und Kommentarworte“ in den synoptischen Evangelien (EThSt 44) (Leipzig 1981).

[18] Das Evangelium nach Lukas (Regensburg 1977) 379.

[19] Das Evangelium nach Lukas II (ÖTK 3/2) (Gütersloh-Würzburg 1977) 270.

grund ihrer negativen Missionserfahrung in dem „verstockt" bleibenden Israel die Adressaten der Gerichtsandrohung Jesu sahen[20].

3. Die „Wehe-Rede" (Lk 11,39b–52 par Mt 23)[21]

H. Schürmann hat die Redekomposition wider dieses Geschlecht in Q gründlich auf Kompositionsstufen hin untersucht und dabei versucht, den kerygmatischen Aussagegehalt der jeweiligen Kompositionseinheiten herauszuarbeiten. Er möchte „die unterschiedlichen Stimmen abhören, die aus der Tiefe der Traditionsgeschichte unserer Redekomposition behauptend bzw. korrigierend und kritisierend sich Gehör verschaffen möchten"[22]. Schürmann glaubt speziell hinter Mt 23,23a.b par Lk 11,42 a.b und aus Mt 23,25 par Lk 11,39 noch die vox bzw. intentio Jesu heraushören zu können, nämlich seine Kritik „an der pharisäischen Observanz" und „am legalistischen Tora-Verständnis der damaligen Rabbinen". „Jesu Kritik ist und bleibt, durch alle Traditions- und Redaktionsstufen hindurch, das eigentliche Auslegungsprinzip der Redekomposition."[23] Aber „noch unterhalb der Endredaktion von Q ... melden sich in tradierten Sprucheinheiten und ‚frühen Kompositionen' ... zwei recht unterschiedliche Stimmen zu Wort", zum einen anerkennende judenchristliche Stimmen, zum anderen aber auch Stimmen verschärfter Kritik am Rabbinen- und Pharisäertum (verursacht durch bestimmte, spätere Gemeindeerfahrung)[24], die als Echo auf die „Verstockung" Israels zu verstehen sind, die zur

---

[20] Nach *D. Lührmann*, Redaktion (s. Anm. 6) 42 ist das Ziel des ganzen Abschnitts (Beelzebulstreit und Zeichenforderung) „nicht mehr wie bei Mk die Abweisung der Zeichenforderung, sondern die Ankündigung des Gerichts gegen ‚dieses Geschlecht', also Israel, wie sich aus der Gegenüberstellung zu der betont als Heidin gekennzeichneten Königin und den heidnischen Einwohnern von Ninive ergibt". Nach *H. Schürmann*, Beobachtungen (s. Anm. 6) 165 ist „die Drohrede an Israel mit dem Gericht auch schon in frühen Traditionsschichten derselben zu finden".

[21] Vgl. zu ihr etwa außer den Kommentaren und den Monographien zur „Redenquelle" *W. Pesch*, Theologische Aussagen der Redaktion von Matthäus 23, in: *P. Hoffmann* u.a. (Hg.), Orientierung an Jesus. Zur Theologie der Synoptiker (FS f. J. Schmid) (Freiburg i. Br.–Basel–Wien) 286–299; *E. Garland*, The Intention of Matthew 23 (Leiden 1979), dazu U. Luz in ThLZ 107 (1982) 348f; *H. Schürmann*, Die Redenkomposition wider „dieses Geschlecht" und seine Führung in der Redenquelle (vgl. Mt 23,1–39 par Lk 11,37–54). Bestand – Akoluthie – Kompositionsformen, in: SNTU 11 (Linz 1986) 33–81 (weitere Literatur); *H.-J. Becker*, Auf der Kathedra des Mose. Rabbinisch-theologisches Denken und antirabbinische Polemik in Matthäus 23,1–12 (Berlin 1990).

[22] A.a.O. (s. Anm. 21) 75.

[23] Ebd. 75f.

[24] Ebd. 76f.

allmählichen Trennung der Kirche von Israel geführt hat, wobei man sich der kritischen Stimme Jesu erinnerte, in dem man den normativen Lehrer sah, aber diese Kritik z.T. massiv verschärfte, die Wehe-Rufe vermehrte[25] und nur noch geringes Verständnis für den Sinn des jüdischen Toralebens aufbrachte[26]. In Lk 11,44 par Mt 23,27 werden die Pharisäer total verteufelt. Schürmann spricht von „einer kaum mehr zu überbietenden Steigerung" des Vorwurfs der sittlichen Unreinheit der Pharisäer[27]. Gewiß wird, wie H. Schürmann formuliert[28], das „legalistische rabbinische Tora-Verständnis" von Jesus „ethisch auf den wahren Willen Gottes hin aufgebrochen", aber die Gefahr eines ungerechten Urteils über die Pharisäer und das Judentum war und ist damit handgreiflich gegeben, wie die Geschichtserfahrung zeigt, gerade auch schon in der Zeit der Urkirche[29].

Im Zusammenhang der Weherede begegnen auch wieder Gerichtsworte, die sich gegen „dieses Geschlecht" (Lk 11,50f) bzw. gegen die Schriftgelehrten und Pharisäer (Mt 23,35f) richten. Wem wird das Gericht angedroht? Bei Mt sind es die Schriftgelehrten und Pharisäer, die direkt mit dem ὑμεῖς angesprochen sind und denen das Gericht angedroht wird (vgl. Mt 23,29.35); aber mit der Gerichtsandrohung gegen „dieses Geschlecht" in 23,36 und der verdoppelten Anrede „Jerusalem, Jerusalem" in 23,37 scheint der Kreis der vom Gericht Bedrohten erweitert zu werden. Auf „die Ganzheit des Volkes" hin (so H. Schürmann)[30]?

In Mt 23,38 ist indirekt die Zerstörung des Tempels oder Jerusalems („euer Haus") angesprochen. Im übrigen beachte man, daß das Vorstellungsfeld betr. Gericht bei Mt nicht einheitlich ist: In 23,33 (Sondergut) wird mit dem „Höllengericht" gedroht, also mit der ewigen Verdammnis; in 23,35 damit, daß das unschuldig „auf der Erde" vergossene Blut, angefangen vom Blut des Abels bis zum Blut des Zacha-

---

[25] Vgl. dazu besonders *W. G. Kümmel,* Die Weherufe über die Schriftgelehrten und Pharisäer (Matthäus 23,13–36), in: *ders.,* Heilsgeschehen und Geschichte II (Marburg 1978) 29–38 (29: „Die sieben Weherufe gegen Schriftgelehrte und Pharisäer im 23. Kapitel des Matthäusevangeliums gehören zu den schärfsten polemischen Texten des Neuen Testaments gegen das Judentum").

[26] Vgl. *F. Mußner,* Das Toraleben im jüdischen Verständnis, in: *ders.,* Die Kraft der Wurzel (s. Anm. 1) 13–26.

[27] A.a.O. (s. Anm. 21) 72.

[28] Ebd. 76.

[29] Vgl. auch *W. G. Kümmel,* Die Weherufe (s. Anm. 25) 38.

[30] Redekomposition (s. Anm. 21) 73. *D. Lührmann* formuliert so (Redaktion [s. Anm. 6]): „Wie in Lk 11,14ff / Mt 12,22ff zielt auch hier die Komposition ... auf die Gerichtsankündigung gegen Israel hin; die Auseinandersetzung mit Pharisäern und Schriftgelehrten, die sich in der der Q-Redaktion vorausliegenden Überlieferung zeigt, wird aufgehoben in dem Gegensatz zu Israel als Ganzem" (47).

rias, „auf euch" kommen wird (in welcher Weise?); in 23,36 damit, daß „dies alles (was alles?) über dieses Geschlecht kommen wird". Diese Unausgeglichenheit im Vorstellungsfeld bei Mt läßt erkennen, daß das von ihm verarbeitete Material, auch schon dort, wo es sich um Q-Material handelt (23,34–36), ursprünglich keine Spruceinheit bildete, daß aber das Q-Material von den Q-Tradenten s.v. Strafgericht für das ihnen jüdischerseits zugefügte Unrecht zusammengestellt worden ist, wobei möglicherweise – ganz sicher läßt sich das nicht sagen – bereits der Kreis der mit dem Gericht Bedrohten auf „dieses (ganze) Geschlecht" der „verstockt" bleibenden Judenschaft ausgedehnt wurde. Der Mt-Redaktor schob dann angesichts der Katastrophe des Jahres 70 die Verantwortung für sie der geistlichen, Jesus und das Evangelium ablehnenden Führerschaft („Schriftgelehrte und Pharisäer") zu, wobei zugleich vom Mt-Redaktor in 23,10 (Sondergut) die Beschränkung auf den einzigen normativen Lehrer, den Messias Jesus, für die christliche Gemeinde eindeutig ausgesprochen wird: „denn nur einer ist euer Lehrer, Christus". „Sie hat kein Rabbinat, sondern in Jesus ihren einzigen Lehrer, der ihr Gottes Willen sagt" (A. Schlatter)[31]. Die Trennung der Kirche von Israel ist vollendete Tatsache.

Bei Lk sind die mit dem Gericht Bedrohten die Pharisäer (vgl. 11,42). Bei ihm ist die christliche Nomenklatur der jetzt Verfolgten deutlicher (11,49a: „Propheten und Apostel", vgl. Eph 2,20); diese werden „zu ihnen" gesandt (11,49b). Wer ist mit den „ihnen" gemeint? Im lukanischen Zusammenhang doch wohl die „ihr", d.h. die Pharisäer, die dem prophetenmörderischen Handeln ihrer Väter zustimmen, indem sie Prophetengräber bauen (11,47f Q). Waren es aber, historisch gesehen, die Pharisäer, die die christlichen Propheten und Apostel töten und verfolgen (vgl. 11,49c)? Der Wechsel von ὑμεῖς (11,48) zu αὐτούς (11,49) bei Lk könnte durch das Traditionsmaterial verschiedener Q-Tradenten bedingt sein, das jedoch schon vor der Endredaktion zu einer Spruceinheit zusammengefügt wurde, was man auch bei dem vom Mt-Redaktor verarbeiteten Q-Material beobachten kann (s.o). Auch bei Lk findet sich die Ausweitung der mit dem Gericht Bedrohten auf „dieses Geschlecht", von dem das Blut „aller" ermordeten Propheten, einschließlich der christlichen, „abgefordert" werden wird (11,50f). Es läßt sich aber nicht erkennen, woran Lk näherhin bei „diesem Geschlecht" denkt, zumal der syntaktisch-logische Aufbau des Abschnitts 11,47–51 recht seltsam ist, was noch einmal die ursprüngliche Getrenntheit des Traditionsmaterials erkennen läßt. Denn das einleitende διὰ τοῦτο zu Beginn von 11,49, das ja den

[31] Der Evangelist Matthäus (Stuttgart [3]1948) 670.

Grund dafür nennt, daß „die Weisheit Gottes" Propheten und Apostel sendet, stellt einen seltsam klingenden Zusammenhang mit dem in 11,47f Gesagten her. Die göttliche Weisheit – möglicherweise denkt Lk dabei an Jesus als den Sprecher der göttlichen Weisheit[32] – schickt die Propheten und Apostel doch nicht „deshalb" „zu ihnen" (den Juden), weil ihre geistlichen Führer, die Pharisäer, den ermordeten Propheten Gräber bauen, noch töten sie die christlichen Propheten und Apostel, „damit" (ἵνα!) das vergossene Blut von diesem Geschlecht abgefordert werden kann. Diese Beobachtungen am syntaktischen Aufbau des Textes weisen deutlich auf Sprünge im Traditionsmaterial und auf schlecht gelungene Nähte der Kompositionsarbeit der Tradenten hin – und evtl. auch auf Übersetzungsschwierigkeiten bei der Wiedergabe des Aramäischen im Griechischen. Wie dem auch sei: Auch bei Lk läßt das verarbeitete Traditionsmaterial aus Q die kritische Distanz der Tradenten von der geistlichen Führerschaft der Juden erkennen, aber keine Verteufelung des Judentums als solchem. Doch spiegelt sich in der Endredaktion deutlich die Trennung der Kirche von Israel wider, die ihren Grund in der ablehnenden Haltung seiner geistlichen Führerschaft hat, die Jesus selbst schon disqualifizierte, wie sowohl Mt 23 als auch Lk 11 zeigen. Jesus disqualifiziert das Verhalten der Schriftgelehrten und Pharisäer mit Blick auf ihre Torapraxis; die christliche Gemeinde dagegen tut es wegen der erfahrenen Verfolgung ihrer Missionare. Die Endredaktion verbindet beides und verführt dadurch zu einer ungerechten Verzeichnung des Judentums und seiner Torafrömmigkeit („Legalismus" etc.).

„Eine Umkehr Israels ist bei dieser Gerichtsankündigung nicht mehr im Blick, es bleibt nur noch das Gericht" (D. Lührmann)[33]. Stimmt dieser Satz angesichts der Textaussagen von Lk 13,34f par Mt 23,37f? Bei Mt schließt dieser Abschnitt Kap. 23 ab; bei Lk findet er sich s.v. „Jerusalem" angeschlossen an das Wort Jesu, daß er „heute und morgen und am kommenden Tag wandern" müsse, „weil es nicht angeht, daß ein Prophet außerhalb Jerusalems umkommt" (Lk 13,33). Lk 13,34f par Mt 23,37f stammen aus Q, und der Wortlaut des Textes stimmt bei den beiden Evangelisten weithin überein, viel stärker als zuvor in Mt 23,32–38 par Lk: doch wohl ein Zeichen des großen Interesses der überliefernden Urkirche an diesem Logion Jesu. Es handelt sich um ein Drohwort gegen das die Propheten mordende und die Abgesandten (Gottes oder Jesu?) steinigende „Jerusalem", dessen „Haus" zur Strafe „verlassen wird" (von Gott oder von Jesus?). Wenn

[32] Vgl. *J. Ernst,* Das Evangelium nach Lukas (s. Anm. 7) 388.
[33] A.a.O. (s. Anm. 6) 47.

in Mt 23,39 der begründende (vgl. γάρ) Anschluß des Logions schlüssig sein soll, dann ist es der Messias Jesus, der das „Haus" (Tempel? Stadt? Volk?) endgültig verläßt (zum Schaden der Juden) und den die Jerusalemer „nicht sehen" werden. Lk schließt dieses Logion Jesu mit der Partikel δέ an, die nicht adversativen Sinn haben kann, vielmehr fortführenden („darüber hinaus"), und zwar wird das angesagte und angedrohte „verlassen" des „Hauses" fortgeführt mit der Ansage, daß Jerusalem ihn (Jesus) nicht mehr sehen wird. Doch ist das nicht das Endgültige. Das Endgültige ist vielmehr dies, daß auch sie, die Juden, die Jesus jetzt ablehnen, einmal rufen werden: „Hochgelobt sei, der kommt im Namen des Herrn", d.h. Jesus als ihren Messias begrüßen werden, nämlich – daran scheint gedacht zu sein – bei seiner Wiederkunft am Ende der Tage[34] „Zugleich mit der Trennung von der Judenschaft hat sie [die palästinische Kirche] auch die Hoffnung für sie bewahrt, und damit tat sie, was auch Paulus tat" (A. Schlatter)[35]. Die Redekomposition wider „dieses Geschlecht" endet also mit einer positiv lautenden Ansage[36].

In diesem Zusammenhang muß auch auf den Doppelspruch in Mt 10,32f par Lk 12,8f hingewiesen werden, in dem es um das Bekenntnis zu Jesus bzw. um die Ablehnung Jesu mit ihren jeweiligen Folgen geht. „In der Redenquelle beschließt Lk 12,8f par mit der Forderung zum ‚Bekennen' das Thema der Furchtlosigkeit und Sorglosigkeit Lk 12,4f.6f par Mt 10,28.29ff abschließend mit einer Lohnverheißung,

---

[34] Das trifft sich mit der prophetischen Ansage des Paulus in Röm 11,23: „Ganz Israel wird gerettet werden".

[35] Der Evangelist Matthäus (s. Anm. 31) 691.

[36] *A. Polag* (Christologie [s. Anm. 5] 93f) bemerkt zu Lk 13,35: „Die Tragweite des Rufes ist schwer zu ermitteln. Es handelt sich sicher um einen Begrüßungsruf, der aber kaum auf die Tempelwallfahrt beschränkt gewesen sein dürfte. Das bedeutet für V. 35b: das Volk wird Jesus ... bei seinem Wiedererscheinen willkommen heißen, ihn also in seiner Sendung vom Herrn anerkennen"; er meint aber dann: „Wenn Lk 13,35b überhaupt in einem Unheilswort seinen Platz haben soll, dann muß auch diese Aussage unter einem entsprechenden Gesichtspunkt betrachtet werden. Von dorther legt sich überzeugend die Auffassung nahe, daß die zum Ausdruck kommende zukünftige Anerkennung Jesu *vergeblich* sein wird. Das Volk wird also Jesus wiedersehen; dann wird es ihn anerkennen; jedoch wird es sinnlos und umsonst sein". Vgl. auch noch ebd. 121. Diese Auffassung legt sich keineswegs „überzeugend" nahe, weder vom Text her noch vom Gleichnis in Lk 13,25–27 her, auf das Polag dabei hinweist – im Gleichnis geht es um den Ausschluß jener vom kommenden Heil, die sich weigern, „durch die enge Tür" einzutreten (vgl. 13,24). Zur prophetischen Unheilsansage gehört bekanntlich immer auch die Heilsansage. Es besteht für die Juden trotz ihrer „Verstockung" Hoffnung! Vgl. etwa auch *W. Grundmann,* Das Evangelium nach Lukas (Berlin ²o.J.) 209; *J. Ernst,* Das Evangelium nach Lukas (s. Anm. 18) 434. Der Ruf, der dem wiederkommenden Herrn von den Juden entgegengebracht werden wird, ist nicht bloß ein Anerkennungsruf, sondern seine freudige Begrüßung durch sie.

ist also unmittelbar um Lk 12,4f.6f par willen angefügt" (H. Schürmann)[37]. In Mt 10,32 fehlt der Menschensohntitel, während die Lk-Parallele ihn hat, vermutlich dabei der Q-Tradition folgend[38]. Damit geht es bei Mt eindeutiger als bei Lk um die Stellung Jesu im eschatologischen Enddrama, aber bei beiden und schon in der von ihnen verarbeiteten Q-Tradition um den Gerichtsmaßstab im Endgericht, bei dem die zu Jesus bezogene Stellung die entscheidende Rolle spielt. In der Q-Tradition könnten dabei, von der Form her gesehen, apokalyptisch klingende Weisheitssätze urchristlicher Propheten aufgenommen sein, ohne daß damit der Doppelspruch Jesus abgesprochen werden soll[39]. In der Situation der Missionare spielte zweifellos das Bekenntnis zu Jesus, dem Gekreuzigten und Auferstandenen, eine wichtige Rolle, und zwar nicht bloß bei der Taufe „auf den Namen Jesu", sondern besonders im Öffentlichkeitsbereich der Juden- und Heidenmission. Der Doppelspruch konnte dabei eine mehrfache Funktion ausüben:

- als Ausdruck des status confessionis
- als Zuspruch zu furchtlosem Bekenntnis
- als Aufruf zur Bekenntnistreue
- als Zusage eschatologischen Lohns beim „Vater im Himmel" („den Engeln Gottes" [Lk] = den Engeln, die den Gerichtsthron des himmlischen Menschensohnes umstehen) für Bekenntnistreue
- als Gerichtsandrohung („Verleugnung" durch den Menschensohnrichter) an jene, die Jesus und das Evangelium ablehnen, seien diese Juden oder Heiden – die letzteren sind wohl schon auf der Q-Ebene und erst recht auf der Ebene der Endredaktion durch die Evangelisten mitgemeint
- als Trostwort in Verfolgungsdrangsal
- als Proklamation der „Zwischenzeit" als Entscheidungszeit.

Da es in dem Doppelspruch um das Bekenntnis zu *Jesus* geht, spiegelt sich in ihm auch wiederum der Prozeß der Trennung der Urkirche von Israel. Es spiegelt sich also in ihm eine historische Tatsache – Trennung der Kirche von Israel –, nicht jedoch „Antijudaismus", wohl aber implizite „Israelkritik", weil die Hauptmasse der Juden, weil Israel das

---

[37] Gottes Reich – Jesu Geschick (s. Anm. 6) 166. „Die Variante Mk 8,38 parr Lk 9,26 / Mt 16,27b bringt nur die negative Hälfte des Doppelspruches von Q ..." (ebd.).

[38] Wir gehen auf das Menschensohn-Problem nicht ein.

[39] Der Doppelspruch kann ja auch gut im vorösterlichen Leben Jesu situiert werden: Die einen bekannten sich zu ihm, die anderen lehnten ihn ab. – Zur Vorgeschichte des Doppelspruchs vgl. auch *W. G. Kümmel,* Das Verhalten Jesus gegenüber und das Verhalten des Menschensohns. Markus 8,38 par. und Lukas 12,8f par. Matthäus 10,32f, in: *ders.,* Heilsgeschehen und Geschichte II (Marburg 1978) 201–214.

Bekenntnis zu Jesus verweigert, sowohl vorösterlich als auch nachösterlich.

III. Antijüdische Akzente in der Q-Rezeption durch den Mt-Evangelisten?

Der „Antijudaismus" des Mt-Evangeliums ist bekannt[40]. Wir beschränken uns im folgenden auf jenes im Mt-Evangelium verarbeitete Q-Material, das wir zuvor auf „israelkritische" Akzente hin untersucht haben, nun ausdrücklich bewegt von der Frage: Werden diese Akzente, besonders solche antipharisäischer Art, vom Mt-Redaktor noch verschärft?[41]

- Mt 12,24a: „die Pharisäer", diff von Mk 3,22 (die von Jerusalem herabgekommenen „Schriftgelehrten") und Lk 11,15 („einige aus ihnen", nämlich den Volksmassen). Bei Mt zeigt sich also hier eine antipharisäische Tendenz.
- Mt 12,24b: verächtlich klingendes οὗτος (→Jesus) im Mund der Pharisäer.
- Mt 12,38: In dieser redaktionellen Einleitung sind es „einige der Schriftgelehrten und Pharisäer", die die Zeichenforderung stellen, während es in Lk 11,16 nur „andere" (aus der Volksmasse) sind[42].
- Mt 12,39b: „ein böses und ehebrecherisches Geschlecht", bezogen auf die von Jesus ein Zeichen fordernden „einige der Schriftgelehrten und Pharisäer" (vgl. 12,38).[43]
- Mt 23: Vermehrung der Weherufe gegen die „Schriftgelehrten und Pharisäer", diff von Lk, bei dem zudem nur die Pharisäer die Apostrophierten der Weherufe sind.
- Mt 23,5 Sondergut: Vorwurf der frommen Schauspielerei vor den Menschen.
- Mt 23,7b Sondergut: Vorwurf der Titelsucht.

[40] Vgl. etwa *W. Trilling*, Das wahre Israel. Studien zur Theologie des Matthäus-Evangelium (München ³1964); *R. Hummel*, Die Auseinandersetzung zwischen Kirche und Judentum im Matthäusevangelium (München ²1966); *S. Légasse*, L'antijudaïsme dans l'Évangile selon Matthieu, in: *M. Didier* (Hg.), L'Évangile selon Matthieu. Rédaction et théologie (Gembloux 1972) 417–428; *V. Mora*, Le Refus d'Israël. Matthieu 27,25 (Paris 1986, dazu *F. Mußner*, in: ThRev 82 [1986] 457–459).

[41] Vgl. auch *F. Mußner*, Traktat über die Juden (München ²1988) 262–264; *E. Garland*, Intention (s. Anm. 21) passim.

[42] Nach Mt 16,1 par Mk 8,11 stellen „die Pharisäer und Sadduzäer" die Zeichenforderung, bei Mk nur „die Pharisäer".

[43] Vgl. ebenso Mt 16,4: „ein böses und ehebrecherisches Geschlecht fordert ein Zeichen", diff von Mk 8,4 („warum fordert dieses Geschlecht ein Zeichen?").

- Mt 23,14: Der Vorwurf, die Witwen um ihre Häuser zu bringen und der Scheinheiligkeit im Gebetsleben, fehlt bei den wichtigsten Textzeugen und ist aus Mk 12,40 (vgl. auch Lk 20,47) bei späteren Textzeugen eingetragen.
- Mt 23,15 Sondergut: Vorwurf verderblicher Proselytenmacherei.
- Mt 23,16 Sondergut: Vorwurf seltsamer Eidpraktiken.
- Mt 23,24 Sondergut: „Ihr siebt Mücken aus und verschluckt Kamele."
- Mt 23,32 Sondergut: „Und ihr macht das Maß eurer Väter voll."
- Mt 23,33 Sondergut: „Ihr Nattern, ihr Schlangenbrut! Wie wollt ihr dem Strafgericht der Hölle entrinnen?" Damit verschärft Mt die Gerichtsandrohungen von Q (vgl. 23,34–36 par Lk) ganz außerordentlich: das Gerichtsgeschehen wird bis zur Hölle ausgedehnt!
- Die Bezeichnung der Schriftgelehrten und Pharisäer als „Heuchler" in 23,13.15.23.26.27.29, als „blinde Führer" in 23,16.24, als „Dummköpfe und Blinde" in 23,17, als „Blinde" in 23,19 (vgl. auch 23,26), stempelt sie zu Charakterkrüppeln und blinden Blindenführern (vgl. auch Mt 15,14a Sondergut: „Laßt sie [→ die Pharisäer, vgl. 15,12b]; sie sind blinde Blindenführer"), also ungeeignete Lehrer[44].
- 23,32–35: Direkte Anrede an die Schriftgelehrten und Pharisäer („ihr"), diff von Lk („zu ihnen").

So besteht kein Zweifel, daß der Mt-Evangelist dem aus Q übernommenen Material antipharisäische und antirabbinische Akzente aufsetzte, die der christliche Leser des Evangeliums leicht, wie die Erfahrung zeigt, zu antijüdischen Akzenten werden läßt und die so geeignet sind, zur Verteufelung des Judentums beizutragen. Doch darf man nicht übersehen, daß gerade auch Kap. 23 bei Mt durch ein scharfes, wenn auch ungerechtes, Kontrastbild der christlichen Gemeinde, die sich von Israel getrennt hat und in Jesus von Nazareth ihren maßgebenden Lehrer sah, zeigen will, wie es bei ihr nicht sein darf. Dies macht der Evangelist dem Leser bewußt, indem er paränetisches Material für die Jüngergemeinde Jesu in 23,8–11 einbaut („ihr"!), mit der Begründung in 23,10b: „Ein einziger ist euer Lehrer: Christus".

Wilhelm Pesch schrieb mit Blick auf die gerade auch in Mt 23 zutage tretende Polemik, daß in solchen Texten „polemische Ladenhüter, Verteufelung der Gegner und erbarmungslose Endabrechnung eine große Rolle" spielen, aber auch, „daß Matthäus 23 nicht mehr ... nur der Endabrechnung mit dem Rabbinat gilt ..., daß es vielmehr an die

---

[44] Vgl. auch Lk 6,39 (par Mt 15,14b) und 11,40 („Ihr Unverständigen" → Pharisäer [vgl. 11,39]); diese Stellen lassen erkennen, „daß bereits Q eine ähnliche Titulierung führen konnte" (*H. Schürmann,* Redekomposition [s. Anm. 6] 79). Mt verschärft.

Jünger, d.h. an die Christen, gerichtet ist"[45]. Davon muß die Kirche gerade nach Auschwitz Kenntnis nehmen.

Unsere drei Eingangsfragen können nun beantwortet werden:

– In der Urkirche kam es zur Sammlung von Herrenworten, weil sie in Jesus von Nazareth aufgrund ihrer christologischen Überzeugungen ihren einzigen normativen Lehrer sah, weshalb sie die jüdischen Lehrautoritäten ausschied.

– Die Sammlung von Herrenworten in der „Redenquelle" und ihren Vorstufen hat einen ihrer „Sitze im Leben" in dem allmählichen Ablösungsprozeß der Kirche von Israel.

– Die israelkritischen Akzente im Q-Material und in seiner redaktionellen Verarbeitung bei Mt hängen auch mit dem christologisch bedingten Ablösungsprozeß der Urkirche von Israel zusammen, m.a.W.: mit dem status confessionis.[46]

Bedeutende Ansätze zur Israelkritik scheinen schon in der Predigt Jesu vorgegeben gewesen zu sein. Doch war das nicht unsere eigentliche Frage in diesem Beitrag.

---

[45] Theologische Aussagen der Redaktion von Matthäus 23 (s. Anm. 21) 297.

[46] Insofern ist es richtig, bei der Bestimmung der „theologischen Mitte" von Q mit der Kategorie „Entscheidung" zu arbeiten, da die Logien Jesu „erfahrungsgemäß Entscheidung provoziert und zu neuem Verhalten geführt" hatten; die Q-Texte waren „schon längst [vor ihrer Endredaktion] auf eine personale Beziehung zu Jesus hin überliefert worden", eben als den normativen Lehrer seiner Anhänger; so *A. Polag,* Die theologische Mitte der Logienquelle, in: P. Stuhlmacher (Hg.), Das Evangelium und die Evangelien. Vorträge vom Tübinger Symposium 1982 (Tübingen 1983) 103–111 (109; 111).

Die Erzählintention des Lukas in der Apostelgeschichte

I. „Erzählintention“ hat etwas mit dem zu tun, was man häufig auch „Zweck“ eines Literaturwerkes nennt. Wenn wir also von der „Erzählintention“ des Lukas in der Apostelgeschichte sprechen, stellen wir damit die Frage nach ihrem „Zweck“. Mit dieser Frage hat sich Gerhard Schneider ausführlich beschäftigt, aber mit Einbezug des Lukasevangeliums, in seinem Aufsatz: „Der Zweck des lukanischen Doppelwerks.“[1] „Es gibt wohl kaum eine neutestamentliche Schrift, die so häufig nach ihrer Absicht befragt worden ist wie die Apostelgeschichte.“[2] Zur Zweckbestimmung wurden etwa genannt: Versöhnung des Paulinismus mit dem Petrinismus; damit zusammenhängend: Rechtfertigung des „Frühkatholizismus“; Verteidigung des Christentums gegen den Vorwurf der Staatsfeindlichkeit; Siegeslauf des Evangeliums bis nach Rom; Evangelisierung der nichtchristlichen Welt; Rehabilitierung des Paulus gegenüber judenchristlichen Vorwürfen; Verteidigungsschrift für Paulus in seinem römischen Prozeß; Abwehr der Gnosis und des Doketismus; u. a. m.[3]

Schneider zieht bei der Frage nach dem „Zweck“ der Apg das erste Werk des Lk, sein Evangelium, mit ein und sucht die Antwort, wie es scheint, in Richtung eines Kontinuitätsaufweises zu suchen, nämlich „von der apostolischen Jesusüberlieferung bis hin zur Predigt, wie sie Theophilos in *seiner* Zeit vernehmen konnte“, wozu auch „die Konzeption von zwölf Aposteln als ‚Zeugen‘“ zu rechnen sei wie auch der Aufweis von Erfüllung bzw. Teilerfüllung von Verheißungen („Verheißungszuverlässigkeit“). Zum letzteren macht Schneider die wichtige Bemerkung: „In bezug auf Israel wird die Verheißungstreue insofern

---

[1] Zuerst erschienen in BZ 21 (1977) 45–66, wieder abgedruckt in: *G. Schneider*, Lukas, Theologe der Heilsgeschichte. Aufsätze zum lukanischen Doppelwerk (BBB 59) (Bonn 1985) 9–30. Vgl. auch *ders.*, Die Apostelgeschichte (HThK V/1) (Freiburg i. Br.–Basel–Wien 1980) 139–145 (mit umfassender Literatur zum „Abfassungszweck“). Vgl. vor allem auch noch *R. Maddox*, The Purpose of Luke-Acts (FRLANT 126) (Göttingen 1982).

[2] *Ders*, Die Apostelgeschichte I, 140.

[3] Vgl. *F. Mußner*, Apostelgeschichte (NEB, NT Bd. 5) (Würzburg [2]1988) 7f.

demonstriert, als auf prophetische Ankündigungen der Verstockung des Volkes verwiesen wird ..."[4] (vgl. Apg 28,26f).

Hält man bei der Frage nach der Zweckbestimmung für die Apg Ausschau nach einigen jüngeren Kommentaren zur Apg im deutschen Sprachraum, so finden sich folgende Antworten:

A. Weiser versucht in seinem Kommentar[5] die verschiedenen „Teilaspekte der luk Darstellung" auf die Formel zu bringen: „Lukas stellt die Geschichte des Christentums von Jerusalem bis nach Rom, von den Juden zu den Heiden, von Jesus bis zu Paulus dar, um die Zuverlässigkeit und Unverfälschtheit dieses Zeugnisses zu erweisen und bei den Lesern die Gewißheit zu schaffen, daß Gott alle seine Verheißungen erfüllen wird, da ja – wie Lukas zeigt – bereits eine Teilverwirklichung des universalen Heils geschehen ist ... Damit versucht Lukas, christlichen Lesern seiner Zeit sowohl eine Teilantwort auf die Frage nach dem Verhältnis der Kirche zum Erbe Israels zu geben, als auch Orientierungen zu christlicher Lebensführung und Ermutigung zum Durchstehen alltäglicher wie außergewöhnlicher Belastungen."[6]

Nach *R. Pesch*[7] besteht der Abfassungszweck der Apostelgeschichte „vornehmlich darin, die Zuverlässigkeit des Christuszeugnisses durch den Aufweis der Kontinuität und Identität der einen von Gott, dem erhöhten Herrn und seinem Geist geführten Geschichte für die nachapostolische Generation zu verbürgen"[8]. Pesch bemerkt weiter: „In der Auseinandersetzung mit dem Judentum, das die Christen als staatsgefährdende, die Grundlagen der mosaischen Religion verlassende Sektierer verklagt, zeigt Lukas, daß sich in der Kirche die Verheißungen Israels und die Hoffnungen der Völker erfüllen; im Blick auf den römischen Staat deckt Lukas dessen Unzuständigkeit für die theologischen Fragen auf, die zwischen Juden und Christen aufgebrochen sind und die Juden – nicht die Christen – zu Unruhestiftern werden ließen."[9]

Nach J. *Roloff*[10] müssen wir „immer zuerst fragen: Was will Lukas uns mit seiner Erzählung sagen? Welche Intention verfolgt er mit seiner Darstellung?"[11] Roloff antwortet: Es geht Lukas „primär weder

[4] Der Zweck des lukanischen Doppelwerks (s. Anm. 1) 18; 20. Vgl. auch *ders.*, Apostelgeschichte I (s. Anm. 1) 141f.
[5] Die Apostelgeschichte I (ÖTK 5/1) (Gütersloh–Würzburg 1981) 32–36.
[6] Ebd. 35f.
[7] Die Apostelgeschichte I (EKK V) (Einsiedeln–Neukirchen 1986) 29–34.
[8] Ebd. 29.
[9] Ebd. 34.
[10] Die Apostelgeschichte (NTD 5) (Göttingen 1981).
[11] Ebd. 8.

um die Taten einzelner Gestalten der christlichen Frühzeit, noch um deren Biographie, sondern um die Darstellung des Handelns Gottes, das zur Entstehung der Kirche aus Juden und Heiden als des Gottesvolkes der Endzeit führte"; weiter: „So wird die Sicherung der rechten Lehre, die die gegenwärtige Kirche mit den Anfängen verbindet, zu einem zentralen Anliegen"; dazu noch: „Im Weg des Paulus von Jerusalem nach Rom wird ... dem Leser der endgültige Bruch zwischen der Kirche und dem Judentum verdeutlicht und zugleich die von Gott gewollte Notwendigkeit dafür vor Augen geführt, daß Rom zum neuen Zentrum des Heidenchristentums werden mußte". [12]

Nach G. *Schille*[13] muß man bei der Auslegung der Apg „nach dem großen Aufriß fragen und den Sinn der Gesamtkomposition auf die schriftstellerischen Intentionen [des Lukas] hin prüfen[14]:" Welche sind diese nach Schille? Seine Antwort fällt differenziert aus und ist nicht auf eine einzige Formel zu bringen. Dabei spielt bei Schille besonders die Schlußperikope der Apg (28,17–31) eine wichtige Rolle – und dies gewiß zu Recht – und in ihr vor allem auch das letzte Wort der Apg überhaupt: das „Losungswort" ἀκωλύτως[15]. Lukas zeigt die Kirche – als Ergebnis ihres Geschichtsgangs von Jerusalem bis Rom – „als eine sich an alle Völker wendende, sich auf keine Einschränkungen einlassende Missionsgemeinschaft"[16]; „unbehindert" geht sie ihren Weg weiter: weder behindert durch das Judentum, dessen definitive „Verstockung" Lukas in Apg 28,26f mit Worten der Schrift (Jes 6,9f) konstatiert, noch durch heidnische Mächte (Rom!). Die Ansage des Paulus in 28,28, daß die Heiden die Botschaft vom Heil Gottes gehorsam „hören werden", soll nach der Intention des Lk die Leser überzeugen, daß die Zeit für die Kirche arbeitet, nicht gegen sie: Lukas „ist zutiefst überzeugt, daß die sich erstreckende Zeit für die Verkündigung (nicht gegen sie) arbeitet, und er hat geistesgeschichtlich darin recht behalten"[17]. Der Missionswille der Kirche überrollt „eine ganze Welt, dem diese nichts entgegenzusetzen hat; denn die ihm entgegentretenden Elemente jüdischer Aggression, griechischen Spottes, gesetzloser Übergriffe und zuletzt der nach römischem Recht geltenden Prozeßordnung sind ... nur unechte Hemmnisse, da sie sachlich gegen die Verkündigung nichts Entscheidendes einzuwenden wissen."[18] Das

---

[12] Ebd. 2; 5; 12.
[13] Die Apostelgeschichte des Lukas (ThHK V) (Berlin 1983).
[14] Ebd. 11.
[15] Vgl. dazu ebd. 480–488.
[16] Ebd. 484.
[17] Ebd. 486.
[18] Ebd. 487.

scheint uns eine sehr beachtenswerte Sicht der lukanischen Erzählintention in der Apg zu sein.

Nach H. *Conzelmann*[19] ist über die „viel verhandelten" Tendenzen der lukanischen Geschichtsschreibung „von den positiven, theologischen Gedanken her zu urteilen"; sie ist „in erster Linie auf Lehre, Verkündigung und Begründung derselben angelegt, nicht auf Polemik", auch wenn sich in der Apg „zwei Fronten" zeigen: eine gegen die Juden, obwohl Lukas „den heilsgeschichtlichen Zusammenhang der Kirche mit Israel" nicht bestreite, ihn vielmehr gerade ausarbeite; die andere gegen die Gnosis. „Aber Lk polemisiert nicht ausdrücklich gegen gnostische Häresie." [20]

Schließlich: Worin sieht E. *Haenchen* in seinem Kommentar[21], der als der bedeutendste dieses Jahrhunderts gilt, die eigentliche Erzählintention in der Apg? Wenn ich Haenchen richtig verstehe, dann sieht er sie in dem Ringen des Historikers Lukas „von der ersten bis zur letzten Seite mit dem Problem der *gesetzesfreien Heidenmission*"[22], in der „Bewältigung des Missionsproblems"[23], ohne daß Lukas dabei seine Überzeugung von der Kontinuität der Heilsgeschichte preisgeben würde: „die Anfänger und Leiter der christlichen Mission sind nicht von ihrem jüdischen Glauben abgefallen, sie haben ihn vielmehr treu bewahrt. Aber Gott hat sie unmißverständlich und unwiderstehlich zur Heidenmission geführt." [24]

II. Ich selbst habe in meinem Kommentar zur Apg[25] die „Haupterzählintention" in ihr so zu formulieren versucht: „*Die Apg ist eine heilsgeschichtlich orientierte Missionschronik, die den allmählichen Ablösungsprozeß der Urkirche von Israel dokumentiert.*" [26] Diese Bestimmung der „Haupterzählintention" möchte ich im folgenden näher begründen, als dies im Kommentar aus Raumgründen geschehen konnte, und dabei auch mögliche Mißverständnisse meiner obigen Bestimmung aus dem Weg räumen.

In meiner Rezension des Buchs von G. Lüdemann, Das frühe Christentum nach den Traditionen der Apostelgeschichte (Göttingen 1987) in BZ 32 (1988) 291–293 habe ich die Frage gestellt: „Was wußte Lk

[19] Die Apostelgeschichte (HNT 7) (Tübingen ²1972).
[20] Ebd. 13.
[21] Die Apostelgeschichte (KEK III) (Göttingen ⁷1977).
[22] Ebd. 111.
[23] Ebd. 113.
[24] Ebd. 111.
[25] Vgl. dazu Anm. 3.
[26] Ebd. 9.

nach dem Zeugnis der Apg grundsätzlich?" und darauf die folgenden Antworten gegeben:

- Lk weiß um die unleugbare Tatsache der Trennung der Kirche von Israel.
- Lk weiß um die Rolle des Paulus und seiner Rechtfertigungslehre bei diesem Trennungsprozeß (vgl. vor allem Apg 13,38f, aber auch 10,43; 15,9.11; 26,18 – auch wenn Lk in 10,43 und 15,9.11 aus bestimmten Gründen Petrus zum Sprecher der pln. Rechtfertigungslehre macht).
- Lk weiß um das pln. πρῶτον der Juden (vgl. 13,46).
- Lk weiß um den Streit um das συνεσθίειν, die Tischgemeinschaft zwischen Juden(christen) und Heiden(christen) (vgl. 10,13–15; 11,3).
- Lk weiß um die „Verstockung" Israels gegenüber der Evangeliumspredigt (vgl. 28,26f).

Mit diesem Traditionswissen des Lukas scheint mir die Frage nach seiner „Erzählintention" in der Apg wesentlich, wenn nicht unlösbar, zusammenzuhängen. Dann ist aber bei ihrer Bestimmung von der Schlußperikope (28,16–31) auszugehen, und diese selbst erhält den Rang eines hermeneutischen Schlüssels für das „Verstehen" der Apg.

Die Auslegung hat immer wieder die Frage bewegt, warum Lukas nichts über den Ausgang des römischen Prozesses gegen Paulus berichtet. Er konstatiert statt dessen in 28,26f in feierlicher Form mit Hilfe eines Jes-Zitates die „Verstockung" Israels und sagt im gleichen Atemzug den Gehorsam der Heiden gegenüber der Botschaft des Evangeliums an (28,28). Die Dialektik Angebot/Ablehnung des Evangeliums an und durch die Juden durchzieht aber die ganze Apg.

Das erste Großangebot an Israel erfolgt durch die Pfingstpredigt des Petrus (2,14–36). Nach der knappen Erzählung über das Pfingstereignis (2,1–4) führt Lukas überraschend in 2,5 ein neues Subjekt ein: die „gerade in Jerusalem wohnenden Juden", die in 2,5b als Diasporajuden „aus allen Völkern" gekennzeichnet werden. Aber die Anrede in der folgenden Petruspredigt richtet sich nicht bloß an die Diasporajuden, sondern an „Männer, Juden und ihr Jerusalem Bewohnenden *alle*" (2,14), an „das *ganze* Haus Israel", das „mit Gewißheit" erkennen soll: „Gott hat ihn zum Herrn und Messias gemacht, diesen Jesus, den ihr gekreuzigt habt" (2,36). „Denn euch und euren Kindern gilt die Verheißung und *allen* in der Ferne, die der Herr, unser Gott herbeirufen wird" (2,39). Mit „allen in der Ferne" sind m. E. nicht die Heiden gemeint, sondern „alle" Juden – doch ist dies umstritten[27]. Daß es

[27] *Schneider* u. a. denken dabei an Heiden (unter Berufung auf 22,21: εἰς ἔθνη μακράν). *Haenchen* z. St.: „Einen Hinweis auf die Heidenmission können die Hörer daraus nicht

um die Juden „aus allen Himmelsrichtungen" (Schille)[28] geht, um „alle" (2,14b), ergibt sich auch aus der Völker- und Länderliste in 2,9–11, in der das redende Subjekt „wir" (2,8a) entfaltet wird. „Dieses ‚Wir' und die nichtdialogische Struktur faßt die in der Liste Genannten sehr stark zu einer Einheit zusammen" (W. Stenger)[29], nämlich zur Einheit der gesamten Judenschaft, der ab jetzt in Jerusalem und darüber hinaus von den „Galiläern" (2,7) das Evangelium in allen Sprachen der Welt verkündet wird. Lk zeigt so mit der Liste sein Interesse „an einer universalen Repräsentation von Juden aus aller Welt" (J. Kremer)[30].

Weitere Angebote an die Juden finden sich in Missionspredigten des Petrus und Paulus:

1. In der Predigt des Petrus auf dem Tempelplatz (3,12–26) mit Aufforderung an die jüdischen „Brüder" zur Umkehr und Buße, „damit ... der Herr ... Jesus sendet als den *für euch* bestimmten Messias" (3,19f). „*Für euch zuerst* hat Gott seinen Knecht [Jesus] erweckt und gesandt, damit er euch segnet und jeden von seiner Bosheit abbringt" (3,26). Aus diesen Predigttexten ergibt sich ein Dreifaches: a) Auch der Parusiechristus ist primär der „für euch", d.h. für die Juden, „bestimmte Messias", b) Die „Erweckung"[31] und „Sendung" des Messias Jesus erfolgte „zuerst" (πρῶτον) zu Gunsten der Juden („für euch") – dieses „für euch zuerst" ist „das Stichwort der heilsgeschichtlichen Priorität Israels ..." (Pesch)[32], c) „Die Judenpredigt geht [deshalb] bewußt der Heidenpredigt voran" (Schille)[33]. Begründung: denn „ihr seid die Söhne der Propheten und des Bundes, den Gott mit euren Vätern geschlossen hat" (3,25); also sind die Juden die ersten Anwärter auf das messianische, von Gott in Jesus gewährte Heil.

---

entnehmen, obwohl sie dadurch nicht ausgeschlossen wird." *Roloff* (z.St.) denkt an Diasporajuden und bemerkt, m.E. mit Recht: „Einen Ausblick auf die Heidenmission hier suchen zu wollen, verbietet der Duktus der gesamten Rede mit seiner strengen Konzentration auf Israel". *Schille* z.St.: „Es geht um die eschatologische Sammlung Israels aus allen Himmelsrichtungen. Pfingsten zielt also auf die Erfüllung der geheimen Hoffnungen Israels". In 2,39 fehlen im Unterschied von 22,21 die „Heiden", was semantisch zu beachten und hermeneutisch wichtig ist!

[28] Siehe Anm. 27.

[29] Beobachtungen zur sogenannten Völkerliste des Pfingstwunders (Apg 2,7–11), in: Kairos 21 (1979) 206–214 (208).

[30] Pfingstbericht und Pfingstgeschehen. Eine exeg. Untersuchung zu Apg 2,1–13 (SBS 63/64) (Stuttgart 1973) 158.

[31] Mit der „Erweckung" ist nicht Jesu Auferweckung von den Toten gemeint, sondern die von Mose angesagte „Erweckung eines Propheten aus euren Brüdern wie mich" (3,22).

[32] Die Apostelgeschichte (s. Anm. 7) z.St.

[33] Die Apostelgeschichte des Lukas (s. Anm. 13) z.St.

2. Auch die Predigt des Paulus in der Synagoge des pisidischen Antiochien (13,16–41) ist eine Angebotspredigt an die Juden. Angeboten wird „dem Volk Israel, der Verheißung gemäß“ wieder Jesus „als Retter“, „nachdem Johannes vorherverkündet hatte vor seinem Auftreten eine Taufe (der) Umkehr *dem ganzen Volk Israel*“ (13,23f). Auch Paulus bringt die heilsgeschichtliche Priorität der Juden zur Sprache, was sie zu den Erstanwärtern des messianischen Heils macht und damit auch zu Ersthörern der Heilspredigt. „*Uns* (vorangestelltes, betontes ἡμῖν) wurde das Wort dieses Heils gesandt“ (13,26b): Paulus schließt sich als Jude in das „uns“ mit ein[34]. Aber an welche „Sendung“ denkt er? Zunächst scheint der λόγος τῆς σωτηρίας ταύτης auf den σωτήρ Jesus von 13,23 zurückzuverweisen, zugleich aber vorauszuverweisen auf „das Evangelium: Gott hat die Verheißung, die an die Väter ergangen ist, an uns, ihren Kindern, erfüllt, indem er Jesus [von den Toten] auferweckt hat...“ (13,32f), durch den „euch die Vergebung der Sünden verkündet“ wird und die Gerechtmachung aus dem Glauben (13,38f). „Das Wort dieses Heils“ scheint also an Heilsverheißung und Heilserfüllung zu denken, aber an Heilserfüllung in Jesus, dem Gekreuzigten und Auferweckten.

3. Nochmals kommt die Erstanwartschaft der Juden auf die Verkündigung des messianischen Heils in 13,46a durch Paulus und Barnabas zur Sprache: „Es war notwendig, daß euch *zuerst* das Wort Gottes verkündet wurde“. Das ἀναγκαῖον, „das einem δεῖ sachlich gleichkommt“ (Schille z.St.), drückt eine von Gott selbst verfügte Notwendigkeit, ja Nötigung aus, da *Israel*, nicht die Heiden, die Empfänger jener Verheißung waren, die sich in Jesus „erfüllt“ haben. Dieses ἀναγκαῖον hat also einen hochtheologischen Rang! Es begründet das πρῶτον, das keineswegs eine Abschwächung des paulinischen πρῶτον von Röm 1,16 ist. Das πρῶτον begründet die selbstverständliche Anknüpfung der Missionspredigt an die Synagoge: das *muß* nämlich so sein! Gott will es so!

Aber die Juden verwirken durch ihre eigene Schuld ihr Vorrecht auf die Erstanwärterschaft auf das in der Mission verkündete „Wort Gottes“: sie stoßen es weg und erachten sich selbst nicht des ewigen Lebens für wert, was dazu führt, daß die Missionare sich an die Heiden wenden (vgl. 13,46b), womit eine welthistorische Entscheidung fällt.

---

[34] Jene Textzeugen, die ὑμῖν lesen (so 𝔓[45]C D ψ 𝔐latt sy [h]), haben ganz und gar die Hörer der Predigt im Auge, zu denen nach 13,16.26a auch σεβόμενοι gehören. Daß Paulus aber faktisch seine „Brüder“ aus dem Judentum, „aus Abrahams Geschlecht“ (13,26a), im Auge hat, geht aus dem Kontext hervor (vgl. 13,17.32f.38.46); aber das „uns“ (oder „euch“) „grenzt nicht die angeredete Diasporagemeinde gegen das palästinensische Judentum ab, da für Lukas die jüdische Ablehnung gewiß ist (V. 45f)“ (*Schille* z.St.).

Die Entscheidung der Juden gegen das ihnen verkündete „Wort dieses Heils" „ kommt also durchaus nicht bis zum Buchschluß auf Israel zu; sie fällt in unserem Vers, der eine kaum zu steigernde literarische Wertigkeit besitzt und die Magna charta der Heidenpredigt darstellt" (Schille z. St.). Insofern markiert der Satz der Missionare in 13,46 die eigentliche „Wasserscheide" im Aufbau der Apg, die also nicht beim „Apostelkonzil" zu suchen ist. „Da ihr [das Wort des Heils] zurückstoßt ..., wenden wir uns jetzt an die Heiden" (13,46c), wie es gemäß Jes 42,6 und 49,6 dem Auftrag des Herrn entspricht und worüber die Heiden sich freuen und Gott (den Gott Israels!) preisen (13,47f).

4. Diese Hinwendung zu den Heiden bedeutet jedoch nach den Erzählungen des Lukas nicht, daß Paulus nicht auch weiterhin in den Synagogen der von ihm besuchten Städte predigt (vgl. 14,1: Ikonium; 17,1: Thessalonich; 17,10: Beröa; 17,17: Athen; 18,4: Korinth; 19,8: Ephesus). Falsch ist jedoch „die Vorstellung, er habe das Heil zunächst grundsätzlich nur den Juden angeboten und erst, wenn sie ihn abwiesen, sich an die Heiden gewandt" (Haenchen, zu 17,2f). Die Missionspredigt des Paulus „an drei Sabbaten" in der Synagoge von Thessalonich füllt Lukas auch inhaltlich etwas: Paulus geht von den Schriften aus, legt sie den Juden aus „und erklärte, daß der Messias leiden und von den Toten auferstehen mußte. Und er sagte: Jesus, den ich euch verkünde, ist dieser Messias" (17,2f). Damit wird nur die Quintessenz der Predigt geboten, wohl mit Rücksicht auf die Leser, die ja ausgeführte Beispiele längst kennen (vgl. 2,22–36; 3,12–26; 8,32–35; 13,17–40). Nur einige Juden in Thessalonich „ließen sich überzeugen", die übrigen „wurden eifersüchtig, holten sich einige nichtsnutzige Männer, die sich auf dem Markt herumtrieben, wiegelten mit ihrer Hilfe das Volk auf und brachten die Stadt in Aufruhr" (17,4f). Paulus und Silas müssen „noch in der Nacht" die Stadt verlassen und ziehen weiter nach Beröa (17,10). In Wirklichkeit war Paulus längere Zeit in Thessalonich, wie vor allem aus 1 Thess 2,5–12 hervorgeht, was erkennen läßt, daß es Lukas, seiner „Erzählintention" entsprechend, im besonderen darum geht, das Thema „Trennung der Kirche von Israel" und ihre Gründe zur Sprache zu bringen.

5. Was nach Lukas in Antiochien in Pisidien geschehen war, wiederholt sich in Korinth: Hier lehrt Paulus „an jedem Sabbat" in der Synagoge und bezeugt den Juden, „daß Jesus der Messias sei. Als sie sich dagegen auflehnten und Lästerungen ausstießen, schüttelte er seine Kleider aus und sagte zu ihnen: Euer Blut komme über euer Haupt! Ich bin daran unschuldig. *Von jetzt an werde ich zu den Heiden gehen*" (18,4–6). Wenn Lukas sofort anschließend erzählt, daß Paulus von der Synagoge weg in das an sie direkt anschließende „Haus eines

gewissen Titius Justus", eines offensichtlich Christ gewordenen „Gottesfürchtigen", hinübergeht (18,7), so könnte das evtl. auch (im Sinn des Lukas) symbolisch gemeint sein: Kirche und Synagoge trennen sich immer mehr! Denn dieser Wechsel des Verkündigungsortes in ein- und derselben Stadt ist „provokativ genug" (Pesch z. St.)[35]. „Als aber Gallio Prokonsul von Aichaia war, traten die Juden einmütig (!) gegen Paulus auf, brachten ihn vor den Richterstuhl und sagten: Dieser verführt die Menschen zu einer Gottesverehrung, die gegen das Gesetz verstößt" (18,12f). Gallio erkennt sofort, daß es sich dabei nicht um das römische „Gesetz", sondern um das jüdische (die Tora) handelt (vgl. 18,15). Wenn Lukas „die Juden einmütig" vor Gallio gegen Paulus auftreten läßt, obwohl er kurz vorher (in 18,8) von der Bekehrung des Synagogenvorstehers (!) Krispus zu erzählen wußte, wird der Begriff „die Juden" „wieder auf die Gegner" (Schille z. St.) verengt.

6. Wichtig ist für unseren Zusammenhang auch die Erzählung des Lukas über das Wirken des Paulus in Ephesus (19,8–10). Denn hier wird zum letzten Mal in der Apg von Lukas bemerkt, daß Paulus in die Synagoge zur Missionspredigt geht; später wird darauf nur noch rekurriert werden (vgl. 24,12). Paulus geht in Ephesus in die dortige Synagoge „und lehrte drei Monate lang freimütig und suchte sie [die Juden] vom Reich Gottes zu überzeugen" (19,8): „Reich Gottes" und Christusverkündigung gehören nach Lukas zusammen (vgl. 8,12; 20,25; 28,23b.31; Lk 9,2; 10,9); sie sind zusammengefaßt in dem „Weg", der nach Gottes Willen zum Heil führt. Paulus muß aber wieder die Erfahrung machen, daß „einige" Juden – was wohl „viele" bedeutet[36], wie die Reaktion des Apostels zeigt – „sich verhärteten und nicht gehorchten, indem sie den Weg vor der Menge schmähten", was zur Folge hat, daß er sich von den Juden „trennt", die Jünger (die Judenchristen?) von ihnen „absondert" und täglich im Lehrsaal des (Heidenchristen?) Tyrannus predigt (19,9). Paulus ergreift also jetzt selbst die Initiative, in der Erkenntnis, daß die Juden das angebotene Jesusheil ablehnen. Dabei tauchen die Begriffe „trennen" und „absondern" in bedeutsamer Weise auf! Die „Trennung" und „Absonderung" der Kirche von Israel zeigt sich nach 19,9b symbolisch darin, daß die Lehrhäuser gewechselt werden. Die „Verstockung" der Juden dem Evangelium gegenüber zeigt sich eklatant. Die Kirche aber „gewinnt

[35] Vgl. auch *Roloff,* Die Apostelgeschichte (s. Anm. 10) z. St.: „Die Trennung kommt äußerlich dadurch zum Ausdruck, daß Paulus seine Predigt aus der Synagoge in das ihr angrenzende Haus des Titius Justus verlegt".

[36] *Schneider,* Die Apostelgeschichte II, z. St.: „τινές besagt nicht, daß es nur wenige waren".

ihre Selbständigkeit" (Schille z. St.) und wird immer mehr eine eigene Gemeinschaft, getrennt von Israel.

7. Was sich fortschreitend deutlicher zeigte – die „Verstockung" der Juden dem Heilsangebot gegenüber und die dadurch verursachte Trennung der Kirche von Israel – wird in der Schlußperikope (Apg 28,16–31) von Paulus definitiv zur Sprache gebracht, wodurch diese, wie wir bereits bemerkten, den Rang eines hermeneutischen Schlüssels zum Ganzen der Apg erhält. Es muß ja auffallen, daß von der römischen Christengemeinde in ihr keine Rede mehr ist. Alles konzentriert sich vielmehr auf das „eine Wort", das Paulus nach 28,25 zu den Juden Roms spricht, und das ist das die Missionssituation nun ein für allemal klärende „eine Wort" der Schrift aus Jes 6,9f. ῥῆμα ἕν ist für Lukas „Zuspruch, Verheißung, in Gott verwurzelte Zuversicht, dynamisches, an die Tat gebundenes Wort, feste Verheißung, die sichere Erfüllung einschließt" (F. Bovon).[37] Der lukanische Paulus leitet das „eine Wort" feierlich so ein: „Schön hat der Heilige Geist durch den Propheten Jesaja zu euren Vätern gesprochen" (28,25). Der Heilige Geist selbst ist es also, der in der Schrift die „Verstockung" Israels ansagt, die jetzt definitiv von Paulus/Lukas aufgrund der in der Apg zur Sprache gebrachten Erfahrungen mit den „widersprechenden" (vgl. 28,19) Juden konstatiert wird, obwohl ein Teil der römischen Juden sich von Paulus überzeugen läßt und zum Glauben kommt, so daß diese „uneins gegeneinander" werden (vgl. 28,24f), sich also auch in Rom die Spaltung Israels manifestiert[38]. In 28,19 wird der „Widerspruch" der Juden gegen das von Paulus verkündete Evangelium ausdrücklich erwähnt und in 28,21 von den römischen Juden auf (nicht geschriebene) „Briefe" von Juden aus „Judäa" verwiesen, und die Juden außerhalb Roms werden von ihnen als „Brüder" bezeichnet, womit von Lukas die Judenschaft in aller Welt als zusammengehörige Gemeinschaft gesehen wird, zu deren Vätern der Heilige Geist bereits „schön" (καλῶς) durch den Propheten über ihre „Verstockung" gesprochen hat, die sich jetzt wieder und definitiv zeigt, so daß das „schöne" Wort des Heiligen Geistes sich erneut an den Söhnen der Väter bestätigt hat; man vgl. dazu auch 7,51 (aus der Rede des Stephanus): „Ihr Halsstarrigen, ihr, die ihr euch mit Herz und Ohr immerzu *dem Heiligen Geist* widersetzt, eure Väter schon und nun auch ihr".

Nach Bovon steckt in diesem καλῶς: „1) die Anerkennung der

[37] „Schön hat der heilige Geist durch den Propheten Jesaja zu euren Vätern gesprochen" (Act 28,25), in: ZNW 75 (1984) 227–232 (230f).

[38] Vgl. *J. Jervell,* Das gespaltene Israel und die Heidenvölker. Zur Motivierung der Heidenmission in der Apostelgeschichte, in: StTh 19 (1965) 68–96.

Schrift, die die Christen notwendigerweise mit den Juden teilen; 2) die Feststellung, daß diese Schrift den Sinn in sich schließt, den sie allein zu besitzen glauben ... 3) Verbunden mit dieser Behauptung drückt sich natürlich im καλῶς eine polemische Pointe gegen die jüdische Schriftauslegung aus. 4) Da die Schrift als Verheißung sich in einer geschichtlichen Realität konkretisiert und erfüllt hat, taucht neben dem Wahrheitsmoment das eschatologische Moment, dieses καλῶς, diese Schönheit auf, eine Schönheit, die nicht so sehr aus der Schrift allein sichtbar wird, sondern aus der harmonischen Fügung zwischen Verheißung und Erfüllung. 5) Das fünfte Moment des καλῶς, eigentlich das wichtigste, ist das theologische: es wird uns präzisiert, daß das Subjekt der Verheißung nicht Jesaja selbst, sondern der Heilige Geist ist."[39] Das „eine Wort" darf somit „als Quintessenz der Romerzählung oder gar der ganzen Apostelgeschichte ... verstanden" (H. J. Hauser)[40] werden. Und wenn Lukas anschließend seinen Paulus in 28,28 ebenso feierlich die Juden „wissen" läßt: „Den *Heiden* ist dieses Heil Gottes gesandt worden. *Sie* werden auch hören", so stellt er damit zwar nicht fest, daß jetzt erst das Evangelium auch den Heiden verkündigt wird, wohl aber, daß die endgültige Trennung der Kirche von Israel vollzogen ist. Die Kirche wird nun zur „Heidenkirche".

In der Apg hat Lukas diesen schmerzlichen Trennungsprozeß „dokumentiert" – die Texte, auf die wir hingewiesen haben, stehen deutlich in semantischer Kohärenz miteinander –, und dies scheint uns der „Hauptzweck" der lukanischen „Geschichtsschreibung" zu sein. Und so erklärt es sich von selbst, daß Lukas nichts vom Ausgang des Prozesses gegen Paulus und auch nichts von seinem Martyrium in Rom erzählt. Seine „Erzählintention" geht auf anderes. Sein „Held" Paulus hat für ihn die Funktion, den Trennungsprozeß, in dem die Kirche von Israel „sich absondert", voranzutreiben. Wodurch wird er vor allem vorangetrieben? Was waren die Gründe, die zur Trennung der Kirche von Israel führten? Auf diese Gründe kommt Lukas in der Apg ausdrücklich zu sprechen.

III. Lukas erzählt in der Apg durchgehend, daß die Juden und ihre politischen und geistlichen Führer das Angebot des Jesusheils großenteils ablehnen und sogar (z.T. gewaltsamen) Widerstand gegen die „Zeugen" Jesu und die Boten des Evangeliums leisten und sie verfolgen (vgl. 4,1–22; 5,17–21a; 7,54–60; 8,1b–3; 9,23–25; 12,1–19a; 13,45.50; 14,19; 17,5–8.13; 18,12f; 19,8f.33; 21,27–31; 22,22f;

[39] A.a.O. (s. Anm. 37) 231.
[40] Strukturen der Abschlußerzählung der Apg (Apg 28,16–31) (Rom 1979) 34.

23,12–15; 24,1.5–9). Der Grund ihrer Ablehnung ist eindeutig das christologische und soteriologische Kerygma der Boten Jesu (vgl. 4,17f; 5,28.40; 6,14; 7,56–58; 9,20f; 13,45 im Kontext der vorausgehenden Pauluspredigt; 17,3.5–8.13; 18,5f; 19,8f; 24,21; 25,19; 26,7f.22f; 28,20.22: den Juden Roms ist „bekannt, daß ihr [der „Sekte" der Christen] überall widersprochen wird", nämlich jüdischerseits[41]). Es war also primär das von den christlichen Missionaren öffentlich vorgetragene Kerygma, das die Trennung der Jesusgemeinde von der Glaubensgemeinschaft Israels verursachte und die Jesusgemeinde aus einer jüdischen „Sekte" (αἵρεσις) zur Kirche werden ließ, womit Lukas ganz gewiß nichts Ungeschichtliches erzählt. Das Kerygma trennt bis heute die Kirche von Israel!

In diesem Trennungsprozeß spielte der Apostel Paulus, wie oben bemerkt, die allergrößte Rolle, und zwar durch seine Heilslehre, die Lukas durchaus kennt, wie besonders Apg 13,38.39 beweist: „Ihr sollt also wissen, meine Brüder: Durch diesen [Jesus] wird euch die Vergebung der Sünden verkündet, und in allem, worin euch das Gesetz des Mose nicht gerecht machen konnte, wird jeder, der glaubt, durch ihn gerechtgemacht". Auf diesen Text soll wegen seiner Bedeutung für unser Thema noch näher eingegangen werden, und zwar in engem Anschluß an meinen Kommentar[42]. Denn Lukas gibt hier deutlich paulinische Theologie wieder, auch wenn das oft (aus durchsichtigen Gründen) bestritten wird: Lukas kennt die Rechtfertigung des Sünders allein aus dem Glauben an Christus; er kennt die universale Geltung der Rechtfertigungsbotschaft („jeder"!); er kennt den signifikanten Begriff „gerechtfertigt [gerechtgemacht] werden". Er kennt auch die Opposition: Gerechtmachung durch den Glauben vs. Gerechtmachung durch das Gesetz des Mose = die Tora. Was fehlt, ist der polemische Kontext, in den einst Paulus die Rechtfertigungslehre gestellt hat (Zurückweisung des „anderen Evangeliums" seiner judenchristlichen Gegner, vgl. Gal-Brief). Lukas kennt auch die Konsequenzen der paulinischen Rechtfertigungslehre: Daß mit ihr der jüdische Heilsweg abgetan ist, weshalb „die Juden" auch „widersprechen" (13,45). Gerade die Lehre vom Heilsweg, die christlicherseits unlösbar mit der Christologie zusammenhängt, trennt Kirche und Israel für dauernd voneinander. Das wußte gerade auch Lukas[43]. In Palästina selber wa-

[41] Vgl. *Schneider* z. St.

[42] *Mußner,* Apostelgeschichte (s. Anm. 3) 81f. Vgl. auch noch *J. Kilgallen,* Acts 13,38–39: Culmination of Paul's speech in Pisidia, in: Bibl 69 (1988) 480–506.

[43] Vgl. auch noch R. C. *Tannehill,* Israel in Luke-Acts. A Tragic Story, in: JBL 104 (1985) 69–85; P.-G. *Müller,* Die jüdische Entscheidung gegen Jesus nach der Apostelgeschichte, in: J. Kremer (Hg.), Les Actes des Apôtres. Traditions, rédactions, théologie

ren es Männer wie Petrus, Johannes und Stephanus, die mit ihrer Christusverkündigung den Widerspruch der Juden herausforderten. Aber Paulus trieb außerhalb des Heiligen Landes den Trennungsprozeß der Kirche von Israel in den Ländern und Städten, in denen er missionierte, voran.

Was nach dem Zeugnis des Alten Testaments schon in der altbundlichen Zeit Israels sich ständig zeigte, nämlich sein Widerstand gegen Jahwe und seine Gesandten, den gerade auch Lukas zur Sprache bringt (vgl. Lk 6,23b; 11,47–51; 13,34; Apg 7,51f), bestätigt sich erneut. Auch hier also eine Kontinuität der Heils- /Unheilsgeschichte! Der Messias Jesus wird nach Lukas zu einem Zeichen, dem in Israel „widersprochen" wird und der zur Spaltung Israels führt (vgl. Lk 2,34; 4,24.28f; 9,22.44; 13,33; 17,25; 18,31f; 20,13–15.19; 22,66–71: Verhör Jesu vor dem Hohen Rat). Was Jesus selbst erfahren muß, setzt sich nach Ostern fort: Die Hauptmasse Israels lehnt ihn und die Botschaft über ihn ab. Insofern berühren sich die Erzählintentionen der beiden Werke des Lukas eng[44].

Dabei fügen sich in der Apg die Nebenzwecke in den Hauptzweck gut ein: Die unaufhaltsame Ausbreitung des Evangeliums trotz aller Hindernisse und Schwierigkeiten; die Mission als Werk des Heiligen Geistes; die politische Ungefährlichkeit des Christentums; der Einbezug der Heiden in das messianische Heil; die Glorifizierung des Paulus, usw.

IV. Hängt mit der „Erzählintention" des Lukas in der Apg, wie wir sie zu erkennen glauben, der „Antijudaismus" zusammen, der sich in ihr beobachten läßt?[45] Die Juden kommen ja in der Apg nicht gut weg. Sie tragen nach Apg 13,46b; 18,6; 28,25–27 selber die Schuld an ihrer Verweigerung dem Evangelium gegenüber, nicht etwa Paulus. Lukas spricht in der Apg von „*den* Juden" und von „*allen* Juden" (vgl. etwa 23,12.27; 24,5). Er vermochte die Verweigerung Israels nicht anders denn als Unglauben und Ungehorsam zu deuten. Doch kennt er auch das göttliche „muß" des Leidens Jesu (Lk 24,26; Apg 3,18); er weiß

(Gembloux-Leuven 1979) 523–531 (mit weiterer Literatur); *F. W. Eltester*, Israel im lukanischen Werk und die Nazarethperikope, in: *ders.* (Hg.), Jesus in Nazareth (BZNW 40) (Berlin 1972) 76–147.

[44] Vgl. auch noch *J. Dupont*, La conclusion des Actes et son rapport à l'ensemble de l'ouvrage de Luc, in: Les Actes des Apôtres (s. Anm. 43) 359–404.

[45] Vgl. dazu auch *J.-R. Wilch*, Jüdische Schuld am Tode Jesu. Antijudaismus in der Apg?, in: Wort in der Zeit (FS f. K. H. Rengstorf) (Leiden 1980) 236–249; *R. L. Brawley*, Luke-Acts and the Jews. Conflict, apology, and conciliation (Atlanta 1987) (= Soc. of bibl. literature. Monograph series XXXIII). Vgl. ferner meinen Kommentar, 12f.

um die „Unwissenheit" der Prozeßgegner Jesu (3,17; 13,27)[46]. Der Parusiechristus ist der „für euch [die Juden] vorherbestimmte Messias" (3,20). Lukas weiß um die von den Propheten Israels verheißene endzeitliche „Wiederherstellung des Reiches für Israel" (1,6)[47]. Man beachte auch, daß das Verstockungszitat in 28,26f keine Verwerfung der Juden durch Gott oder ihren definitiven Ausschluß vom Heil, ja nicht einmal eine Gerichtsandrohung ausspricht, und dies trotz wiederholter Gerichtsandrohungen wie in 3,23 mit dem Schriftzitat: „Und es wird geschehen, daß jeder, der auf jenen Propheten [→Jesus] nicht hört, aus dem Volk ausgerottet wird[48]." Man muß sagen: Der „Antijudaismus" des Lukas ist theologisch, nicht politisch oder rassisch bedingt. Er beruht auf jener Glaubensentscheidung, die den Christen vom Juden bis heute trennt.

---

[46] Dazu Näheres bei *F. Mußner,* Traktat über die Juden (München ²1988) 321–324.

[47] Vgl. dazu *F. Mußner,* Die Idee der Apokatastasis in der Apostelgeschichte, in: *ders.,* Praesentia Salutis. Gesammelte Studien zu Fragen und Themen des Neuen Testamentes (Düsseldorf 1967) 223–234 (223–227).

[48] Zu dem Schriftzitat in 3,22f, das zusammengesetzt ist aus Dtn 18,15f.19 und Lev 23,29, vgl. Näheres bei *Schneider,* Die Apostelgeschichte (s. Anm. 1) z.St.

Überlegungen eines Biblikers zum „Historikerstreit“

1. Es geht in der im „Historikerstreit“ aufgebrochenen Kontroverse um die Frage der analogielosen Singularität der nationalsozialistischen Judenvernichtung, der „Schoah“[1]. Deutsche Historiker, unter ihnen vor allem Ernst Nolte, hatten darauf hingewiesen, daß es im „Zeitalter der Tyrannen“, womit das 20. Jahrhundert gemeint ist, außer der “Schoah“, der etwa sechs Millionen Juden zum Opfer fielen, noch andere Völker- und Klassenmorde größten Ausmaßes gab, vor allem in der Sowjetunion unter Stalin, was nicht zu bestreiten ist. Der Sozialphilosoph Jürgen Habermas hat diesen Versuchen, Analogien zur „Schoah“ herzustellen, heftigst in einem Artikel mit dem Titel „Eine Art Schadensabwicklung. Die apologetischen Tendenzen in der deutschen Zeitgeschichtsschreibung“, erschienen in „Die Zeit“ (11. Juli 1986), widersprochen und damit den viele Geister bewegenden „Historikerstreit“ ausgelöst[2]. Habermas bemerkt in seinem Artikel, der vor allem gegen die Historiker E. Nolte und A. Hillgruber gerichtet ist: „Auschwitz schrumpft [bei diesen Historikern] auf das Format einer technischen Innovation und erklärt sich aus der ‚asiatischen‘ Bedrohung durch einen Feind, der immer noch vor unseren Toren steht.“[3]

Es geht im „Historikerstreit“ zugleich um eine neu zu gewinnende Identitätsfindung der Deutschen nach den bitteren Erfahrungen der Nazizeit und der Katastrophe von 1945. Im folgenden geht es aber nicht um diese Frage nach der „Identitätsfindung“ der Deutschen, auch nicht um die „Schuldfrage“[4], vielmehr um die Frage: Gibt es *von der Bibel her* Antworten auf die Frage nach der analogielosen Singula-

---

[1] Vgl. dazu den Dokumentationsband: „Historikerstreit“. Die Dokumentation der Kontroverse um die Einzigartigkeit der nationalsozialistischen Judenvernichtung (München/Zürich [5]1987) (mit zahlreichen Beiträgen).

[2] Vgl. „Historikerstreit“, 62–76; *Habermas* äußerte sich erneut in seinem Beitrag (in: „Die Zeit“): „Vom öffentlichen Gebrauch der Historie“ (s. „Historikerstreit“, 243–255).

[3] Ebd. 71.

[4] Vgl. zu ihr vor allem *E. Herms*, Schuld in der Geschichte. Zum „Historikerstreit“, in: ZThK 85 (1988) 349–370; *T. Rendtorff*, Schuld und Verantwortung 1938/1988. Gedanken zum christlichen Umgang mit der Vergangenheit: ebd. 87 (1989) 109–124.

rität der Judenvernichtung in der „Schoah“? Darauf gibt es selbstverständlich keine direkten Antworten aus der Bibel, wohl aber indirekte, die bedenkenswert sind.

2. Wir gehen bei unseren Überlegungen von folgender These aus, deren Richtigkeit freilich erwiesen werden muß und die hiermit zur Diskussion gestellt wird: Die Analogielosigkeit der „Schoah“ hängt theologisch mit der analogielosen Singularität des jüdischen Volkes zusammen, die nach der hl. Schrift auf zwei heilsgeschichtlichen Gegebenheiten beruht: Zum einen auf der Erwählung und der damit gegebenen Sonderstellung Israels innerhalb der Völkerwelt, zum anderen auf dem von Gott nie gekündigten Bund mit seinem erwählten Volk Israel.

I. Die Erwählung und die damit gegebene Sonderstellung Israels

JHWH hat Israel erwählt[5]. Besonders im Buch Deuteronomium spielt der Erwählungsgedanke eine große Rolle, so in Dtn 7,6f: „Ein für JHWH, deinen Gott, geheiligtes Volk bist du. Dich hat JHWH, dein Gott, erwählt, um ihm *als Volk des Eigentums* anzugehören unter allen Völkern, die auf dem Erdboden wohnen. Nicht weil ihr zahlreicher seid als alle Völker, hat sich JHWH zu euch herabgeneigt und euch erwählt; denn ihr seid das kleinste von allen Völkern; vielmehr weil JHWH euch liebte und weil er den Schwur hielt, den er euren Vätern geschworen hat, hat euch JHWH mit starker Hand herausgeführt und dich losgekauft aus dem Sklavenhaus, aus der Hand des Pharao, des Königs von Ägypten.“ Der Alttestamentler G. Braulik bemerkt zum V.7 in diesem Text[6]: Der Vers „wehrt allen Versuchen, die Besonderheit Israels, das heißt: die Liebes- und Erwählungsgeschichte Jahwes mit diesem Volk, aus natürlichen Vorzügen, etwa imponierender Größe (vgl. 26,5; 1 Sam 16,1–13 ...), zu erklären“. Vgl. ferner Dtn 10,14f: „Siehe, JHWH, deinem Gott, gehört der Himmel und der Himmel des Himmels, die Erde und was darüber ist. Nur deinen Vätern hat sich JHWH zugeneigt, indem er sie liebte, und er erwählte ihre Nachkommen nach ihnen, nämlich euch, aus allen Völkern, wie es heute der

---

[5] Literatur zur Erwählung Israels s. bei *F. Mußner,* Traktat über die Juden (München ²1988) 18, Anm. 12. Dazu noch *G. Stemberger,* Die Erwählung Israels und das nachbiblische Judentum, in: BuK 1980, 8–12; *R. Rendtorff,* Die Erwählung Israels als Thema der deuteronomistischen Theologie, in: *J. Jeremias / L. Perlitt (Hg.),* Die Botschaft und die Boten (FS f. H. W. Wolff) (Neukirchen 1981) 75–86.

[6] *G. Braulik,* Deuteronomium 1–16,17 (NEB) (Würzburg 1986) z. St.

Fall ist"; 14,2: „Denn ein heiliges Volk bist du für JHWH, deinen Gott, und dich hat JHWH erwählt, daß du *als Volk* sein besonderes Eigentum seiest unter den Völkern auf dem Erdboden". Diese Erwählung ist unwiderruflich; „denn (so lehrt Paulus in Röm 11,29) unreuig[7] [sind] die Gnadengaben und der Ruf Gottes". Mit dem „Ruf" ist nicht „die christliche Verkündigung" gemeint, wie U. Wilckens annimmt[8], vielmehr der einst mit der Erwählung Israels unlösbar zusammenhängende „Ruf" an die Väter Israels[9], wobei die Zusammenstellung „die Gnadengaben und der Ruf Gottes" „hier nicht addierend, sondern spezialisierend gemeint ... (ist): *unter den Gnadengaben ... ist die* κλῆσις die wichtigste" (O. Michel)[10]. Denn: „Nachdem Gott einmal seinen vorzeitlichen Ratschluß, aus der Menge der Völker *eines*, das Volk Abrahams, sich als Eigentums-, Bundes-, Gottes-Volk zu erwählen, gefaßt und in der Berufung der Väter wie in der gnädigen Führung und Behütung des Volkes verwirklicht hatte, bleibt es dabei (11,1f.16) ... Durch alle Irrungen und Wirrungen der Zeit leuchtet am Horizont der Zukunft der Glanz der ewigen Bestimmung des Volkes Abrahams" (F. W. Maier)[11].

Die Erwählung Israels bleibt für immer gültig, wird von Gott nie widerrufen, mit der Konsequenz: „Dort, ein Volk, es wohnt für sich, *es zählt sich nicht zu den Völkern*" (Num 23,9: Orakelspruch des Bileam). Dazu vgl. auch Dtn 4,34: „Oder hat je ein Gott versucht, sich ein Volk mitten aus einem anderen Volk herauszuholen?"[12]; Ez 20,32: „Niemals soll geschehen, was euch eingefallen ist, als ihr sagtet: *Wir wollen wie die anderen Völker sein,* wie die Völkerstämme in anderen Ländern und wollen Holz und Stein verehren."[13]

Gott erlaubt es den Juden nicht, zu sein „wie die anderen Völker"; sie müssen *Juden* bleiben, ob sie es wollen oder nicht, nach Gottes geheimnisvollem Ratschluß auch *post Christum!*[14] „Die jüdische Ge-

---

[7] ἀμεταμέλητος = unreuig, unbereubar im Sinn von: unwiderruflich, unverrückbar.

[8] Der Brief an die Römer II (EKK VI/2) (Zürich/Neukirchen 1980) z.St.

[9] So unter den neueren Kommentatoren etwa auch *H. Schlier, O. Michel, W. Schmithals*. Der „denn"-Satz in 11,29 *begründet* doch eindeutig die These des Apostels in 11,28b, daß die Juden, gerade auch die „Verstockten" unter ihnen, „im Hinblick auf die Wahl (bleibende) Geliebte (Gottes) um der Väter willen" sind!

[10] Der Brief an die Römer (Göttingen [5]1978) z.St.

[11] Israel in der Heilsgeschichte nach Röm. 9–11 (Münster 1929) 146.

[12] Vgl. auch noch *O. Bächli*, Israel und die Völker. Eine Studie zum Deuteronomium (AThANT 41) (Zürich/Stuttgart 1962).

[13] Vgl. dazu den Kommentar von *H. F. Fuhs*, Ezechiel 1–24 (NEB) (Würzburg 1984) z.St.

[14] Vgl. dazu *F. Mußner*, Warum muß es den Juden post Christum noch geben? Reflexionen im Anschluß an Röm 9–11, in diesem Band S. 51–59.

schichte ist, aller weltlichen Geschichte zum Trotz, Geschichte dieses Rests, von dem immer das Wort des Propheten gilt, daß er ‚bleiben wird‘“ (F. Rosenzweig)[15].

Damit hängt auch der immer wieder mißlungene und mißlingende Versuch der „Assimilation“ der Juden an die Weltvölker zusammen. „Die Assimilation als Produkt der Aufklärung klammerte sich an die Hoffnung einer heilenden Kraft der Emanzipation, welche die Integrierung der Juden in die aufgeklärte, westliche Gesellschaft herbeizuführen versprach. Sie ermöglichte die Erwartung, daß diese Entwicklung nicht nur das Problem des Antisemitismus lösen, sondern auch die Frage des nationalen Messianismus durch die Beheimatung der Juden in Europa befriedigend beantworten könnte“ (J. Allerhand)[16]. „Judenlocke, wirst nicht grau“ (Paul Celan, Gedicht „Mandorla“): der Jude verschwindet nicht aus der Geschichte! Er wird bleiben bis zum Ende. Der Jude führt eine Sonderexistenz unter den Völkern: so ist es Gottes Wille, der einst Israel erwählt hat. Der Jude bleibt trotz aller Assimilationsversuche „abgesondert“ von den Völkern.[17] Darauf beruht die analogielose Singularität des jüdischen Volkes, und damit hängt das Folgende zusammen.

II. Der von Gott nie gekündigte Bund mit Israel[18]

Papst Johannes Paul II. sprach bei seiner Begegnung mit Vertretern der deutschen Judenschaft in Mainz am 17. November 1980 ausdrücklich von dem „von Gott nie gekündigten Alten Bund“ mit Israel[19]. Aus

---

[15] Der Stern der Erlösung (Den Haag ^{4}1976) 450.

[16] Jüdische Elemente in den Werken A. Schnitzlers, F. Kafkas, J. Roths und P. Celans, in KAIROS 27 (1985) 288–329 (304). Vgl. auch die lehrreiche Doppelbiographie des jüdischen Historikers *R. Kallner,* Herzl und Rathenau. Wege jüdischer Existenz an der Wende des 20. Jahrhunderts (Stuttgart 1976): Während der Jude W. von Rathenau in seiner Broschüre „Höre Israel“ den Juden die „Anartung“ (an die Völker) empfahl, hatte der Jude Th. Herzl den Juden die Sammlung in einem „Judenstaat“ empfohlen, als Frucht der Erkenntnisse, die ihm in Paris der Dreyfus-Prozeß einbrachte.

[17] Vgl. dazu auch *E. Schwarz,* Identität durch Abgrenzung. Abgrenzungsprozesse in Israel im 2. vorchristlichen Jahrhundert und ihre traditionsgeschichtlichen Voraussetzungen. Zugleich ein Beitrag zur Erforschung des Jubiläenbuches (Frankfurt/Bern 1982); *J. Hausmann,* Israels Rest. Studien zum Selbstverständnis der nachexilischen Gemeinde (Stuttgart 1987).

[18] Was diesen Punkt angeht, so kann ich mich dabei kurz fassen, da ich ihn ausführlich in meinem Beitrag behandle: „Der von Gott nie gekündigte Bund“. Fragen an Röm 11,27, in diesem Band S. 39–49.

[19] Vgl. *R. Rendtorff/H. H. Henrix* (Hg.), Die Kirchen und das Judentum. Dokumente von 1945–1985 (Paderborn/München ^{2}1989) 75.

der Dokumentation geht hervor, daß der Papst dabei an Röm 11,27 dachte: „und dies [wird sein] zu ihren (der Juden) Gunsten der von mir [gestiftete] Bund, sobald ich wegnehme ihre Sünden"[20]. Es handelt sich in Röm 11,27 um ein aus Jes 59,21 a und Jes 27,9 c kombiniertes Schriftzitat. Nimmt man die in 11,26 erscheinenden Future „wird gerettet werden", „wird kommen" und „wird wegwenden" als Future ernst, d.h. als Ansagen eines noch Ausstehenden, dann darf man annehmen, daß auch in dem Nominalsatz von 11,27 a die *futurische* Kopula „wird sein" zu ergänzen ist, so daß der „Bund zu ihren Gunsten" ein von Gott ganz Israel gewährter Sündenvergebungsbund sein wird, in Erneuerung des einst von Gott mit den Vätern Israels geschlossenen Bundes. In Jer 31,34 heißt es im Zusammenhang der Ankündigung eines „neuen Bundes": „Denn ich verzeihe ihnen die Schuld, an ihre Sünde denke ich nicht mehr."[21] Schon das Buch Deuteronomium aktualisiert den Horeb-Bund auf das bleibende „heute" hin: „Der Herr, unser Gott, hat am Horeb einen Bund mit uns geschlossen. Nicht mit unseren Vätern hat der Herr diesen Bund geschlossen, sondern mit uns, die wir *heute* hier stehen, mit uns allen, mit den Lebenden" (Dtn 5,2f).

Der ausschließliche Grund für die endzeitliche Gabe des „Bundes" an ganz Israel sind nach dem Kontext des Römerbriefs die unzerstörbare Liebe Gottes zu seinem erwählten Volk „um der Väter willen" (11,28 b)[22], sein unverrückbares Stehen zu seinen „Gnadengaben" für Israel und zu seinem „Ruf" (11,29), der einst an den Stammvater Isra-

---

[20] Eine ausführliche syntaktisch-semantische Analyse von Röm 11,27 bei *Mußner* (s. Anm. 18).

[21] Bei *Nestle-Aland*, Novum Testamentum Graece (Stuttgart [26]1979) steht am Rand unter den alttestamentlichen Verweisen zu Röm 11,27 a auch „Jer 31,33 s"; ob mit Recht, ist umstritten. Versteht man mit manchen Exegeten die Rede vom „*neuen* Bund" bei Jeremia im Sinn von „*erneuerter* Bund" – so etwa *Chr. Levin*, Die Verheißung des neuen Bundes in ihrem theologiegeschichtlichen Zusammenhang ausgelegt (FRLANT 137) (Göttingen 1985) –, dann könnte vom Apostel in Röm 11,27 a *auch* an den von Jeremia angesagten „neuen" (= erneuerten) Bund" mitgedacht sein, wie es im übrigen frühjüdischen Erwartungen entsprach; man vgl. nur Jub 22,14 f: „Und reinige dich von aller Befleckung der Unreinheit, daß du Verzeihung erlangst von allem Versagen, das du verschuldet hast in Unwissenheit. Und er mache dich stark und segne dich, und du wirst die ganze Erde erben. *Und er erneuere seinen Bund mit dir,* daß du ihm ein Volk bist zu seinem Erbteil in alle Ewigkeiten ...". Auch könnte Ez 16,59–63 eine von Jer 31 abhängige Fortschreibung sein; vgl. dazu *B. Renaud,* L'alliance éternelle d'Éz 16,59–63 et l'alliance nouvelle de Jér 31,31–34, in: *J. Lust* (Hg.), Ezekiel and his Book. Textual and Literary Criticism and their Interrelation (Leuven 1986) 335–339. Näheres in meinem Beitrag „Der von Gott nie gekündigte Bund" (s. Anm. 18)

[22] Vgl. auch Damaskusschrift VIII, 16 f: „Mit der Liebe, mit der Gott die Früheren (= die Väter: VIII, 15), die für ihn Zeugnis ablegten, geliebt hat, liebt er diejenigen, die nach ihnen kamen; denn ihnen gehört der Bund der Väter".

els und mit ihm an ganz Israel erging, und besonders auch der Umstand, daß Gott sein Volk trotz seiner „Verstockung“ dem Evangelium gegenüber nicht verstoßen hat (11,1a), vielmehr am Ende „*ganz* Israel“ retten wird (11,26a).

Mit diesen Hinweisen auf zwei theologisch hochrelevante, von der Schrift selbst bezeugte Vorgaben Gottes für das Volk der Juden - Erwählung zu einem „Sondervolk“ neben den Gojim und der von Gott nie gekündigte Bund mit ihm - sollen die analogielose Singularität des jüdischen Volkes und die damit auch gegebene Analogielosigkeit der „Schoah“ begründet werden. Von dieser Analogielosigkeit kann m.E. im „Historikerstreit“ nicht abgesehen werden, wenn man an der Sache, um die es in ihm geht, nicht vorbeireden will. In der „Schoah“ hat man sich nicht an irgendeinem Volk vergriffen, sondern an dem erwählten Volk Israel, das Gott hütet „wie seinen Augapfel“ (Dtn 32,10). „Wer euch antastet, tastet meinen Augapfel an!“ (Sach 2,12).

Das alles soll freilich in keiner Weise besagen, daß nicht auch andere Genozide, die im Verlaufe der Geschichte an Völkern, wie etwa an den Armeniern in der Türkei, begangen wurden, zu den großen Verbrechen der Menschheit zu zählen sind. Wer meine Ausführungen so verstehen würde, hätte mich gründlich mißverstanden.

Gemeinsame Aufgaben und Ziele von Juden und Christen gegenüber der modernen Welt *

Für Ernst Ludwig Ehrlich zum 70. Geburtstag

Ich baue meinen Beitrag auf jüdische Vorgegebenheiten auf. Unter ihnen verstehe ich einige wichtige Gaben, die wir der jüdischen Überlieferung, wie sie speziell im „Alten Testament" vorliegt, verdanken.

I. Die Schöpfung

„Schöpfung", creatura, besagt etwas anderes als „Universum", „Kosmos", „das All", „die Welt". „Schöpfung" qualifiziert die Welt als von Gott geschaffen. „Im Anfang erschuf Gott den Himmel und die Erde". Der Alttestamentler H. Gunkel hat zu diesem ersten Satz der Bibel bemerkt: „Kein Wort gibt es in den Kosmogonien anderer Völker, das diesem ersten Wort der Bibel gleichkäme". Denn in diesm Satz kommt implizit ein wesentlicher Sachverhalt zur Sprache, nämlich der, daß Schöpfer und Geschöpf nicht identisch oder gar vertauschbar sind. M.a.W.: Es ist mit ihm die creatura-Qualität des ganzen Universums, des Himmels und der Erde, ausgesprochen. Die Schöpfung ist nicht göttlichen Wesens. Die Erde ist nicht göttlich, sie ist vielmehr dem Menschen untergeordnet und anvertraut. „Seid fruchtbar und mehrt euch und erfüllt die Erde und macht sie euch untertan! Herrschet über die Fische im Meer und die Vögel am Himmel und über alles Lebendige, das sich auf Erden regt!" (Gen 1,28). Dieser Text ist heute in das ökologische Gespräch gekommen, insofern er als biblischer Ursprung des „Wachstumsmythos" deklariert wird, so von Carl Amery in seinem Buch „Das Ende der Vorsehung". Und weil Juden und Christen sich zu diesem Text bekennen und ihn in der Welt propagieren, seien sie die Hauptschuldigen am Wachstumsmythos, der die Welt immer mehr in eine Sackgasse führt.

Der Alttestamentler Norbert Lohfink hat sich mit diesem Vorwurf auseinandergesetzt[1]. Seine Gedankengänge können hier nicht wieder-

---

* Vortrag auf einer christlich-jüdischen Tagung in Aachen. Erschienen in KAIROS 29(1987) 159–165.

[1] N. *Lohfink*, Wachstum. Die Priesterschrift und die Grenzen des Wachstums, in: *Ders.*,

holt werden. Er zeigt jedenfalls, daß es sich bei Gen 1,28 gar nicht um ein Gebot handelt, vielmehr um einen Segen für die „Stammeltern", so daß sie nicht kinderlos bleiben, vielmehr die Menschheit aus ihnen hervorgehe und die ganze Erde bevölkere. „Dieser Segen zwingt keinen Christen und keinen Juden, dem Wachstumsmythos zu verfallen oder sich um der Bibel willen nicht von ihm zu trennen" (Lohfink)[2]. Die von Gott geschaffene Erde soll auch bewohnt sein. „Nicht zur Wüste hat er sie erschaffen, zum Wohnen bildete er sie" (Jes 45,18). „Des Menschen Welt ist Gottes gesamte Schöpfung" (H. W. Wolff)[3]. Sie gehört nicht dem Menschen, sondern Gott, der sie geschaffen hat. Also ist der Mensch für die Schöpfung verantwortlich. Wenn der Mensch in Gen 1,26 als „Bild" Gottes bezeichnet wird, so ist nach dem Grund dafür zu fragen. Aus dem Kontext ergibt sich die Antwort: Weil er in ein Herrschaftsverhältnis zu den übrigen Geschöpfen (den Tieren etc.) gesetzt ist. „Genau als Herrscher ist er Bild Gottes" (ders.[4]). Aber er übt seine Herrschaft als Gottes Verwalter („Wesir") aus. „Nicht in selbstherrlicher Willkür, sondern als verantwortlicher Geschäftsträger nimmt er die Aufgabe wahr. Sein Herrschaftsrecht und seine Herrschaftspflicht sind nicht autonom, sondern abbildhaft" (ders.[5]). Wenn es in Gen 1,26 heißt: „wir wollen *'adam* machen nach unserem Bild", und der Text sofort weiterfährt: „damit *sie* herrschen", so läßt dieser Plural erkennen, daß *'adam* kollektiv zu verstehen ist: „eine *Menschheit* will Gott schaffen". Darum gilt: „Nicht großen Einzelnen wird die Weltherrschaft übergeben, sondern der Gemeinschaft der Menschen" (ders.[6]). Das Objekt ihrer Herrschaft sind die Erde und auf ihr besonders die Tiere, die es zu zähmen gilt. Die Tiere waren ja *vor* dem Menschen da und bevölkerten die Erde. Indem der Mensch sie zähmt, ordnet er sie seiner Herrschaft über die Erde ein. So ist dem Menschen „alles unter die Füße getan" (Ps 8,6). Das aber begründet Verantwortung, besonders in der heutigen Weltsituation. Die Bibel selbst zeigt in der Erzählung des Turmbaus von Babel (Gen 11,1–9) die gefährlichen Implikationen eines fortschreitenden technischen Bewußtseins der Menschheit. Aus der technischen Fähigkeit, Lehmziegel zu formen, sie zu Backsteinen zu brennen und Mörtel herzustellen (11,3), geht der übermütige und stolze Entschluß hervor: „Auf, bauen wir uns eine

---

Unsere großen Wörter. Das Alte Testament zu Themen dieser Jahre (Freiburg i. Br./Basel/Wien 1977) 156–171.

[2] Ebd. 170

[3] Anthropologie des Alten Testaments (München 1973) 233.

[4] Ebd. 235.

[5] Ebd.

[6] Ebd. 237.

Stadt und einen Turm mit einer Spitze bis zum Himmel, und machen wir uns damit einen Namen, ..." (11,4). Gottes Urteil darüber lautet: „Jetzt wird ihnen nichts mehr unerreichbar sein, was sie sich auch vornehmen" (11,6). Es handelt sich bei dem Erzählten nach J. Scharbert „um ein Urzeitgeschehen ... das die ganze Menschheit betrifft und sie charakterisiert"[7], nämlich als eine Gesellschaft, die in den technischen Errungenschaften ein Mittel sieht, „um sich von Gott unabhängig zu machen" (ders.)[8].

Das Warnziel der Erzählung geht dahin, zu „unterstreichen, wie die Überheblichkeit den Menschen selbst ins Abseits führt" (ders.[9]). Scharbert vermutet, daß Gen 11,6 („Jetzt wird ihnen nichts mehr unerreichbar sein, was sie sich auch vornehmen") einen Anklang an Gen 3,22 enthält, wo Gott sagt: „Seht, der Mensch ist geworden wie wir; er erkennt Gut und Böse. Daß er jetzt nicht die Hand ausstreckt, auch vom Baum des Lebens nimmt, davon ißt und ewig lebt!" Gott fürchtet, „die Fortschritte im Wissen könnten die Menschen auf den Gedanken kommen lassen, ohne Gott auf dieser Welt auszukommen und sogar ein Mittel gegen den Tod zu finden" (ders.[10]). Erst am Ende der Erzählung wird die Stadt, in der der bis in den Himmel reichende Turm erbaut werden soll, als „Babel" (= Wirrsal) bezeichnet (in Ableitung von dem Verbum *balal,* das auch „verwirren" bedeutet). „Seither ist Babel-Babylon in der Bibel Chiffre für die Konzentration widergöttlicher Macht, für Hochmut, für Gottesfeindschaft und Sittenverfall (vgl. Jes 13f; Jer 5,15–17; 50,24.29–32; 51,13.25.34; Sach 5,11; Offb 14,8; 16,19; 17,5; 18,2.10.21)" (ders.[11]).

Die technische Beherrschung aller Naturkräfte verführt den Menschen zum Mißbrauch der Herrschaft über die Erde, die ihm als Gottes Wesir anvertraut wurde. Er gefährdet damit die Erde und ihre Umwelt selber, wie die Erfahrung unserer Epoche in so eindrücklicher Weise zeigt. In Hi 28,1–11 wird die Weltbeherrschung des Menschen kunstvoll geschildert. Wozu? „Damit umso deutlicher werde, daß der Mensch die Weisheit selbst, ‚den der Schöpfung eingesenkten Sinn' (G. von Rad), bei seinen Forschungsunternehmen nicht entdecken kann" (H. W. Wolff[12]). Wissenschaftlich-technische Erkenntnisse und Errungenschaften sind nicht identisch mit Weisheit. Dieser aber bedürfte der Mensch, um mit den von ihm weithin selbst geschaffenen

[7] J. *Scharbert,* Genesis 1–11 (NEB) (Würzburg 1983) 112.
[8] Ebd. 113.
[9] Ebd. 115.
[10] Ebd. 114.
[11] Ebd. 115.
[12] A. a. O. (s. Anm. 4) 327.

Problemen in der rechten Weise fertigzuwerden. Es fehlt ihm die Weisheit, von der die Bibel redet. Das gehorsame Hinhören auf die heiligen Schriften Israels könnte ihm dabei eine entscheidende Hilfe sein. Denn die Bibel ist, bemerkt Paulus, „zu unserer Warnung geschrieben" (1 Kor 10,11; Röm 15,4), für uns, „ auf die das Ende der Zeiten gekommen ist" (1 Kor 10,11). Sollte das Letztere der Fall sein, woran ein Christ nicht zweifeln kann, wäre die Warnung der Schrift – und Paulus meint mit der „Schrift" den Tenach – umso dringender, geradezu eine letzte Warnung, damit die Welt nicht völlig ins Verderben stürzt, und der Jude J. Weizenbaum mit seiner Diagnose in seinem Buch „Kurs auf den Eisberg" am Ende nicht doch recht bekommt.

II. Der Mensch, das „Bild" Gottes

Davon war schon die Rede, aber gerade darüber muß noch mehr gesagt werden. Denn die Lehre, der Mensch sei das „Bild" Gottes, gehört zu den „jüdischen Vorgegebenheiten", die es zu bedenken gilt[13]. Sie ist besonders wichtig und aktuell, weil sie die unantastbare Würde des Menschen impliziert und damit das, was man heute „die Menschenrechte" nennt. Die Lehre von der Abbildlichkeit des Menschen wird von Israel mit der Ethik in Zusammenhang gebracht, so schon in Gen 9,6, wo das Verbot, Menschenblut zu vergießen, damit begründet wird: „denn nach dem Bild Gottes hat er den Menschen erschaffen". Die Mekilta zu Ex 20,17 ruft Gen 9,6 in die Erinnerung, und zu Ex 20,26 wird in ihr bemerkt: „Wenn schon hinsichtlich der Steine [des Altars], in denen doch kein Wissen weder des Bösen, noch des Guten ist, der Heilige ... gesagt hat: Du darfst mit ihnen nicht verächtlich umgehen, um wie viel mehr ist es logischer Schluß, daß du mit deinem Genossen [Nächsten], der in der Ähnlichkeit dessen erschaffen worden ist, welcher sprach und die Welt ward, nicht verächtlich umgehen darfst."[14]

Nach GenR lehrte R. Aqiba zu Gen 9,6: „Derjenige, welcher Blut vergießt, ist anzusehen, als hätte er die Gottähnlichkeit vermindert. Warum? Weil auf die Worte: wer Menschenblut vergießt, folgt: denn im Ebenbild Gottes hat er den Menschen erschaffen."[15] „Der Herr schuf mit eigenen Händen einen Menschen und machte ihn seinem ei-

[13] Vgl. dazu auch *F. Mußner,* Traktat über die Juden (München ²1988) 99–102 (mit Literatur).

[14] Übersetzung nach *J. Winter* u. *A. Wünsche,* Mechiltha. Ein tannaitischer Midrasch zu Exodus (Leipzig 1909) 233.

[15] Übersetzung nach *A. Wünsche,* Midrasch Bereschit Rabba (Leipzig 1881) 155.

genen Antlitz ähnlich ... Wer des Menschen Antlitz verachtet, verachtet das Antlitz des Herrn“ (Slav. Hen. 44, 1).

Ganz aus diesen alttestamentlich-jüdischen Traditionen heraus ist im Neuen Testament Jak 3,9 formuliert: „Mit der [Zunge] preisen wir den Herrn und Vater, und mit ihr verfluchen wir die Menschen, die nach Gottes Bild geschaffen sind“ – und gerade der Jakobusbrief war es, dessen Kommentierung[16] für mich eine entscheidende Stufe in jenem Lernprozeß darstellte, dessen Frucht dann der „Traktat über die Juden“ war. Denn die intensive Beschäftigung mit dem Jakobusbrief ließ mich deutlich das große geistliche Erbe Israels sehen, das gerade in diesem Brief so virulent ist wie sonst wohl in keinem anderen Buch des Neuen Testaments.

Diese Überzeugungen begründen die „Menschenwürde“ und die „Menschenrechte“, diese überaus aktuellen Themen gerade für unsere Epoche!

Diese Überzeugungen bringen den „Anderen“ in den Blick: das Grundanliegen des jüdischen Philosophen Emmanuel Lévinas[17]. Ich habe mich vor allem mit seinem Essay „Die Spur des Anderen“ beschäftigt[18], und möchte aus ihm einige Gedanken und Zitate bringen. Lévinas kommt darin auf „das Werk“ zu sprechen, das nicht „nach dem Modell der Technik“ gedacht werden darf, vielmehr: *„Radikal gedacht ist das Werk ... eine Bewegung des Selben zum Anderen, die niemals zum Selben zurückkehrt.“*[19] „Das Werk ist daher eine Beziehung zum Anderen, der erreicht wird, ohne sich als berührt zu erweisen. Es liegt außerhalb der grämlichen Genüßlichkeit von Mißerfolg und Tröstungen, durch die Nietzsche die Religion definiert.“[20] Würde das Werk „sich in Gewinn- und Verlustrechnungen verzehren, es ginge in kalkulierbaren Operationen auf ... Die einseitige Tat ist nur möglich in der Geduld; die bis ans Ende durchgehaltene Geduld bedeutet für den Handelnden: darauf verzichten, die Ankunft am Ziel zu erleben, zu handeln, ohne das gelobte Land zu betreten“. Den Kenner erinnern solche Texte wieder unwillkürlich an den Jakobusbrief, in dem die Begriffe „Geduld“ und „Werk“ eine zentrale Rolle spielen. Das „Werk“, das Jakobus im Auge hat, meint die radikale Hinwendung zum ande-

---

[16] Vgl. *F. Mußner,* Der Jakobusbrief (Freiburg i. Br./Basel/Wien ^{5}1987).

[17] Vgl. *H. H. Henrix* (Hg.), Verantwortung für den Anderen – und die Frage nach Gott. Zum Werk von E. Lévinas (Aachen 1984).

[18] *E. Lévinas,* Die Spur des Anderen. Untersuchungen zur Phänomenologie und Sozialphilosophie. Übersetzt, herausgegeben und eingeleitet von W. N. Krewani (Freiburg i. Br./München 1983) 209–235.

[19] Ebd. 215.

[20] Ebd. 216.

ren, zum Armen, der in Not ist (vgl. Jakobusbrief, Kap. 2)[21], ähnlich wie bei Lévinas.

Lévinas fordert: „Die Zukunft, für die das Werk unternommen wird, muß von Anfang an gesetzt werden als gleichgültig gegen meinen Tod."[22] Das geht bei Lévinas so weit, daß er Eschatologie als „Eschatologie ohne Hoffnung für sich oder Befreiung von meiner Zeit" bestimmt[23], also ohne Ausblick auf Belohnung im „Jenseits". Das „Bedürfnis dessen, der keine Bedürfnisse mehr hat, gibt sich zu erkennen in dem Bedürfnis nach dem Anderen, dem Anderen als Mitmensch; der Andere ist weder mein Feind ... noch meine Ergänzung ... Die Beziehung zum Anderen stellt mich in Frage, sie leert mich von mir selbst; sie leert mich unaufhörlich, indem sie mir so unaufhörlich neue Quellen entdeckt."[24]

In der Epiphanie des Anderen begegnet mir „Antlitz". Das Antlitz aber spricht. „Die Erscheinung des Antlitzes ist die erste Rede."[25] Durch die Epiphanie des Antlitzes des Anderen wird das Bewußtsein (im Sinn des philosophischen Idealismus) „in Frage gestellt". „Die Epiphanie des absolut Anderen ist Antlitz, in dem der Andere mich anruft und mir durch seine Nacktheit, durch seine Not, eine Anordnung zu verstehen gibt. Seine Gegenwart ist eine Aufforderung zur Antwort".[26] Man vgl. dazu Jak 2,15f! Darum ist nach Lévinas das „Ich" in seiner Stellung selbst „durch und durch Verantwortlichkeit oder Diakonie, wie im 53. Kapitel des Buches Jesaja"[27], also wie in der geheimnisvollen Gestalt des „Gottesknechtes", die von der jüdischen Exegese (im Anschluß an bestimmte Formulierungen der „Gottesknechtslieder" des Deutero-Jes) auf Israel bezogen wird, vom Neuen Testament auf den „Knecht" Jesus. Der Gottesknecht gibt sein Leben hin „für die Vielen", er opfert sich für den „Anderen" – und Lévinas bringt den Gedanken des „Opfers" ausdrücklich ins Spiel[28]. Von da her bedeutet nach Lévinas Ichsein: „sich der Verantwortung nicht entziehen können". „Dieser Auswuchs an Sein, diese Übertreibung, die man Ichsein nennt, dieser Ausbruch der Selbstheit im Sein vollzieht sich als Anwachsen

---

[21] Vgl. dazu *F. Mußner*, Der Jakobusbrief (s. Anm. 16) 146–150; 152–157; 254–258. Das „Werk" hat im Jakobusbrief nichts mit den „Werken des Gesetzes" im paulinischen Sinn zu tun, und „Gesetz" (νόμος) bezieht sich im Jakobusbrief auf das „königliche" Liebesgebot von Lev 19,18 (vgl. Jak 2,8 und *Mußner*, a.a.O. 240–247).

[22] A.a.O. 217.

[23] Ebd.

[24] Ebd. 219.

[25] Ebd. 221.

[26] Ebd. 224.

[27] Ebd.

[28] Vgl. ebd. 217.

der Verantwortung. Die Infragestellung meiner Selbst durch den Anderen macht mich dem Anderen in unvergleichlicher und einzigartiger Weise solidarisch. Nicht solidarisch in der Art, wie die Materie solidarisch ist mit dem Block, von dem sie einen Teil ausmacht, oder wie ein Organ mit dem Organismus, in dem es eine Funktion ausübt: Hier ist die Solidarität Verantwortung, als ob das ganze Gebäude der Schöpfung auf meinen Schultern ruhte."[29] Die Spur, auf der ich dem Anderen begegne, ist nach Lévinas die „Spur der Illeität", weil der andere nicht irgendeiner ist, ein Anonymus, vielmehr „jener" (*ille*), dessen Antlitz ich begegne – und das sind alle anderen Menschen neben mir. Nach Lévinas bedeutet nach dem Bilde Gottes sein „nicht, Ikone Gottes sein, sondern sich in seiner [Gottes] Spur befinden. Der geoffenbarte Gott unserer jüdisch-christlichen Spiritualität bewahrt die ganze Unendlichkeit seiner Abwesenheit, die in der personalen Ordnung selbst ist. Er zeigt sich nur in seiner Spur, wie in Kapitel 33 des Exodus. Zu ihm hingehen heißt nicht, dieser Spur, die kein Zeichen ist, folgen, sondern auf die Andern zugehen, die sich in der Spur halten."[30]

Alle diese Sätze Lévinas' lassen uns erkennen, daß er aus den „jüdischen Vorgegebenheiten" lebt und denkt, aus dem geistlichen Erbe Israels, das er fruchtbar machen will für die Bewältigung der Zukunft, die auf uns zukommt, und die für Lévinas unter allen „Ekstasen" der Zeit den Vorrang besitzt[31].

Was der Jude Lévinas philosophisch als Aufgabe für unsere Zukunft entwickelt – die Entdeckung des „Anderen" –, hat ein anderer Jude vor ihm in Form einer kurzen und schlichten Parabel gesagt: der Jude Jesus von Nazareth im Gleichnis vom barmherzigen Samariter[32]. Es geht in ihm nach Lk um die Antwort auf die Frage: „Wer ist mein Nächster?" Und die Antwort lautet: Dein Nächster ist jeder, dem du in seiner Not hilfst. Und du wirst durch deine Hilfe sein Nächster, wie der Samariter für den Überfallenen und Verwundeten. Das hebräische Wort für „Nächster" heißt *rēa'*, und *rēa'* bedeutet nach Ausweis des Lexikons einfach auch „ein anderer", „der andere"[33]. Jesus lehrt also

---

[29] Ebd. 224.
[30] Ebd. 235.
[31] Vgl. Ebd. 210; 217.
[32] Vgl. dazu *F. Mußner*, Die Botschaft der Gleichnisse Jesu, München ²1964, 41–45; *ders.*, Der Begriff des „Nächsten" in der Verkündigung Jesu. Dargelegt am Gleichnis vom barmherzigen Samariter, in: *F. Mußner*, PRAESENTIA SALUTIS. Gesammelte Studien zu Fragen und Themen des Neuen Testamentes (Düsseldorf 1967) 125–132; *K. Haacker*, Art. πλησίον, in: EWNT III, 265–269 (mit umfassender Literatur).
[33] Vgl. *Gesenius/Buhl*, Handwörterbuch über das Alte Testament, s. v. *Haacker* bemerkt, „daß ὁ πλήσιον in ethischen Grundsatzaussagen jüd. Autoren des 1. Jh. n. Chr. eindeutig den Mitmenschen generell bezeichnet ..." (a. a. O. 267). Nach H. ermahnt Jesus seine

mit dem Gleichnis: Jeder andere, wer er auch sei, ist dein „Nächster“. Der Überfallene ist *ille,* „jener“, dessen leidendes Antlitz du siehst. Das Gleichnis verkündet die „Illeität“, von der Lévinas spricht. Und dieser, der das Gleichnis erzählt hat, ist selbst zum „Gottesknecht“ geworden, der jene Hinwendung zum „Anderen“ bis in den Opfertod durchgehalten hat, die wir in der modernen Theologie auch „Proexistenz“ nennen. „Proexistenz“ ist ein Programmwort für Juden und Christen im Blick auf morgen.

III. Die Wahrheit

Das hebräische Wort für „Wahrheit“ heißt *emet,* in der Septuaginta 127mal mit ἀλήθεια und verwandten Lexemen wiedergegeben. Opposita zu *emet* sind in der hebräischen Bibel: *šeqer* = Trug, *kazab* = Lüge, *mirma* = Trug, *reša‘* = Frevler[34], im Johannesevangelium ψεῦδος = Lüge (Joh 8,44; 1 Joh 1,6; 2,21.27; vgl. 4,6). In unserer Epoche empfindet man als das eigentliche Oppositum zu Wahrheit das, was man gemeinhin „Ideologie“ nennt. Was ist „Ideologie“? Nach dem Philosophen H. Lübbe „seit Beginn des 19. Jh. gebräuchlicher Name zur Bezeichnung solcher Überzeugungen des Menschen, die vom Realitätsprinzip nur vermeintlich, tatsächlich aber vom Zweck der Erfüllung subjektiver Interessen beherrscht sind.“[35] „Ideologie“ ist also, kurz gesagt, eine illusionär utopische Sicht der Wirklichkeit. Ideologie spielt in unserem Jahrhundert vor allem in der Politik und in der politischen Propaganda eine umfassende Rolle, so daß man unsere Zeit als „Zeit der Ideologien“ bezeichnet hat[36] Bracher beschreibt die moderne Ideologie so: „Die Verbürgung absoluter Wahrheit nicht erst im Himmel, sondern auf Erden gibt der Ideologie den Charakter säkularisierter Heils- oder Erlösungsreligion, die jede ideelle Alternative ausschließen, sie als ‚bürgerlich‘ oder ‚subjektivistisch‘ von vornherein diskreditieren möchte, ohne daß es der Wahrheitsbeweise bedürfe.“[37] Verbündet sich der Machtapparat einer totalitär herrschenden Partei

---

Hörer mit dem Gleichnis, „auf den Mitmenschen ‚zuzugehen‘, dessen Notlage man wahrgenommen hat“ (268).

[34] *H. Wildberger* in: ThHWbzAT I, 204.

[35] *H. Lübbe,* Art. Ideologie, in: LThK V, 605–607.

[36] Vgl. *K. D. Bracher,* Zeit der Ideologien. Eine Geschichte des politischen Denkens im 20. Jahrhundert, Stuttgart 1982 (mit umfassenden Literaturangaben). Nach B. ist das 20. Jahrhundert „das Jahrhundert der totalitären Verführung geworden, weil es ein Zeitalter der Ideologien war und geblieben ist“ (18). Ferner: *H. Meiser,* Schlüssel zur Geschichte (Düsseldorf/Wien/New York 1989) 207–303 („Herrschaft der Ideologien“).

[37] Ebd. 17.

mit Ideologie, so kann das zum jede freie Meinungsäußerung unterdrückenden Terror werden, wie die Erfahrung der Geschichte immer mehr zeigt.

Ideologie steht gegen die Wahrheit. Was macht die Wahrheit der Welt und der Geschichte aus? Die jüdisch-christliche Tradition stellt die Antwort auf diese Frage bereit. Ich nenne folgende fünf Punkte:

- Die Welt ist kontingent, d.h. sie ist nicht aus sich selbst erklärbar. Das aber ist auch ein Implikat des biblischen Schöpfungsglaubens, von dem wir gesprochen haben.
- Die Welt ist von der φθορά bedroht, d.h. von der „Verderbnis" (vgl. Röm 8,21), und zwar in vielfältiger Hinsicht, wie wir alle wissen.
- Der Mensch ist ein dem Tod verfallenes Wesen: ein unbestreitbarer Erfahrungssatz. Der Tod, bemerkt E. Bloch, ist „die stärkste Nicht-Utopie" des Daseins[38]. Die Bibel redet von ihm in realistischer Weise.
- Die Geschichte ist innerweltlich nicht vollendbar: auch bereits ein von der Erfahrung der Menschheit als richtig bestätigter Satz.
- Der Andere existiert, sein Antlitz tritt mir entgegen.

Das sind wahre Sätze; in ihnen kommt Wahrheit zum Vorschein, und zwar jene Wahrheit, von der die Bibel lebt. Nur Ideologie kann die Wahrheit dieser Sätze leugnen. Ideologie ist vor allem daran erkennbar, daß Wörter in einen Kontext gestellt werden, etwa in den Kontext des „Diamat" und „Histomat", wodurch ihre Semantik total verschoben wird, z.B. im Hinblick auf Wörter wie „Frieden", „Freiheit", „Volk", „Demokratie", ja selbst „Tod". Sie werden dadurch zu „lügenden Wörtern", von denen der Literaturwissenschaftler Harald Weinrich in seiner bedeutenden Schrift „Linguistik der Lüge"[39] sagt: „Lügende Wörter sind fast ausnahmslos lügende Begriffe. Sie gehören zu einem Begriffssystem und haben einen Stellenwert in einer Ideologie."[40] Nur der unverstellte Blick auf die Wahrheit der Welt macht frei und bewahrt vor den Lügen der Ideologie jedweden Couleurs. „Noch ist, bemerkt Bracher[41], der Kampf zwischen den Weltprinzipien Freiheit und Knechtschaft ... unentschieden, nicht mehr und nicht weniger."[42] Juden und Christen stehen mitten in diesem Kampf drinnen. Ihre Überlieferungen halten den Blick frei für die Wahrheit der Welt. Ohne diesen Blick kommt es nie zur „Schalomisierung" der Welt. Des-

[38] Das Prinzip Hoffnung (Frankfurt 1967) 1297.
[39] Heidelberg ^{5}1974.
[40] Ebd. 37.
[41] A.a.O. (s. Anm. 36) 396.
[42] Vgl. auch *ders.*, Schlüsselwörter in der Geschichte (Düsseldorf 1978).

halb stehen Juden und Christen in einer außerordentlichen Verantwortung für die Zukunft der Welt, für das morgen. Aber, so muß man sorgenvoll fragen, sind die Juden und die Christen bereit, diese Verantwortung auf sich zu nehmen? Wer hört auf die Rufer in der Wüste? Der Jude Hans Jonas ruft uns zur Verantwortung auf[43].

Ich schließe mit dem Lehrspruch des R. Šimeon ben Gamaliel: „Auf drei Dingen steht die Welt: auf Recht, Wahrheit und Frieden" (Mischna Abot I, 18).

---

[43] *H. Jonas,* Das Prinzip Verantwortung (Frankfurt [5]1984).

„Das Wesen des Christentums ist συνεσθίειν"

Ein authentischer Kommentar

Der Verfasser schloß seinen 1974 erschienenen Kommentar zum Galaterbrief mit dem Satz: „Man darf, belehrt durch den Galaterbrief, sagen: *das Wesen des Christentums ist* συνεσθίειν" [1]. G. Dautzenberg bemerkte dazu: „Von diesem Ergebnis her müßten wahrscheinlich noch einige weitere Exkurse in den Kommentar eingefügt werden. Vorläufig ist eine Konkretisierung dieses Satzes dem Spürsinn des Lesers überlassen." [2] Und der Wiener Neutestamentler J. Kremer schrieb dem Verfasser in einem Brief vom 8. Mai 1974: „In dem Schlußexkurs sagt mir vor allem der 3. Abschnitt zu, wo Sie betonen, daß die strenge Bindung des Glaubens an das Kerygma in der paulinischen Theologie die Kirche vor einem Verfall in ein unverbindliches Gerede bewahrt. Dementsprechend kann aber dann der Schlußsatz 422 nicht lauten: ‚Das Wesen des Christentums ist συνεσθίειν', sondern – und so haben Sie es wohl auch gemeint – ‚zum Wesen des Christentums gehört συνεσθίειν' ".

Es soll nicht länger „dem Spürsinn des Lesers" überlassen bleiben, wie ich den Schlußsatz meines Kommentars verstehe. Die Festschrift, mit der Johann Auer zu seinem 65. Geburtstag geehrt wird, ist mir eine willkommene Gelegenheit, einen „authentischen" Kommentar zu diesem skandalösen Satz zu liefern. Um es gleich zu sagen: Es geht bei dem Term συνεσθίειν um ein Programmwort, mit dem im NT das eschatologische „Gnadenprogramm" Gottes zur Sprache gebracht wird [3]. Johann Auer hat sich seit vielen Jahren in seiner wissenschaftlichen Arbeit gerade um die Gnadentheologie bemüht. So ist dies der geeignete Ort, dieses „Programmwort" näher zu erläutern und damit auch den Schlußsatz meines Galaterkommentars.

---

[1] Vgl. *F. Mußner*, Der Galaterbrief: (Herders Theologischer Kommentar zum Neuen Testament IX) (Freiburg i. Br.–Basel–Wien [5]1988) 423.

[2] Theol. Literaturdienst (Würzburg) 2 (1974) 24.

[3] Soweit ich sehe, hat darauf bis jetzt, freilich in allzu knapper Weise, nur *V. Parkin* hingewiesen: Συνεσθίειν in the New Testament, in: Stud. Evang. III (TU 88) (Berlin 1964) 250–253.

I. Altes Testament

συνεσθίεν hat im AT eine beachtliche Vorgeschichte, wenn der Begriff auch nur viermal in der Septuaginta erscheint (Gen 43,22; Ex 18,12; 2 Sam 12,17; Ps 100,5). Gen 43,32 gehört in den Kontext der Josephsgeschichten. Joseph lädt seine Brüder zu einem festlichen Mahl ein: „Tragt das Mahl auf! Man deckte getrennt für ihn und getrennt für sie und getrennt für die Ägypter, die bei ihm speisen“ (43,31 f). Joseph speist als fürstlicher Machthaber allein, aber auch die Ägypter essen nicht zusammen mit den Brüdern des Joseph. Der Text begründet das so (43,32 b): „οὐ γὰρ ἐδύναντο οἱ Αἰγύπτιοι συνεσθίειν μετὰ τῶν Ἑβραίων ἄρτους, denn das gilt den Ägyptern als ein Greuel“.[4] In dieser Geschichte wird zwar das Mahl als ein Akt der Versöhnung zwischen Joseph und seinen Brüdern verstanden, aber die Gruppen bleiben beim Vollzug noch voneinander getrennt! – Nach Ex 18,12 bringt Jetro, der Schwiegervater des Mose, Gott Brand- und Schlachtopfer dar, „und Aaron kam mit allen Ältesten Israels hinzu, συμφαγεῖν ἄρτον μετὰ τοῦ γαμβροῦ Μωυσῆ ἐναντίον τοῦ θεοῦ“: Das gemeinsame Mahl ist Ausdruck des Willens zur Gemeinschaft vor Gott. – Nach 2 Sam 12,17 ißt David aus Traurigkeit über seinen todkranken Sohn, den er mit der Frau des Uria gezeugt hatte, nicht zusammen mit den Ältesten seines Hauses. – Nach Ps 100,5 weigert sich der Sänger, mit einem Hochmütigen sich an einen Tisch zu setzen (τούτῳ οὐ συνήσθιον).

συνεσθίειν ist also in diesen Texten des AT Ausdruck des Willens zur Gemeinschaft oder (negiert) ihrer Verweigerung.

II. Jesus (Synoptiker)

Zu den ipsissima facta Jesu, das heißt zu den gerade für ihn bezeichnenden Taten[5], gehören nach übereinstimmender Überzeugung der Exegeten seine ostentativen, öffentlichen Mahlzeiten mit den „Zöllnern und Sündern“[6]. Naturgemäß spielt in synoptischen Erzählungen darüber der Term συνεσθίειν (zusammen essen) (bzw. das semantisch gleichwertige ἐσθίειν μετά) eine programmatische Rolle; der Begriff

[4] *Herodot* bemerkt (Hist. II,41): Die Ägypter „essen nicht einmal das Fleisch eines reinen Stieres, wenn es mit einem hellenischen Messer geschnitten ist“.

[5] Zum Begriff „ipsissima facta Jesu“ vgl. *F. Mußner,* Die Wunder Jesu. Eine Hinführung (München 1967) 33–44: *ders.,* Ipsissima facta Jesu?, in: ThRev 68 (1972) 177–184.

[6] Zur stereotypen Formel „Zöllner und Sünder“ vgl. *J. Jeremias,* in: ZNW 30 (1931) 293–300; dazu noch *O. Michel* in: ThWbzNT VIII, 101–106.

ist in diesen Erzählungen das „Basiswort". Vgl. Mk 2,16 Parr. (ἐσθίειν μετά); Lk 15,2 (συνεσθίειν).

1. Das „Zöllnermahl" liegt in der Synopse in traditio triplex vor: Mk 2,15-17 = Mt 9,10-13 = Lk 5,29-32. Wir gehen in unserem Zusammenhang auf das formgeschichtliche Problem der Perikope nicht näher ein[7]. Es scheint jedenfalls, daß Mk zwei ursprünglich getrennte Szenen (Berufung des Levi - Zöllnermahl) zusammengefügt hat; die Verbindung wird einmal durch das Stichwort „Zöllner", zum anderen durch den Term „nachfolgen" hergestellt. Die beiden anderen Synoptiker sind ihm darin gefolgt. Die Frage, die hinter der Perikope, von der nachösterlichen Gemeindeebene aus gesehen, steht, hat E. Schweizer so formuliert: „Ist Jesus nur für die nach dem Gesetz lebenden Juden gekommen oder auch für die Heiden"?[8] Die Schriftgelehrten und Pharisäer, die repräsentativen Kritiker des Evangeliums, wenden sich an die Jünger, aber nicht sie geben die Antwort auf ihre Frage: „Warum ißt er mit Sündern und Zöllnern?", sondern Jesus selbst. Das rührt nicht bloß davon her, daß die kritische Frage der Gegner sich auf sein skandalöses Verhalten bezog, sondern weil für den Evangelisten Jesus der bevollmächtigte, mit ἐξουσία ausgestattete (Mk 1,22.27; 2,10; 11,28f.33)[9] Gesandte Gottes ist. Der Sendungsgedanke kommt sprachlich in dem ἦλθον am Ende des V.17 zum Ausdruck, und die Aufgabe der Sendung in dem καλέσαι ... ἁμαρτωλούς ... Von den „Zöllnern" ist dabei nicht mehr die Rede, sie sind längst in die christliche Gemeinde integriert. Es fällt auf, daß Mk beim Aufbau der Perikope, differierend von Mt und Lk, als Sondergut zur Begründung der Frage der Gegner an die Jünger Jesu eine Partizipialkonstruktion hat: „sehend, daß er ißt zusammen mit Sündern und Zöllnern" (V. 16a); damit unterstreicht Mk das Motiv ἐσθίειν μετά stärker als die beiden anderen Synoptiker. Mk läßt damit aber auch erkennen, daß die Offenbarungsrede Jesu über die Berufung der Sünder nichts anderes ist als die Interpretation seines vorgängigen Verhaltens, konkret: seiner ostentativen und öffentlichen Mahlzeiten mit den „Zöllnern und Sündern". Die gnadenhafte Berufung der Sünder in die christliche Gemeinde, oder besser gesagt: in die Gemeinschaft mit dem heiligen Gott, als dessen Vertreter Jesus „gekommen" ist, wird zunächst im *Handeln* Jesu schon gezeigt; das Handeln geht der „Aufklärung" Jesu

[7] Vgl. dazu *R. Pesch*, Das Zöllnergastmahl (Mk 2,15-17), in: Mélanges offertes à Béda Rigaux (Gembloux 1970) 63-67.

[8] Das Evangelium nach Markus (NTD 1) (Göttingen 1967) 34.

[9] Vgl. dazu auch *K. Kertelge*, Die Vollmacht des Menschensohnes zur Sündenvergebung (Mk 2,10), in: *P. Hoffmann* (Hrsg.), Orientierung an Jesus. Zur Theologie der Synoptiker (Festschr. f. J. Schmid) (Freiburg/Basel/Wien 1973) 205-213.

voraus, und sein Handeln, *das den universalen Gnadenwillen Gottes offenbart,* konkretisiert sich hier als ἐσθίειν μετά – συνεσθίειν[10].

2. Lk 15 besteht aus einer redaktionellen Einleitung (15, 1.2) und drei angehängten Gleichnissen (vom verlorenen Schaf: 15, 3–7; von der verlorenen Drachme: 15, 8–10; vom verlorenen Sohn: 15, 11–32): ein für Lk zusammengehöriges Ganzes, in dem es wieder um das Verhalten Jesu und seine dieses Verhalten rechtfertigende Rede geht. Mit den drei Gleichnissen offenbart Jesus die Denkart Gottes gegenüber den „Verlorenen“. Der Anlaß für Jesu offenbarende Rede war nicht ein theologischer Disput über Gott, in den Jesus mit Gleichnissen eingegriffen hat, *sondern Jesu Verhalten gegen „Zöllner und Sünder“* (vgl. 15, 1) – jedenfalls so nach dem redaktionellen Willen des Lk. „Alle“ – so formuliert Lk bewußt übertreibend – „Zöllner und Sünder“ nahten sich Jesus, um ihn zu hören (15, 1)[11]. Damit erzählt Lk nichts Unhistorisches[12], das oben behandelte „Zöllnermahl“ Mk 2, 15–17 Parr. gehört anerkanntermaßen zu den ipsissima facta Jesu[13], die das für Jesus von Nazareth bezeichnende und typische Verhalten kennzeichnen[14]. Diese wiederholten demonstrativen Mahlzeiten Jesu mit den „Zöllnern und Sündern“ erregen immer wieder die Gemüter der „Pharisäer und Schriftgelehrten“ (15, 2), sie „murren“ darüber[15]. Sie äußeren laut ver-

---

[10] Eine formgeschichtliche Analyse der Perikope Mk 2, 15–17 mag feststellen, daß die antwortende Performanz Jesu aus ursprünglich anderen Zusammenhängen seines Wirkens stammt oder nachösterliche „Gemeindebildung“ ist. Dabei darf jedoch nicht übersehen werden, daß wir in der Perikope zunächst eine ganzheitliche Erzählung vor uns haben, in der das Sprechen Jesu als „kommunikatives Handeln“ verstanden ist. Die Abfolge in ihr verläuft konsequent so: Verhalten (Jesu) – Handeln – partnerbezogenes Handeln – Sprechen. Vgl. dazu *Kallmeyer u. a.,* Lektürekolleg zur Textlinguistik. Bd. 1: Einführung (Frankfurt 1974) 15f. Solche Einblicke linguistischer Art führen im Verständnis einer Perikope viel weiter als bloße formgeschichtliche Analysen. Sie führen zur ipsissima intentio Jesu. Zur „Erzählung“ im NT vgl. auch *G. Lohfink,* Erzählung als Theologie. Zur sprachlichen Grundstruktur der Evangelien, in: StdZ 99 (1974) 521–532. Zur wichtigen, vielfach nicht beachteten Unterscheidung von „Erzählung“ und „Bericht“ vgl. *ders.,* Jetzt verstehe ich die Bibel. Ein Sachbuch zur Formkritik (Stuttgart ²1974) 70–120.

[11] Die periphrastische Konstruktion ἦσαν … αὐτῷ ἐγγίζοντες hat entweder den Sinn: ständig, immer wieder nahten sich Zöllner und Sünder Jesus, oder: es nahten sich gerade Zöllner und Sünder.

[12] Vgl. auch *E. Linnemann,* Gleichnisse Jesu. Einführung und Auslegung (Göttingen 1961) 75f.

[13] Darin sind sich die Kommentatoren einig.

[14] Zu den Kriterien, die für Jesus typisches Verhalten, historisch-kritisch gesehen, erkennen lassen, vgl. *F. Mußner* (und Mitarbeiter), Methodologie der Frage nach dem historischen Jesus, in: K. Kertelge (Hrsg.), Rückfrage nach Jesus (Quaest.disp.63) (Freiburg i. Br./Basel/Wien 1974) 118–147 (127f).

[15] Auch ein typisches Verhalten; vgl. auch Lk 19, 7; Mt 20, 11. Das Thema „murren“ hat seine Vorgeschichte und besagt häufig Kritik an Gott; vgl. dazu *G. W. Coats,* Rebellion

nehmbar ihre Kritik an Jesus mit den Worten: „Dieser nimmt Sünder an *und ißt (sogar)*[16] *mit ihnen zusammen*" (Lk 15,2b). Der besondere Grund ihres Ärgernisses an Jesus ist also vor allem das συνεσθίειν Jesu mit Zöllnern und Sündern.

Jesus rechtfertigt dieses „zusammen essen" mit den folgenden drei Gleichnissen, mit denen er zeigt, wie Gott über die Verlorenen denkt: daß er sie keineswegs vom Heil ausschließt, wenn sie umkehren. So ist Gott, und nicht so, wie ihr meint! Er hält zusammen mit den heimkehrenden Verlorenen ein Festmahl! Jesus weist die Kritik seiner Gegner mit Gegenkritik an ihrer Gottesauffassung zurück; er tut das in der „Theorie" (Gleichnisse), aber vorgängig durch sein nicht zu übersehendes *Verhalten*[17], indem er mit Zöllnern und Sündern „zusammen ißt". In diesem „zusammen essen" mit Zöllnern und Sündern offenbart Jesus den universalen Heilswillen Gottes, *seine Gnade.* Diese offenbart sich hier als συνεσθίειν, und die Stunde dafür bricht mit Jesus an. „Jesus sagt an, was die Stunde geschlagen hat und möchte seine Zuhörer bewegen, ihm in dieser Zeitbestimmung recht zu geben. Werden sie mit ihm ins Einverständnis gelangen und erkennen, daß *jetzt die Zeit* ist, *in der das Verlorene heimfindet?* Werden sie in die Freude dieses Wiederfindens einstimmen und nicht länger gegen Jesu Tafelrunde protestieren, in der er das Fest der Heimkehr feiert als den Anfang der größten Werke Gottes, als ‚Vorfeier der Gottesherrschaft'?" (E. Linnemann)[18].

III. Paulus (Galaterbrief)

συνεσθίειν ist auch der Anlaß, der nach Gal 2,11 ff zu dem berühmt-berüchtigten Zusammenstoß zwischen Petrus und Paulus in Antiochien in Syrien geführt hat. Petrus hat das „Zusammenessen" mit den Heidenchristen in der antiochenischen Christengemeinde ohne weiteres geübt, bis „einige von Jakobus" aus Jerusalem kamen und ihm diese Übung schwer übelnahmen. Es ist hier nicht der Ort, die ganzen Probleme, die mit Gal 2,11 ff zusammenhängen, vorzulegen und zu be-

in the Wilderness. The Murmering Motif in the Wilderness Traditions of the Old Testament (New York 1968); *E. L. Dietrich,* Die rabbinische Kritik an Gott, in: ZRG 7 (1955) 193–224.

[16] Steigerndes καί.

[17] Das Verhalten geht wieder in Sprechen über (vgl. dazu oben Anm. 10).

[18] Gleichnisse Jesu (s. Anm. 12), 86f.

sprechen[19]; wir konzentrieren uns im Zusammenhang unseres Beitrags in dieser Festschrift auf die Frage, warum Paulus gerade für das συνεσθίειν in Antiochien kämpfte. Die Antwort ergibt sich aus der „Rede“, die der Apostel nach Gal 2, 14b–21 an Petrus gehalten hat und in der er seine auf dem Sola fide- und Sola gratia-Prinzip beruhende Rechtfertigungslehre darlegt. Und nur wenn der Zusammenhang des συνεσθίειν von V. 12 mit dieser „Rede“ beachtet wird, kann die sachgemäße Antwort auf unsere obige Frage gefunden werden. In dem συνεσθίειν kommt nämlich die Überzeugung zur Geltung (vgl. das εἰδότες zu Beginn des V. 16), daß wir „aus Glauben an Christus und nicht aus Werken des Gesetzes *gerechtfertigt werden*“ (V. 16). Das συνεσθίειν hängt also mit der Rechtfertigung zusammen! Diese theologische Überzeugung manifestierte sich konkret darin, daß Petrus in der antiochenischen, aus Juden- und Heidenchristen zusammengesetzten Gemeinde zunächst ohne weiteres, obwohl er von Haus aus ein Jude war (V. 14: σὺ Ἰουδαῖος ὑπάρχων), das συνεσθίειν, die Tischgemeinschaft mit den Heidenchristen in der Gemeinde geübt hat. Er gab damit selbst zum Ausdruck, daß nach seiner Überzeugung das Heil nicht mehr von den Werken des Gesetzes kommt (etwa von den gesetzlichen Speiseregeln des Judentums, die für den frommen Juden bis heute von größter Bedeutung sind)[20], sondern allein „aus dem Glauben an Christus“, in dessen Sterben „für uns“ (vgl. Gal 3, 13: ὑπὲρ ἡμῶν) der universale Heils- und Rettungswille Gottes, also seine Gnade, für die Welt sichtbar wurden. Diese Manifestation der Gnade Gottes im Kreuz Jesu und die theologische Überzeugung von ihrer heilsuniversalen Geltung wurden durch den heuchlerischen Rückzug des Petrus von der zuvor geübten Tischgemeinschaft in Zweifel gestellt. Und deshalb war in *dieser* Situation das Aufgeben der Tischgemeinschaft, des συνεσθίειν, zugleich ein Verrat an der heilbringenden Rechtfertigungsgnade Gottes, die sich im Kreuz Jesu geoffenbart hatte. Im συνεσθίειν zeigte sich für Paulus ganz konkret das Wesen des Christentums, das auf dem Sola fide- und Sola gratia-Prinzip beruht.

[19] S. dazu meinen Kommentar zum Galaterbrief, 132–187 (mit Exkurs über die aufschlußreiche Auslegungsgeschichte von Gal 2, 11–14).
[20] Vgl. dazu das Material in meinem Galaterkommentar, 140.

IV. Apostelgeschichte („Die Bekehrung des Petrus")

Petrus war schon früher, so weiß die Apg zu erzählen, in das συνεσθίειν verstrickt. Als er nämlich von seiner Reise, die ihn nach Lydda, Joppe und Cäsarea ins Haus des heidnischen Centurio Kornelius geführt hatte, nach Jerusalem zurückkehrte, „stritten die aus der Beschneidung mit ihm und sagten: ‚Du bist bei unbeschnittenen Leuten eingekehrt *und hast sogar mit ihnen gegessen*' (καὶ[21] συνέφαγες αὐτοῖς)" (11,3). Auch hier ist συνεσθίειν das „Basiswort" des ganzen Großabschnittes 9,32 – 11,18, den man überschreiben kann: Die Bekehrung des Petrus[22], die ebenso wie jene des Paulus auf einer Reise erfolgt[23]. Diese Bekehrung bestand konkret, so jedenfalls nach der Erzählung der Apg, in der Bekehrung eines Mannes, der sagt: „Niemals habe ich etwas Gemeines und Unreines gegessen (ἔφαγον)" (Apg 10,14), zu einem Mann, der nun zusammen mit Heiden ißt; also eine Bekehrung zum συνεσθίειν. In diesem „Zusammenessen" kommt nach dem Kontext der universale Heilswille Gottes, seine alle Menschen ohne Ausnahme umfassende Heilsgnade, zur Geltung. Der entscheidende Akteur ist dabei ja Gott selbst (ὁ θεός: 10,15.28.35; 11,9.17.18) und die Adressaten seiner Heilszuwendung sind „alle", nicht bloß die Juden (und Judenchristen), sondern alle Völker, „ jeder, der an ihn (Jesus Christus) glaubt" (10,43; vgl. auch 11,17). Petrus selbst wird zum Sprecher des universalen Heilswillens Gottes: Gott ist kein προσωπολήμπτης (10,34), sondern „in *jedem* Volk" ist ihm der angenehm, der ihn fürchtet (10,35)[24]; Jesus ist „der Herr *aller*"(10,36), wie er sich schon in seinem vorösterlichen Wirken „aller" angenommen hat, die vom Teufel bedrückt waren (10,38). Gott schenkt allen, ob Juden oder Heiden, „dieselbe Gabe", nämlich das Pneuma, wenn

---

[21] Wieder ein steigerndes καί.

[22] Vgl. dazu den Bericht von *P.-G. Müller* über das von mir im SS 1973 veranstaltete Hauptseminar in der Herder-Korrespondenz 28 (1974) 372–375.

[23] Vgl. dazu auch *Fl. V. Filson,* The Journey Motif in Luke-Acts, in: Apostolic History and the Gospel (Festschr. f. F. F. Bruce) (Oxford 1970) 68–77.

[24] *E. Haenchen* bemerkt zu dem Satz der Petruspredigt, daß Gott kein προσωπολήμπτης ist: „Der Leser übersieht leicht, wie revolutionär dieses Wort ist, das Lukas hier dem Petrus in den Mund gelegt hat. Denn hier wird ja das einzigartige Vorrecht bestritten, der Anspruch der Juden darauf, das auserwählte Volk zu sein. Gott wäre wie ein voreingenommener Richter, wollte er Israel ein solches Vorrecht einräumen. Damit kommt die Überzeugung in Sicht, die nun, gegen Ende des 1. Jahrhunderts, im Heidenchristentum Wurzel geschlagen hat. Nur weil Lukas die Tragweite dieser Erkenntnis hier lediglich für die Heidentaufe sichtbar macht, fällt diese Absage an das Vorrecht Israels nicht auf. Tatsächlich aber ist hier ein Bruch von sehr großer Tiefe entstanden" (Judentum und Christentum in der Apostelgeschichte, in: *E. Haenchen,* Die Bibel und Wir. Gesammelte Aufsätze II [Tübingen 1968] 353). Das συνεσθίειν bereitet diesen „Bruch" schon vor!

sie an den Herrn Jesus Christus glauben (11,17): das hat sich im Haus des Kornelius paradigmatisch gezeigt (vgl. 10,44f; die Formulierung ἐπὶ τὰ ἔθνη in V. 45 „ist bewußt generell formuliert": H. Conzelmann)[25]. Auf dem „Apostelkonzil" vertritt dann Petrus entschieden die Einsichten, die ihm seine „Bekehrung" eingebracht hat, und er vertritt dabei – jedenfalls so nach Lk – die paulinische Rechtfertigungslehre sola fide et sola gratia: „Gott, der Herzenskenner, hat für sie (die Heiden) Zeugnis abgelegt, indem er ihnen den heiligen Geist gab wie auch uns (Anspielung auf die Korneliusgeschichte); und er hat keinen Unterschied zwischen ihnen und uns gemacht, da er *durch den Glauben* ihre Herzen rein macht. Nun also, was versucht ihr Gott dadurch, daß ihr ein Joch auf den Nacken der Jünger legen wollt, das weder unsere Väter noch wir zu tragen vermochten? Vielmehr glauben wir, *durch die Gnade des Herrn Jesus gerettet zu werden,* ebenso wie jene" (15,8–11). Mögen die Erzählungen in der Apg über diese Vorgänge auch stark auf das Konto ihres Verfassers gehen[26], eines scheint durch die Selbstaussage des Paulus im Galaterbrief sicher zu sein: Der Kampf um „die Wahrheit des Evangeliums" (Gal 2,5.14) hing ganz konkret mit dem συνεσθίειν zusammen. Das συνεσθίειν war die sichtbare Manifestation der Überzeugung, daß Gottes rechtfertigende Gnade durch Christus *allen* zuteil wurde und wird, seien es Juden, seien es Heiden.

V. Der größere Heilszusammenhang

συνεσθίειν als konkret-sichtbares Zeichen für das universale Gnadenprogramm Gottes muß subsumiert werden unter das größere Zeichen, mit dem die Bibel Alten und Neuen Testaments das eschatologische Heil verkündet: unter das Zeichen des „Mahles". Wir müssen uns dabei auf das Notwendigste beschränken. Die Idee des „heiligen Mahles" spielte im Glauben der Völker schon immer eine große Rolle[27]. Im

---

[25] Die Apostelgeschichte (Tübingen ²1972) 73.

[26] Vgl. zu den historischen Problemen des „Apostelkonzils" *F. Mußner,* Der Galaterbrief, 127–132 (Gal 2,10 und Apg 15 [„Apostelkonzil"]; mit Literatur); *T. Holtz,* Die Bedeutung des Apostelkonzils für Paulus, in: NT 16 (1974) 110–148. Jedenfalls zeigt sich, daß Lk die mit dem Stichwort συνεσθίειν gegebene Problematik, die im Galaterbrief eine so wichtige Rolle spielt, durchaus kannte, wie die Apg beweist. Im NT haben nur Paulus und Lukas das Kompositum συνεσθίειν: auch eine interessante, kaum beachtete Gemeinsamkeit von Paulus und Lukas!

[27] Vgl. dazu *E. Bammel,* Das heilige Mahl im Glauben der Völker. Eine religionsphänomenologische Untersuchung (Gütersloh 1950) (mit reichem Material); *F. Nötscher,* Sa-

Alten Testament gehört „Mahl" zum eschatologischen Bilderkreis; vgl. Jes 34,6ff; Jer 46,10; Zeph 1,7, besonders aber Jes 25,6: „Das Mahl von Fettspeisen und Hefeweinen, das Jahwe auf dem Berg Zion *für alle Völker* bereitet"; hier ist der eschatologische Heilsuniversalimus schon deutlich genug angesprochen[28]. Für das Frühjudentum vgl. äthHen 62,14: „Der Herr der Geister wird über ihnen wohnen, und mit jenem Menschensohn werden sie essen und sich niederlegen und aufstehen (vom Tisch) in alle Ewigkeit"; slHen 42,5: „Beim letzten Kommen wird er herausführen Adam mit den Vorvätern und wird sie hierherführen (in den Garten Eden), daß sie sich freuen, wie ein Mensch seinen Geliebten herbeiruft, um mit ihm Mahl zu halten, und jene (sind) gekommen (und) reden vor dem Palast jenes Mannes, mit Freuden erwartend sein Mahl, das Genießen des Guten und des Unermeßbaren, und Freude und Fröhlichkeit im Licht und in ewigem Leben"; MidrEst 1,4; „für das Mahl unseres Gottes, das er in Zukunft den Gerechten bereiten wird, gibt es kein Ende"[29]. In der Joh-Apk ist die eschatologische Mahlverheißung aufgenommen; vgl. 3,20; 19,9: „Selig, die zum Hochzeitsmahl des Lammes berufen sind".[30] „Selig, wer Brot essen darf in der Königsherrschaft Gottes" (Lk 14,15).

Dieses letzte Zitat führt uns wieder zurück in das Leben Jesu. Jesu Gottes universale Heilsgnade offenbarendes συνεσθίειν mit „Zöllnern und Sündern" kommt auch noch in anderem Überlieferungsmaterial zur Geltung als in dem unter II. aufgeführten; gerade auch wieder im Lk-Evangelium. Hier ist vor allem das Gleichnis vom großen Gastmahl zu nennen (Lk 14,15–24)[31]. D. O. Via bemerkt in seinem Gleich-

krale Mahlzeiten vor Qumran, in: *ders.*, Vom Alten zum Neuen Testament (BBB 17) (Bonn 1962) 83–111.

[28] Die Erwartung eines eschatologischen Mahls hängt im AT mit jener der eschatologischen Völkerwallfahrt zusammen; vgl. dazu *D. Zeller*, Das Logion Mt 8,11f/Lk 13,28f und das Motiv der „Völkerwallfahrt", in: BZ, NF 15 (1971) 222–237; 16 (1972) 84–93.

[29] Weiteres Material s. bei *Billerbeck*, Kommentar zum NT aus Talmud und Midrasch I, 878f; IV, 1154f. Für Qumran vgl. *J. Gnilka*, Das Gemeinschaftsmahl der Essener, in: BZ, NF 5 (1961) 39–55; *M. Delcor*, Repas cultuels esséniens et thérapeutes, thiases et ḥaburoth, in: RevQumran 6 (1968) 401–425.

[30] Vgl. auch noch *J. Jeremias*, Jesus als Weltvollender (Gütersloh 1930) 46–53; 74–79.

[31] Vgl. dazu außer den Monographien über die Gleichnisse Jesu noch *E. Linnemann*, Überlegungen zur Parabel vom großen Abendmahl. Lc 14,15–24/Mt 22,1–14, in: ZNW 50 (1960) 246–255; *W. Trilling*, Zur Überlieferungsgeschichte des Gleichnisses vom Hochzeitsmahl Mt 22,1–14; in: BZ, NF 4 (1960) 251–265; *H. de Mecûs*, Composition de Lc.XIV et genre symposiaque, in: EphThLov 37 (1961) 847–870; *O. Glombitza*, Das große Abendmahl. Luk. XIV,12–24, in: NT 5 (1962) 10–16; *V. Hasler*, Die königliche Hochzeit Matth. 22,1–14, in: ThZ 18 (1962) 25–35; *E. Haenchen*, Das Gleichnis vom großen Mahl, in: *ders.*, Die Bibel und Wir. Gesammelte Aufsätze II (Tübingen 1968) 135–155; *F. Hahn*, Das Gleichnis von der Einladung zum Festmahl, in: Verborum Veritas (Festschr. f. G. Stählin) (Wuppertal 1970) 51–82; *A. Vögtle*, Die Einladung zum gro-

nisbuch[32]: „Die sachgemäße Interpretation der Gleichnisse ist eine, die in einer ganz besonderen Weise Jesu eschatologische Botschaft und den Konflikt seines Auftretens bedenkt, und der in den Gleichnissen gefundene Sinn muß mit Jesu nicht-gleichnishafter Verkündigung übereinstimmen“; wir möchten noch ergänzen: mit seinem für ihn bezeichnenden und typischen Handeln. Dies zeigt sich exemplarisch im Gleichnis vom großen Gastmahl in seiner lukanischen Form, besonders im V. 21b: „Geh schnell hinaus auf die Straßen und Gassen der Stadt und führe die Armen und Krüppel und Blinden und Lahmen hier herein.“ Dieser Befehl des Mahlherrn im Gleichnis muß zusammengesehen werden mit Jesu Wort an seinen Gastgeber in Lk 14,13: „Wenn du ein Gastmahl gibst, lade Arme, Krüppel, Lahme und Blinde ein!“ Nach 2 Sam 5,8 LXX haben Blinde und Lahme keinen Zutritt zum Tempel. Nach 1 QSa II,5ff sind Lahme, Hinkende, Blinde, Taube, Stumme und Aussätzige von der Gemeindeversammlung ausgeschlossen[33]. „Erst auf diesem Hintergrund bekommt Jesu Wort seine volle Bedeutung: Die Menschen, die aus Tempel und Gottesgemeinde ausgeschlossen sind, erfahren durch Jesus Hilfe und Heilung; sie einzuladen rät er dem Gastgeber“ (W. Grundmann)[34]. Sowohl im Wort Jesu Lk 14,13 als auch im Gleichnis geht es um die Einladung zu einem *Mahl*, das heißt mit anderen Worten: zum συνεσθίειν. Und schließlich: Jesu Todeshingabe für die Sünder bekommt seine authentische Interpretation durch ihn selbst in den Deuteworten des eucharistischen Mahles[35]. Und Jesu kommendes βασιλεία-Mahl (vgl. den

---

ßen Gastmahl und zum königlichen Hochzeitsmahl. Ein Paradigma für den Wandel des geschichtlichen Verständnishorizonts, in: *ders.*, Das Evangelium und die Evangelien. Beiträge zur Evangelienforschung (Düsseldorf 1971) 171–218. Die ältere Fassung des Gleichnisses liegt bei Lk vor. „Der im Matthäusevangelium überlieferte Text ist eine Neufassung, welche die Parabel in eine neue Situation überträgt ... die ursprüngliche Fassung der Parabel hat ... ihren historischen Ort in der Auseinandersetzung Jesu mit den Pharisäern wegen seiner Ansage der Gottesherrschaft. ‚Selig, wer (dermaleinst) das Brot in der Gottesherrschaft ißt‘, sagt der Pharisäer. ‚Wer sich *jetzt* nicht dazu einfinden will, der wird es dermaleinst nicht zu schmecken bekommen‘, antwortet Jesus“ (*Linnemann*, a.a.O. 254f).

[32] Die Gleichnisse Jesu (deutsch München 1970) 28.

[33] Zur Stellung der Aussätzigen in der religiösen Volksgemeinde Israels s. das Material bei *F. Mußner*, Die Wunder Jesu. Eine Hinführung (München 1967) 36–39.

[34] Das Evangelium nach Lukas (Berlin o. J.) 295.

[35] Zum Problem der Historizität, besser: der Authentizität der Deuteworte vgl. *H. Schürmann*, Jesu Abendmahlsworte im Lichte seiner Abendmahlshandlung, in: Conc 4 (1968) 771–776; *ders.*, Die Symbolhandlungen Jesu als eschatologische Erfüllungszeichen. Eine Rückfrage nach dem historischen Jesus, in: BibuLeb 11 (1970) 29–41; 73–78; *ders.*, Das Weiterleben der Sache Jesu im nachösterlichen Herrenmahl, in: BZ, NF 16 (1972) 1–23; *ders.*, Wie hat Jesus seinen Tod bestanden und verstanden? Eine methodenkriti-

„eschatologischen Ausblick“ in Mk 14,25 Parr.) wird ein συνεσθίειν mit den geretteten Sündern der Welt sein, wenn auch in der historischen Situation des „letzten Abendmahles“ von Jesus zunächst adressiert an die Apostel.

VI. „Vorbehalte“

Wenn sich im συνεσθίειν das Wesen des Christentums zeigt, dann könnte daraus zunächst ein falscher Schluß gezogen werden, nämlich der: Ihr Christen, setzt euch nur frisch-fröhlich mit allen, wer sie auch seien, an einen Tisch, und alles übrige wird sich dann schon von selber ergeben. Also: Hinter dem Satz „Das Wesen des Christentums ist συνεσθίειν“ verberge sich ein „Allerweltsverständnischristentum“. So ist der Satz nicht gemeint, und zwar vom Neuen Testament her nicht. Paulus, der für das συνεσθίειν zwischen Juden- und Heidenchristen leidenschaftlich gekämpft hat, weil er darin eine Manifestation der Glaubensüberzeugung sah, „daß wir aus Glauben an Christus und nicht aus Werken des Gesetzes gerechtfertigt werden“ (Gal 2,16), warnt ebenso entschieden vor einem verkehrten συνεσθίειν, nämlich in 1 Kor 5,11: „In Wirklichkeit habe ich euch geschrieben, nicht zu verkehren, wenn ein sogenannter Bruder ein Unzüchtiger oder Habgieriger oder Götzendiener oder Lästerer oder Trunkenbold oder Räuber ist[36] – mit einem solchen nicht einmal *zusammen zu essen* (συνεσθίειν)“. „Die Forderung, die Tischgemeinschaft aufzuheben, ist allgemein. Sie ist nicht auf die Gemeindemahlzeiten zu beschränken (mit Kümmel).“[37] Diese Forderung klingt hart. Ist sie nicht eine Revozierung dessen, was Jesus in seinem ostentativen, „skandalösen“ συνεσθίειν mit „Zöllnern und Sündern“ als universalen Gnadenwillen Gottes geoffenbart hat? Wir glauben nicht. Denn Jesu συνεσθίειν ist nicht wegzudenken von seiner μετάνοια-Forderung. In Lk 15,1 wird bemerkt, daß „alle Zöllner und Sünder“ sich Jesus nahten, ἀκούειν αὐτοῦ, das heißt sie kommen nicht „irgendwie“ interessiert zu ihm, sondern heilsbegierig[38]. In den anschließenden drei Gleichnissen ist die „Umkehr“ des verirrten und zunächst verlorenen Sünders ausdrückliches Thema (vgl. 15,7: „über einen Sünder, der umkehrt“; 15,10:

sche Besinnung, in: P. Hoffmann (Hrsg.), Orientierung an Jesus (s. Anm.9), 325–363; *ders.*, Jesu ureigener Tod (Freiburg/Basel/Wien 1975) passim.

[36] Zu diesem in Substantiven vorgelegten „Lasterkatalog“ vgl. Näheres bei *H. Conzelmann*, Der erste Brief an die Korinther (Göttingen [2]1981) 123.

[37] Ebd.

[38] Vgl. auch *J. Schmid*, Das Evangelium des Lukas (Regensburg [3]1955) 250.

„über einen Sünder, der umgekehrt“; 15,23 ff: das Freudenmahl wird vom Vater veranstaltet, weil der jüngere, „verlorene“ Sohn zu ihm heimgekehrt ist). Nach Lk 18,9–14 (Gleichnis vom Pharisäer und Zöllner) geht der Zöllner deswegen „gerechtfertigt“ vom Tempel nach Hause, weil er in seinem Gebet die Umkehr vor Gott geübt hat (18,13). Nach Mt 21,23 f sagt Jesus zu seinen Kritikern, die ihn nach 11,19 als „den Freund der Zöllner und Sünder“ beschimpft hatten: „Wahrlich, ich sage euch, daß die Zöllner und die Huren vor euch einziehen in das Reich Gottes. Denn es kam Johannes zu euch auf dem Weg der Gerechtigkeit, und ihr glaubtet ihm nicht. Die Zöllner und Huren glaubten ihm“, das heißt sie kehrten auf seine Predigt hin um (vgl. 3,6). Der Mt-Evangelist hat zu dem Gleichnis vom königlichen Hochzeitsmahl (Mt 22,1–10) ein ursprünglich selbständiges Gleichnis hinzukombiniert: das Gleichnis vom Gast ohne Feiergewand (Mt 22,11–14). Warum tut das Mt? „Offensichtlich soll einem Mißverständnis gewehrt werden, das durch die wahllose Einladung der Ungeladenen ... entstehen konnte, nämlich als ob es auf das Verhalten der Menschen, die gerufen werden, überhaupt nicht ankomme ... die Umkehr als die Voraussetzung für das Bestehen vor Gott“ wird mit dem angehängten Gleichnis der christlichen Gemeinde eingeschärft[39]. Zum eschatologischen συνεσθίειν mit Gott gehört der Vollzug der Umkehr während des irdischen Lebens. Auch Jesu συνεσθίειν mit „Zöllnern und Sündern“ setzt entweder die μετάνοια schon voraus oder zieht sie nach sich. Diese Mahlzeiten waren keine unverbindlichen Coctailparties.

Dennoch könnte die Mahnung des Paulus in 1 Kor 5,11 die christliche Gemeinde zur Selbstgerechtigkeit und zu einem exklusiven Bewußtsein verführen, wenn sie verabsolutiert wird; die Kirche würde dann aufhören, ein „offenes System“ zu sein, was sie ihrem Wesen nach sein muß[40]. Das führt zu unseren Schlußüberlegungen.

[39] Vgl. *J. Jeremias,* Die Gleichnisse Jesu (Göttingen 71965) 62f.

[40] Vgl. *H. Schürmann,* Kirche als offenes System, in: Internat. Kath. Zeitschr. ((1972) 306–323. Nach dem NT selbst gibt es in der nachösterlichen Gemeinde zweifellos eine gewisse Tendenz, in der Kirche ein exklusives Gemeindebewußtsein zu entwickeln; es sei nur an das Johannesevangelium erinnert mit seinem scharfen Dualismus: κόσμος – Gemeinde Jesu. Dieser Vorgang war aufgrund der Erfahrungen der Urkirche bei dem engen Zusammenleben mit Juden und Heiden fast unvermeidlich, doch darf er nicht zu einem sektenhaften Selbstverständnis der Kirche führen und verführen.

VII. Impulse

1. Für die Dogmatik der Gnadenlehre

Wir müssen uns im folgenden kurz fassen. In einem Beitrag „Die neutestamentliche Gnadentheologie in Grundzügen"[41] habe ich davor gewarnt, bei der Behandlung der „Gnadenlehre" vom „*Geschehnis*charakter der Gnade abzusehen und die Gnadenlehre innerhalb eines ungeschichtlich-metaphysischen ‚Systems' zu entwickeln und darzustellen ... Die ‚Gnadenlehre' muß vielmehr von dem ausgehen, was sich im Horizont der biblischen Heilsgeschichte als Gnadengeschehen, das heißt als eschatologisches Heilshandeln Gottes zeigt."[42] Ein wichtiger, vielfach übersehener Aspekt an diesem eschatologischen Gnadengeschehen, von dem das Neue Testament zu erzählen weiß, ist das συνεσθίειν, das im Neuen Testament, wie wir oben zu zeigen versuchten, zu den „Urwörtern" der Gnade gehört.

2. Für die Pastoral

Heute wird darüber gestritten, ob die Kirche der Zukunft noch „Volkskirche" oder nur „Gemeindekirche" sein wird. Vieles scheint dafür zu sprechen, daß die Kirche der Zukunft der pusillus grex von Entschiedenen sein wird. Dennoch darf darüber nicht vergessen werden, daß die Kirche auch in der Zukunft und gerade in der Zukunft ein „offenes System" bleiben muß, wenn sie ihre Heilsaufgabe an der Welt erfüllen und nicht ein sektiererisches Selbstverständnis entwickeln will. Die „Sekte" lebt von der Idee, allein die wahre und reine Gemeinde zu sein[43]. Jesus aber hat es abgelehnt, die „reine Gemeinde", den „heiligen Rest" in der Welt zu sammeln; das geht aus den Gleichnissen vom Unkraut im Weizen (Mt 13,24–30) und vom Fischnetz (Mt 13,47 f) klar hervor[44]. Die Gemeinde Jesu ist eine Gemeinschaft von „Zöllnern und Sündern", von der er freilich auch erwartet: „Seid vollkommen, wie

---

[41] Mysterium Salutis. Grundriß heilsgeschichtlicher Dogmatik IV/2 (Einsiedeln/Zürich/Köln 1973) 611–628.

[42] Ebd. 626. Ihren Grund hat diese Warnung in der frustrierenden Erfahrung der Studienzeit, als ich zum ersten Mal den Traktat „De gratia" hörte. Erfreulicherweise hat *M. Löhrer* diese „Warnung" und Anregung sofort aufgenommen (vgl. dazu ebd. 767 f).

[43] Vgl. dazu das immer noch aktuelle Buch von *K. Hutten,* Die Glaubenswelt des Sektierers (Hamburg 1957).

[44] Vgl. dazu *F. Mußner,* Die Botschaft der Gleichnisse Jesu (München ²1964) 33–37; *J. Jeremias,* Der Gedanke des „Heiligen Restes" im Spätjudentum und in der Verkündigung Jesu, in: *ders.,* ABBA. Studien zur ntl. Theologie und Zeitgeschichte (Göttingen 1966) 121–132.

euer Vater im Himmel vollkommen ist" (Mt 5,48), und an die er die Umkehr-Forderung richtet. Aber wenn Jesus zum Verdruß der „Musterfrommen" in Israel das συνεσθίειν mit „Zöllnern und Sündern" geübt hat, so enthält diese Übung zweifellos ein pastoraltheologisches Programm. Das Verhalten Jesu zeigt, daß es für Gott keine „Erledigten" gibt. Vor Gott haben alle jederzeit „eine letzte Chance". Und wenn Gott auch alle in den Ungehorsam zusammengeschlossen hat, dann zu dem Zweck, „damit er sich aller erbarme" (Röm 11,32). Insofern wird auch eine kommende „Gemeindekirche" stets zur „Volkskirche" hinneigen müssen, in der Sünder und Heilige beisammen sind, zum Ärgernis für viele. Die Kirche muß „offenes System" bleiben, soll das συνεσθίειν Jesu mit „Zöllnern und Sündern" die auch für heute noch gültige Norm des pastoralen Handelns bleiben.

3. Für die ökumenische Arbeit

Der Begriff συνεσθίειν als ein ntl. „Wort der Gnade" läßt in ökumenischer Hinsicht unwillkürlich den Gedanken an die „Interkommunion" aufkommen. Doch muß klar gesehen werden, daß das ntl. συνεσθίειν Jesu mit Zöllnern und Sündern und auch das ntl. συνεσθίειν zwischen Juden- und Heidenchristen zunächst nichts mit dem zu tun haben, was wir heute „Interkommunion" nennen[45]. Es ging bei dem ntl. συνεσθίειν um die Annahme der Sünder, um die Offenbarung des universalen Heilswillens Gottes, seiner Gnade für alle, beziehungsweise um das Agapenmahl. Gemeinsame Eucharistiefeiern zwischen Juden- und Heidenchristen in Antiochien in Syrien wären auch von den „Jakobusleuten" ohne weiteres hingenommen worden, nicht aber das gemeinsame Essen beim Agapenmahl oder anläßlich persönlicher Einladungen von Judenchristen in heidenchristliche Familien[46], weil es hier um das Problem der „reinen" und „unreinen" Speisen ging. Dennoch könnten von dem ntl. „Gnadenwort" συνεσθίειν auch Anstöße für die ökumenische Arbeit unserer Zeit ausgehen. Hinter dem συνεσθίειν Jesu mit Zöllnern und Sündern steht ja nichts anderes als das, was Paulus in Röm 11,32 das Erbarmen Gottes über alle nennt. Wir sind der Meinung, daß für eine Una Sancta schon viel gewonnen wäre, wenn alle christlichen Kirchen und Denominationen sich zu dem einen Bekenntnis zusammenfinden würden: „Wir alle sind arme Sünder, die

[45] Vgl. dazu auch *F. Mußner,* Interkommunion im Licht des 1. Korintherbriefes, in: Das Evangelium auf dem Wege zum Menschen. Zur Vermittlung und zum Vollzug des Glaubens (Festschr. f. H. Kahlefeld) (Frankfurt a.M. 1973) 55–62.
[46] Vgl. dazu *F. Mußner,* Der Galaterbrief (s. Anm. 1) 138.

auf das Erbarmen Gottes angewiesen sind." Unsere kirchliche Vergangenheit zeigt, so müßten sie weiter sprechen – und Gott sei Dank geschieht das bereits vielfach –, daß wir auch in unseren gegenseitigen Beziehungen und Auseinandersetzungen vielfach als Sünder befunden worden sind. Solange nur die geringste Selbstgerechtigkeit in der ökumenischen Arbeit herrscht, kommt sie nicht voran, wie die Erfahrung zeigt. Von diesem gemeinsamen Bekenntnis: „Wir alle sind Sünder, die dennoch von Gott zum gemeinsamen Tisch geladen werden", könnte man sich theologisch vorarbeiten zur Aufarbeitung dessen, was uns einstweilen noch trennt, bis das συνεσθίειν in der gegenseitigen Liebe hinführt zum eucharistischen συνεσθίειν, dem Letztziel aller ökumenischen Arbeit. „Wo Agape als ekklesiale Realität ist, muß sie zur eucharistischen Agape werden. Darauf hat alles Bemühen abzuzielen" (J. Ratzinger).[47]. Insofern ist συνεσθίειν auch ein ökumenisches „Programmwort"[48].

---

[47] *J. Ratzinger,* Das Ende der Bannflüche von 1054. Folgen für Rom und die Ostkirchen, in: Internat. Kath. Zeitschr. 4 (1974) 289–303 (303). Die „una Eucharistiae celebratio" ist auch nach dem Willen des Vaticanum II das eigentliche Ziel der „Wiedervereinigung" der christlichen Kirchen (vgl. Ökumenismusdekret I,4). Diese „una Eucharistiae celebratio" ist selbstverständlich etwas anderes als „Interkommunion".

[48] Auf die Frage nach dem „Wesen" des Christentums wurden im Verlauf der Zeit sehr verschiedene Antworten gegeben. Vgl. dazu die interessante und instruktive Arbeit von *H. Wagenhammer,* Das Wesen des Christentums. Eine begriffsgeschichtliche Untersuchung (Tübinger Theol. Stud. 2) (Mainz 1973). – Zur Vertiefung unserer Ausführungen vgl. auch noch *H. U. von Balthasar,* Schauen, Glauben, Essen, in: SPONSA VERBI. Skizzen zur Theologie II (Einsiedeln 1961) 502–513; *W. Kern,* Christ sein heißt miteinander essen, in: GuL 49 (1976) 241–249; *H. Wagenhammer,* „Das Wesen des Christentums ist συνεσθίειν". Bemerkungen zu einem Programmwort, in: P. G. Müller/W. Stenger (Hrsg.), Kontinuität und Einheit (FS f. F. Mußner) (Freiburg i. Br./Basel/Wien 1981) 494–507.

Das Reich Christi

Bemerkungen zur Eschatologie des Corpus Paulinum

I. Die Rede vom Reich Christi

Nach Ostern wurde die Botschaft Jesu zur Botschaft über Jesus Christus, was aber nicht bedeutet, daß im urkirchlichen Bewußtsein das Reich Christi an die Stelle des Reiches Gottes getreten wäre. Doch stand die nachösterliche Rede vom Reich Christi in einem genetischen Zusammenhang mit der Reichsgottesbotschaft Jesu, insofern Jesus selbst sein vorösterliches Auftreten und Wirken in einen unlösbaren Zusammenhang mit dem von ihm angesagten Anbruch der eschat. Gottesherrschaft gebracht hatte: „Erfüllt ist die [Warte- und Verheißungs-]Zeit und nahegekommen die Herrschaft Gottes": So das erste Logion Jesu nach der Markus-Akoluthie (mag an ihm auch die Tradition mitgearbeitet haben). Das Reich Gottes ist deswegen unmittelbar nahegekommen, weil *er*, der Messias, da ist[1]. „Wenn *ich* mit dem Geist [Finger] Gottes die Dämonen austreibe, ist *folglich* bei euch das Reich Gottes angelangt" (Mt 12,28 = Lk 11,20 [Q]). „Nicht kommt das Reich Gottes unter Beobachtung, und nicht wird man sagen: Siehe, hier oder dort; denn siehe, das Reich Gottes ist mitten unter euch" (Lk 17,20b.21), nämlich in der Person Jesu[2]. Jesus repräsentiert in seiner Person das Reich Gottes. In der Apostelgeschichte heißt Jesus verkündigen zugleich vom Reich Gottes reden (vgl. Apg 8,12; 19,8;

[1] Vgl. Näheres bei *F. Mußner,* Gottesherrschaft und Sendung Jesu nach Mk 1,14f. Zugleich ein Beitrag über die innere Struktur des Markusevangeliums, in: *ders.,* Praesentia Salutis. Gesammelte Studien zu Fragen und Themen des Neuen Testamentes (Düsseldorf 1967) 81-98; *ders.,* Jesu Ansage der Nähe der eschatologischen Gottesherrschaft nach Markus 1,14.15. Ein Beitrag der modernen Sprachwissenschaft zur Exegese, in: J. Auer u.a. (Hrsg.), Gottesherrschaft-Weltherrschaft (FS R. Graber) (Regensburg 1980) 33-49 (mit Literatur). Bis jetzt hat noch niemand den Erweis erbracht, daß es sich bei dem Ruf Jesu in Mk 1,15 um ein ‚Summarium' (eine Zusammenfassung) seiner galiläischen Predigt handelt, auch wenn das immer wieder behauptet wird. Es handelt sich vielmehr nachweislich, von der ‚Gattung' her gesehen, um einen ‚Eröffnungsruf'. Damit sagen wir keineswegs, daß dieser Ruf als ganzer als ipsissima vox Jesu zu betrachten sei.

[2] Vgl. *F. Mußner,* „Wann kommt das Reich Gottes?" Die Antwort Jesu nach Lk 17,20b.21: BZ NF 6 (1962) 107-111 (mit weiterer Literatur). Die Bestreiter der Jesuanität der Antwort Jesu überzeugen erfahrungsgemäß mit ihren Argumenten nur sich selbst.

28,23b.31)[3]. Die Spannung von Gegenwart und Zukunft in der Reichsbotschaft Jesu[4] löst sich nachösterlich dahingehend, daß nun der auferweckte und erhöhte Christus die Gegenwart des Heils repräsentiert, während das Reich Gottes weithin der Zukunft vorbehalten bleibt. Damit war auch das Parusieproblem im Grunde so entschärft, daß ihre Verzögerung kaum zu Glaubenskrisen führte. Man wußte und proklamierte Jesus als den, der zum himmlischen Throngenossen Gottes und Kyrios eingesetzt ist, wobei vor allem der Ps 110 die sprachlichen Mittel lieferte[5]. Die Zeit des Reiches Christi war angebrochen; es währt von der Auferweckung und Erhöhung Jesu bis zu seiner Parusie am Ende der Tage.

Zwar begegnet die ausdrückliche Rede vom ‚Reich Christi' in den genuinen Paulusbriefen überhaupt nie. Erst in Eph 5,5 ist vom „Erbanteil im Reich Christi und Gottes" die Rede; hier wird anscheinend das Reich Christi mit dem Reich Gottes identifiziert (im Anschluß an schon geprägte Tradition?). Kol 1,13 verkündigt, daß uns Gott bereits „in das Reich des Sohnes seiner Liebe versetzt hat", nämlich bei der Taufe, bei der uns Gott „der Macht der Finsternis entrissen hat" (ebd.). Mit dieser Verkündigung „ist nicht gemeint, daß die Getauften in ein jenseitiges Lichtreich entrückt worden sind. Von einer schwärmerischen Vorwegnahme der Vollendung ist nicht die Rede. Sondern wie die Finsternis die Verlorenheit kennzeichnet, so charakterisiert das Licht die Christusherrschaft, die hier und jetzt Leben und Wandel der Getauften bestimmt."[6] In 2 Tim 4,1 beschwört der Verfasser den Adressaten „bei Gott und bei Christus Jesus, dem kommenden Richter der Lebenden und der Toten, bei seiner Epiphanie und bei seinem Reich": hier ist das „Reich" („die Herrschaft") eindeutig „Christus zu-

[3] Vgl. auch *O. Merk,* Das Reich Gottes in den lukanischen Schriften, in: E. Earle Ellis/E. Gräßer (Hrsg.), Jesus und Paulus (FS W. G. Kümmel) (Göttingen 1975) 201–220.

[4] Vgl. dazu etwa *W. G. Kümmel,* Die Eschatologie der Evangelien, in: *ders.,* Heilsgeschehen und Geschichte. Gesammelte Aufsätze 1933–1964 (Marburg 1965) 48–66; *ders.,* Futurische und präsentische Eschatologie im ältesten Urchristentum: ebd. 351–363; *R. Schnackenburg,* Gottes Herrschaft und Reich (Freiburg i. Br. 1965); zuletzt *H. Schürmann,* Jesu ureigenes Basileia-Verständnis, in: *ders.,* Gottes Reich – Jesu Geschick. Jesu ureigener Tod im Licht seiner Basileia-Verkündigung (Freiburg i. Br. 1983) 21–64 (Sch. zeigt, daß Jesu Basileia-Botschaft und sein ‚Ge-Schick' unlöslich zusammengehören).

[5] Vgl. *W. Thüsing,* Erhöhungsvorstellung und Parusieerwartung in der ältesten nachösterlichen Christologie (= SBS 42) (Stuttgart 1970); *J. Dupont,* „Assis à la droite de Dieu". L'Interpretation du Ps 110,1 dans le Nouveau Testament, in: E. Dhanis (Hrsg.), Resurrexit. Actes du Symposium International sur la résurrection de Jésus (Rom 1974) 340–422; *D. M. Hay,* Glory at the Right Hand. Psalm 110 in Early Christianity (Nashville–New York 1973).

[6] *E. Lohse,* Die Briefe an die Kolosser und an Philemon (Göttingen 1968) 74f.

geschrieben"[7]. Und „der Herr", der nach 4,18 Paulus aus der lebenbedrohenden Gefangenschaft „in sein himmlisches Reich" rettet, gerade auch durch den Zeugentod hindurch, ist wiederum Christus.

Ohne daß das Syntagma ‚Reich Gottes' ausdrücklich auftaucht, kommt die Sache eindrücklich in anderen Stellen des Corpus Paulinum zur Sprache, wie unter II zu zeigen ist.

II. Textmaterial

1. 1 Kor 15,20–27

Im folgenden wird keine fortlaufende Analyse der angeführten Texte vorgelegt, vielmehr das Augenmerk in erster Linie auf das in ihnen begegnende Wortfeld gelegt, das den Bereich der Herrschaft Christi signifiziert. Christus baut seine eigene Herrschaft auf, indem er alle feindlichen Mächte ‚unterwirft' bzw. ‚vernichtet', vor allem den Tod, den ‚letzten Feind' (15,26). Das Kerygma von der Auferweckung Jesu von den Toten lenkt den Blick des Apostels auf den Tod, dem alle seit Adam unterworfen sind (15,21–22), dessen Besiegung schon seit der Auferweckung Jesu grundsätzlich erfolgt ist, der aber endgültig erst dann entmachtet wird, wenn „in Christus werden alle lebendig gemacht werden" (15,22b: das Futur ζωοποιηθήσονται weist deutlich auf die kommende Auferweckung der Toten hin, aber anscheinend mit Beschränkung auf jene, die ‚in Christus' sind)[8]. Doch mit der Vernichtung der (personifiziert gesehenen: ὁ θάνατος) Todesmacht allein ist es nicht getan, wenn der Sieg Christi ein totaler sein soll. Denn neben der Todesmacht gibt es noch eine Fülle von anderen Herrschaften, Gewalten und Mächten (15,24), die der Christusherrschaft entgegenstehen. Der Sieg Christi will aber ein totaler sein. Die Idee der Totalität kommt sprachlich in der Häufung des Ganzheitsgedanken zur Geltung: zweimal πάντες im V. 22; zweimal πᾶσαν im V. 24; πάντας in V. 25; zweimal πάντα im V. 27; dreimal τὰ πάντα in V. 27b.28a – von der ‚All'-Formel in V. 28b sehen wir dabei ab. Der Herrschaftsgedanke als solcher kommt sprachlich zur Geltung in den dafür signifikanten Lexemen βασιλεία (V. 24) und βασιλεύειν (V. 25). Besonders wichtig scheint im Blick auf 1 Kor 15,20–27 zu sein, daß das Herr-Sein Christi vor allem auf die Vernichtung des Todes zielt, wobei sich der Tod eindeutig auf die biologische Demontage des menschlichen Lei-

[7] *N. Brox*, Die Pastoralbriefe (= RNT VII/2) (Regensburg 1969) 263.
[8] Vgl. *H. Conzelmann*, Der erste Brief an die Korinther (Göttingen ²1981) 319.

bes im Sterben bezieht (vgl. 15,22b und die Ausführungen des Apostels ab 15,35). Das Sterben aber ist kein Mythos; trotz scheinbar mythologischer Redeweise geht es in 15,20–27 um die konkreteste Erfahrung des Menschen schlechthin, um die eigentlichste „Nicht-Utopie des Daseins" (E. Bloch). Christi Reich hat es mit der ‚condition humaine' zu tun; vermutlich gilt das in den Augen des Apostels auch für die Herrschaften, Gewalten und Mächte, von denen er in 15,24 redet, die in vielfältiger Weise das Dasein des Menschen bedrohen[9].

2. *Phil 2,6–11*

Man vermutet bekanntlich, daß Paulus hier ein ihm aus der Überlieferung zugeflossenes ‚Christuslied' verarbeitet hat[10]. Der Apostel rezipiert es im Dienst seiner Paränese (vgl. 2,5 und das Stichwort ‚gehorsam sein' in 2,12), aber das Lied selbst geht in seinem Inhalt weit über eine paränetische Motivgewinnung hinaus. Es preist das Herr-Sein Christi wieder im Dienst des ‚Totalitätsprogramms' Gottes, sprachlich zur Geltung gebracht durch πᾶν (zweimal im V. 10) und πᾶσα (im V. 11). Die Kenosis, Selbsterniedrigung und Tötung Jesu am Kreuz beantwortet Gott mit seiner Erhöhung und der Verleihung eines Namens, der „über jeden anderen Namen" ist, nämlich des Namens ‚Kyrios', wobei das Herr-Sein Jesu schlechthin total verstanden wird: Der Gekreuzigte und Erhöhte wird Herr „der Himmlischen und Irdischen und Unterirdischen", also aller geschöpflichen Wesen. Gott *hat* Jesus erhöht und *hat* ihn in die alles umfassende Kyriotes-Stellung eingesetzt (Präterita ὑπερύψωσεν und ἐχαρίσατο), so daß er seit seiner Erhöhung bereits der Herr aller Wesen ist. Auch hier also die Idee eines umfassenden Reiches Christi. Bedeutend scheint uns zu sein, daß im Zentrum des Liedes der Todesgedanke auftaucht (V. 8) und zum Bereich des Reiches Christi auch die ‚Unterirdischen', also die Toten, gehören (V. 10). Darauf ist später zurückzukommen.

3. *Kol 1,15–20*

Dieser berühmte Christushymnus, dessen Urgestalt die Exegeten zu rekonstruieren versuchen[11], expliziert das Geheimnis des „Sohnes seiner Liebe", in dessen „Reich uns Gott (bereits) versetzt hat" (1,13).

---

[9] Vgl. *H. Schlier*, Mächte und Gewalten im Neuen Testament (= QD 3) (Freiburg i. Br. 1958).

[10] Vgl. etwa *J. Gnilka*, Der Philipperbrief (= HthK X/3) (Freiburg [3]1980) 131–147.

[11] Vgl. etwa *J. Gnilka*, Der Kolosserbrief (= HthK X/1) (Freiburg i. Br. 1980) 51–87.

Auch dieser Hymnus ist wieder ganz von der Idee der Totalität beherrscht (πάσης in V. 15, dreimal τὰ πάντα in V. 16.17.20, πρὸ πάντων in V. 17, ἐν πᾶσιν in V. 18).[12] Dabei ist aber diese Idee schon protologisch fundiert: Christus ist „Erstgeborener vor aller Schöpfung, denn in ihm wurde alles erschaffen ... alles ist durch ihn und auf ihn hin geschaffen" (VV. 15.16). Darum ist er auch der Herr der Mächte und Gewalten (V. 16b); die Schöpfung hat ihren Ursprung und ihr Ziel in ihm. „Als der Präexistente ist er der Herr über das All"[13], in ihm hat es auch seinen Bestand (V. 17); er ist „das Haupt des Leibes, der Kirche" (V. 18). Im 2. Teil des Hymnus (VV. 18b–20) wird die Protologie des Hymnus verlassen und Christi Vorrangstellung nun von seiner Auferweckung von den Toten her fundiert: Als „Erstgeborener aus den Toten" ist er „Anfang" der eschatologischen Welt, „damit *er* (betontes αὐτός) in allem der Erste sei" (V. 18b), wobei „ἐν πᾶσιν ... nicht von den νεκροί her zu verstehen (ist), sondern von der πάντα-Formel"[14], das heißt, die Herrschaft des Auferstandenen ist eine weltumspannende, die jedoch schon protologisch fundiert ist, was besagt: Seine Herrschaft ist auch eine *die ganze Zeit* der Welt umfassende, sie ist eine ‚weltgeschichtliche'. Ihr Ziel sind nach V. 20 die alles erfassende Versöhnung und der Frieden „durch das Blut seines Kreuzes" (vgl. auch V. 22a). Christi Reich ist ein Reich des Friedens und der Versöhnung.

4. *Eph 1,20–23*

Die Auferweckung Jesu von den Toten und seine Erhöhung zum Throngenossen Gottes begründete auch nach Eph 1,20–22a die umfassende Herrschaft Christi „über jegliche Macht und Gewalt und Kraft und Herrschaft und jeden Namen, der genannt wird nicht nur in diesem Äon, sondern auch im zukünftigen; und alles hat er unterworfen unter seine Füße". In der Kirche, seinem ‚Leib', übt der erhöhte Christus die Funktion des ‚alles überragenden Hauptes' aus (1,22b.23). Man hat auch gegenüber Eph 1,20–23 die Frage gestellt, ob sich dahinter nicht ein alter Christushymnus verberge, doch kommt man über Vermutungen nicht hinaus[15]. Die ‚Energie' und ‚Herrlich-

[12] Vgl. auch *W. Pöhlmann*, Die hymnischen All-Prädikationen in Kol 1,15–20: ZNW 64 (1973) 53–74.

[13] *E. Lohse*, Kolosser und Philemon, a.a.O. (s. Anm. 6) 92.

[14] *H. Hegermann*, Die Vorstellung vom Schöpfungsmittler im hellenistischen Judentum und Urchristentum (= TU 82) (Berlin 1961) 103.

[15] Vgl. *R. Deichgräber*, Gotteshymnus und Christushymnus in der frühen Christenheit. Untersuchungen zu Form, Sprache und Stil der frühchristlichen Hymnen (Göttingen 1967) 161–165.

keit' des Vaters zeigte sich primär in der Auferweckung Jesu von den Toten und in seiner Inthronisation ,in den himmlischen Bereichen' (1,19.20), also gerade auch wieder in der Überwindung der Macht des Todes. Das Reich Christi ist identisch mit den ,himmlischen Bereichen', in denen auch die in der Taufe schon Mitauferweckten bereits ,mitsitzen' dürfen (2,6). Gott hat aus ,Toten' in der Taufe (vgl. Kol 2,12) ,Lebendige' gemacht (Eph 2,4), die durch Christus im Pneuma ,den Zugang zum Vater', also in den intimen Bereich der Transzendenz haben und „folglich ... nicht mehr Fremdlinge und Beisassen (sind), vielmehr ... Mitbürger der Heiligen [der himmlischen Wesen] und Hausgenossen Gottes" (2,18.19)[16]. Die Herrschaft Christi umfaßt also sowohl das All (τὰ πάντα) als auch seinen ,Leib', die Kirche. In der Kirche wirkt nach dem Epheserbrief Christus als der Herr aller Welt in die Welt hinein. „Der ganz unspekulative Sinn ist, daß die Kirche die Gläubigen nicht an der Welt vorbei in ein irreales Jenseits führt, sondern daß die Welt durch die Kirche in den Gehorsam gegen ihren Schöpfer zurückgerufen wird."[17]

5. *Eph 1,10*

Es geht hier um die ,Anakephalaiosis' des Alls in Christus. Über Sinn und vor allem den Zeitpunkt dieses Geschehens wird in der Exegese gestritten[18]. Die Anakephalaiosis bezieht sich auf ,alles ... in den Himmeln und auf der Erde' (V. 10b). Gott hat nach 3,10 das All erschaffen; seine Ordnung aber ist gestört durch vielerlei Mächte und Gewalten (vgl. 1,21); in Christus wird wieder ein einziger und einheitlicher Herrschaftsbereich hergestellt. Dieser Vorgang ist aber mit der Auferweckung und Erhöhung Jesu schon in Gang gesetzt; ihm ist schon alles unterworfen (1,20–22a). So ist die Anakephalaiosis des Alls schon im Gang; denn das Reich Christi existiert schon und entwickelt bereits seine Dynamik.

6. *Eph 4,8–10*

Es handelt sich hier um den christologischen Part innerhalb des Abschnitts, in dem es um die Einheit der Kirche, ihre Amtsträger und de-

[16] Vgl. Näheres bei *F. Mußner,* Der Brief an die Epheser (= ÖTK 10) (Gütersloh–Würzburg 1982) 85–92.
[17] *H. Conzelmann,* Der Brief an die Epheser (= NTD VIII) 86–124 (95).
[18] Vgl. etwa *H. Merklein,* ἀνακεφαλαιόω, in: EWNT I, 198f; *R. Schnackenburg,* Der Brief an die Epheser (= EKK X) (Einsiedeln–Neukirchen 1982) 57–60.

ren Funktion im Ganzen des Leibes der Kirche geht (Eph 4,1–16). Der Sinn des christologischen Parts ist der, jenen zu nennen und zu kennzeichnen, der der Kirche ihre Ämter und Amtsinhaber ‚gab' (4,11): Das ist der Christus, der „herabstieg in die untersten Teile der Erde" und der „hinaufstieg über alle Himmel, damit er erfülle das All" (4,9.10). Damit will gesagt sein: Jener, der der Kirche ihre Ämter gab, ist niemand anderer als Christus, der Herr über das All. Sein Herrschaftsbereich umfaßt das All, bestehend aus Himmel, Erde und den ‚unteren Teilen der Erde', mit denen wahrscheinlich die ‚Unterwelt', die Welt der Toten, gemeint ist[19]. Vielleicht denkt der Verfasser auch an sie, wenn er in 4,8 mit Ps 68,19 von der ‚Gefangenschaft' redet, die Christus bei seinem Aufstieg zur Höhe ‚gefangennahm', gewissermaßen als die Beute, die er der Scheol entrissen hat. Doch ist das in der Exegese umstritten[20].

7. 1 Tim 3,16

Auch dieser Christushymnus spricht von dem umfassenden Reich Christi und ist wahrscheinlich sehr alt, reicht möglicherweise in das alte Judenchristentum zurück[21]. Der Hymnus besteht aus sechs Stükken, die mit in chiastischer Form vorgelegten dreimal zwei Antonymenpaaren (Fleisch–Geist, Engel-Völker, Kosmos-Herrlichkeit) den himmlischen und den irdischen Raum zur Einheit verbinden und damit die Totalität des Christusereignisses zur Geltung bringen, die sich auch in der Soteriologie der Pastoralbriefe zeigt, da der lebendige Gott „der Retter aller Menschen" ist (1 Tim 4,10). Das Wissen der christlichen Gemeinde um die umfassende Herrschaft Christi nennt der Verfasser der Briefe in der Einleitung zum Hymnus „das große Mysterium der Frömmigkeit" (3,16a). Dabei erlaubt der poetische Sprachcharakter des Hymnus „die Annahme, daß die Verse keinen Erfahrungsbericht über die urchristliche Mission vorlegen wollen, sondern die Eschata hymnisch-preisend antizipieren"[22]. Der Apostel selbst wird nach 2 Tim 4,18 durch den Martertod hindurch befreit „von allem bösen Tun" und in das „himmlische Reich" Christi gerettet[23].

---

[19] Vgl. *F. Mußner,* Der Brief an die Epheser, a.a.O. (s. Anm. 16) 123.

[20] Vgl. die Kommentare zum Epheserbrief.

[21] Vgl. zum Christushymnus in 1 Tim 3,16 die sorgfältige Untersuchung von *W. Stenger,* Der Christushymnus 1 Tim 3,16. Eine strukturanalytische Untersuchung (= RStTh 6) (Frankfurt–Bern 1977); ferner *W. Metzger,* Der Christushymnus 1 Timotheus 3,16. Fragment einer Homologie der paulinischen Gemeinden (= AzTh 62) (Stuttgart 1979).

[22] *W. Stenger,* Christushymnus, a.a.O. 230.

[23] Vgl. Näheres bei *N. Brox,* Pastoralbriefe, a.a.O. (s. Anm. 7) 276f.

So weiß nach dem Corpus Paulinum der Apostel und mit ihm die christliche Gemeinde um das bereits bestehende, Himmel und Erde umfassende Reich Christi und preist seine Herrschaft in ihren Bekenntnissen und Doxologien. Dieses Wissen um das Reich Christi gehört zu ihrem geistlichen Erfahrungsbereich. Ihre Glaubensüberzeugungen hängen in vielfältiger Hinsicht mit diesem Wissen zusammen, besonders auch im Hinblick auf den Tod[24].

III. Das Reich Christi und die Herrschaft des Todes

Ἐβασίλευσεν ὁ θάνατος: der Tod ist für Paulus ein königlicher Herrscher (Röm 5,14.17). Doch wir wissen im Glauben, „daß Christus, erweckt von den Toten, nicht mehr stirbt, der Tod hat keine Gewalt (κυριεύει) über ihn" (6,9). Es findet ein Herrschaftswechsel statt; jetzt ist der auferweckte Christus der Kyrios, besonders auch über den Tod. „Wer vom Kreuz herkommt und darunter bleibt, hat seinen Herrn, der ihn notwendig von den in der Welt herrschenden Mächten und Gewalten trennt, steht also tatsächlich in Äonenwende."[25]

Nach 1 Kor 15,20–27 geht die Herrschaft des auferweckten und erhöhten Christus zuletzt auf die endgültige Vernichtung des Todes (vgl. unsere Ausführungen in II, 1). Auch im Christuslied des Philipperbriefs taucht der Gedanke an den Tod und die Totenwelt auf (s. dazu II, 2), ebenso im Epheserbrief (s. dazu II, 4.5.6). Paulus und seine Schule sind also überzeugt, daß das Reich Christi in Opposition gegen das Reich des Todes steht. Auch der „mit Christus Gestorbene (hat) die Macht des Todes schon hinter sich gebracht"[26], und die Auferweckung der Toten ist nach Röm 6 nur die letzte Konsequenz aus dem Taufgeschehen. Die Paulusschule geht dabei so weit, daß sie das Taufgeschehen als ein jetzt, bei der Taufe, sich ereignendes ‚Mitauferwecktwerden' (mit Christus) versteht (vgl. Kol 2,12.13; Eph 2,5), ohne dem Enthusiasmus zu verfallen[27]. Sie entfaltet dabei nur in der Weise ‚realisierter Eschatologie' das genuin paulinische Verständnis der christlichen Existenz als einer ‚Präpositional-Existenz': Christliche Existenz ist Leben ‚durch', ‚in' und ‚mit' Christus, was für Paulus schon anwesendes Heil bedeutet, das mit

[24] Vgl. noch *H. Schlier*, Über die Herrschaft Christi, in: *ders.*, Das Ende der Zeit. Exegetische Aufsätze und Vorträge III (Freiburg i. Br. 1971) 52–66.
[25] *E. Käsemann*, An die Römer (= HNT 8a) (Tübingen 1973) 160.
[26] *P. Siber*, Mit Christus leben. Eine Studie zur paulinischen Auferstehungshoffnung (= AThANT 61) (Zürich 1971) 248.
[27] Vgl. *F. Mußner*, Der Brief an die Epheser, a.a.O. (s. Anm. 16) 58 68.

dem irdischen Tod nicht aufhört. Deshalb sind für ihn die verstorbenen Christen „Tote in Christus‘ (1 Thess 4,16)[28]. Letztlich sind diese Überzeugungen des Apostels und seiner Schule Konsequenzen aus dem Glauben an den auferweckten Kyrios Christus, mit dem die Getauften aufgrund des Taufgeschehens ‚Zusammengewachsene‘ sind (vgl. Röm 6,5), da für Paulus die Taufe ein heilbringendes ‚Analogie‘-Geschehen zum doppelstufigen Christusgeschehen ist[29]. Mag der ‚Apokalyptiker‘ Paulus auch von der frühjüdischen Idee eines messianischen ‚Zwischenreiches‘ Inspirationen empfangen haben[30], das Reich Christi ist für ihn und seine Schule primär eine schon präsente Gegebenheit, die mit den christologischen und soteriologischen Glaubensüberzeugungen der Urkirche zusammenhängt, wobei auch nicht vergessen werden darf, daß für Paulus und seine Schule die Idee vom Reich Christi untrennbar von der ‚Christusmystik‘ ist. Das Reich Christi ist das Reich der Erlösten, deren Erlösung mit der Taufe beginnt. Es ist das Reich, in dem die Übermacht der Gnade sich in vielfältiger Hinsicht zeigt[31]. „In dem (pneumatischen) Christus sind alle mit der eschatologischen Lebenskraft beschenkt (1 Kor 15,45; Röm 5,12ff)... Die Christen sind aus dem alten Äon herausgenommen (Gal 1,4). Die eschatologische Neuschöpfung ist da (2 Kor 5,17). Es ist jetzt die Zeit der schon im Alten Testament verheißenen Offenbarung der neuen Gerechtigkeit, des Glaubens, der Gnade und des Geistes. Der Augenblick der Verkündigung des Wortes ist der von Is 49,8 angekündigte καιρὸς εὐπρόσδεκτος, die ἡμέρα σωτηρίας (2 Kor 6,1f)... Der Dienst der Verkündiger ist ‚Dienst des neuen Bundes‘ (2 Kor 3,6ff). Der Glaubende empfängt ‚jetzt‘ die eschatologischen Gaben der Gerechtigkeit und der Sohnschaft.“[32]

---

[28] Vgl. *P. Hoffmann*, Die Toten in Christus. Eine religionsgeschichtliche und exegetische Untersuchung zur paulinischen Eschatologie (= NTA NF 2) (Münster ³1983).

[29] Vgl. *F. Mußner*, Zur paulinischen Tauflehre in Röm 6,1–6, in: *ders.*, Praesentia salutis, a..a.O. (s. Anm. 1) 189–196.

[30] Vgl. *H.-A. Wilcke*, Das Problem eines messianischen Zwischenreichs bei Paulus (= AThANT 51), Zürich-Stuttgart 1967; ferner *W. Grundmann* Überlieferung und Eigenaussage im eschatologischen Denken des Apostel Paulus: NTS 8 (1961/62) 12–26; *J. Baumgarten*, Paulus und die Apokalyptik. Die Auslegung apokalyptischer Überlieferungen in den echten Paulusbriefen (= WMANT 44) (Neukirchen-Vluyn 1975), *H.-H. Schade*, Apokalyptische Christologie bei Paulus. Studien zum Zusammenhang von Christologie und Eschatologie in den Paulusbriefen (= Gött.Theol.Arb. 18) (Göttingen 1981). Vgl. auch noch *S. Wagner*, Das Reich des Messias. Zur Theologie der alttestamentlichen Königspsalmen: ThLZ 109 (1984) 865–874.

[31] Vgl. dazu *M. Theobald*, Die überströmende Gnadc. Studien zu einem paulinischen Motivfeld (= fzb 22) (Würzburg 1982).

[32] *P. Hoffmann*, in: HThG II (München 1963) 423f.

,Realisierte Eschatologie' bestimmt das Reich Christi zwischen Ostern und Parusie, besonders im Kolosser- und Epheserbrief. Die Getauften sind schon „versetzt in das Reich seines geliebten Sohnes" (Kol 1,13); sie haben schon durch Christus im Pneuma den Zugang zum Vater (Eph 2,18); sie sind schon „Mitbürger der Heiligen und Hausgenossen Gottes" (2,19)[33]. Doch stehen die Aussagen über die Gegenwart des Heils „in Spannung zu der ständigen Erfahrung des alten Äons. Die Christen sind noch in der σάρξ (Gal 5,16–25), sie tragen den ,Schatz' in zerbrechlichem Gefäß (2 Kor 4,7 ff). Sie erfahren in der eigenen Schwäche die Mächte des alten Äons. Ihr Heil ist noch versteckt und verborgen, es wird erst in der Zukunft offenbar werden. Ihre Rettung geschah auf Hoffnung hin. Die Bewältigung dieser Spannung im Glauben ist das Charakteristikum des eschatologischen Denkens des Apostels Paulus."[34] Auch der Epheserbrief huldigt nicht einem Heilsenthusiasmus; auch er baut Barrieren ein, indem er den Glauben hervorhebt (1,19; 2,8; 3,12.17; 4,13) und auf die Anfechtungen hinweist, denen auch der Getaufte noch ausgesetzt ist, weil ihn die Mächte (vgl. 1,21) bedrängen, denen er ,am bösen Tag' entschieden entgegentreten muß (6,13)[35].

Es war vor allem das Wissen um den erhöhten Herrn, seine Gegenwart in der Eucharistiefeier und sein Wirken durch das von ihm gesandte Pneuma, das die futurische Eschatologie in vieler Hinsicht in realisierte verwandelte. Die Glaubenden wußten: Wir leben schon im Reich Christi, wenn auch mitten in dem noch bestehenden Todesäon. Aber die Toten, die in ihrem irdischen Dasein schon ,in Christus' lebten, sind ,Tote in Christus', so daß sich die Frage einstellt: *Wer gehört zum Reich Christi?* Im verbreiteten Bewußtsein der Theologie und der Christenheit die auf Erden lebenden Glieder der Kirche. Wenn aber die Toten ,Tote in Christus' sind, dann gehören besonders sie zum Reich Christi, und zwar nicht als tote, sondern als in Christus weiterlebende Glieder. „Denn wir wissen, daß, wenn unsere irdische Zeltwohnung abgebrochen wird, wir einen Bau von Gott haben, ein ewiges, nicht von Menschenhänden gemachtes Haus in den Himmeln" (2 Kor 5,1). Der Abbruch der irdischen Zeltwohnung (des Erdenleibes) erfolgt für jeden im Sterben, aber „das Sterbliche" wird „vom Leben verschlungen" (5,4), und zwar nicht erst bei der Parusie, wie viele Exegeten annehmen, sondern nach dem Tod, weil wir dann „einen Bau von Gott haben", und das Verlangen, „unsere Behausung aus dem

[33] Vgl. Näheres bei *F. Mußner,* Der Brief an die Epheser, a.a.O. (s. Anm. 16) 85–92.
[34] *P. Hoffmann,* a.a.O. (s. Anm. 32) 424.
[35] Vgl. *F. Mußner,* Der Brief an die Epheser, a.a.O. 29.

Himmel darüber [über das Sterbliche] zu ziehen" (5,2), sich nach dem Tod schon erfüllt.

Wie Paulus sich dieses „ewige, nicht von Menschenhänden gemachte Haus in den Himmeln", mit dem wir nach unserem Sterben überkleidet werden, vorgestellt hat, sagt er nicht. Es scheint nicht identisch zu sein mit dem bei der endzeitlichen Totenerweckung verliehenen ‚Leib der Herrlichkeit' (Phil 3,21). Es geht im Kontext um Ferne und Nähe zum Herrn [Christus] (vgl. 2 Kor 5,6–8): Solange wir im Erdenleib leben, sind wir fern vom Herrn in der Fremde; deshalb möchten wir lieber ‚ausquartiert werden' (ἐκδημῆσαι)[36] aus dem sterblichen Leib und ‚einquartiert werden'(ἐνδημῆσαι) beim Herrn. Da ist doch deutlich von einem unmittelbar erfolgenden Übergang von einem Zustand zum anderen die Rede, nicht jedoch von einem ‚Zwischenzustand' und auch nicht von der Parusie[37]. Würde der Mensch nach seinem Tod ins vorläufige Nichts versinken, dann würde sich sein Verlangen nach dem ‚Quartier' beim Herrn in Wirklichkeit nicht erfüllen. Besonders mit Blick auf die radikal ‚realisierte Eschatologie' des Epheserbriefes, nach der wir jetzt schon den Zugang zum Vater haben und Mitbürger der himmlischen Wesen sind, würde es die Rückversetzung in einen traurigen Zustand bedeuten, wenn wir nach dem irdischen Tod ins vorläufige Nichts (ins ‚Reich der Schatten') versänken. Das bedeutete für den Gläubigen nach seinem Tod einen ungeheuren Heilsverlust![38] Der Tod würde laufend das Reich Christi unterminieren. Das Reich Christi würde laufend Verluste erleiden. Christus wäre nicht wirklich der Herr über den Tod.

Paulus baut seine Eschatologie nicht vom Ende (τέλος) her auf, sondern vom Anfang (ἀπαρχή) her, und dieser ‚Anfang' ist niemand anderer als der auferweckte Christus (vgl. 1 Kor 15,20), der als letzten Feind den Tod vernichten wird. Zwar wird von Paulus als zweite Stufe

[36] So übersetzt man hier sinngemäß am besten das Verbum ἐκδημεῖν, wie umgekehrt ἐνδημεῖν mit ‚einquartiert werden'.

[37] Über die Auslegungsvorschläge zu 2 Kor 5,1–10 referiert ausführlich *U. Luz,* Das Geschichtsverständnis bei Paulus (München 1968) 359–365.

[38] Besonders *J. Ratzinger,* Eschatologie – Tod und ewiges Leben, in: Kleine Katholische Dogmatik IX (Regensburg [6]1990) hat im Kap. 2 (‚Tod und Unsterblichkeit') die ‚individuelle Dimension des Eschatologischen' herausgearbeitet. Vgl. *ders.,* Zwischen Tod und Auferstehung: IKaZ 9 (1980) 209–223. Diese individuelle Dimension (‚Unsterblichkeit der Seele') ist im protestantischen Raum leider weithin verlorengegangen; dazu *A. Ahlbrecht,* Tod und Unsterblichkeit in der evangelischen Theologie der Gegenwart (= Konfessionskundliche und kontroverstheologische Studien 10) (Paderborn 1964). Vgl. auch *A. T. Lincoln,* Paradise Now and Not Yet. Studies in the Role of the Heavenly Dimension in Paul's Thought with Special Reverence to his Eschatology (= MSSNTS 43) (Cambridge 1981); *K. Rahner,* Das Leben der Toten, in: Schriften zur Theologie, Bd. IV (Einsiedeln–Zürich–Köln 1960) 429–437.

im eschatologischen Drama gleich die Parusie Christi genannt, bei der die Leiber der Toten auferweckt werden (vgl. 15,23b) – ein ‚Fortleben' nach dem Tod kommt hier dem Apostel nicht in Sicht, so daß sich deutlich eine Entwicklung im eschatologischen Denken des Paulus zeigt[39]. Die Entwicklungslinie verläuft im wesentlichen vom Ersten Thessalonicher- über den Ersten Korinther- zum Zweiten Korintherbrief; sie wird dann in den Deuteropaulinen (Kolosser- und Epheserbrief) weitergeführt[40]. Dabei mag auch das Nachlassen der ‚Naherwartung' eine wichtige Rolle gespielt haben[41], womit aber das Problem erst richtig auftauchte: Was ist mit den Toten, die bereits gestorben sind? Leben sie in Christus weiter oder nicht? Die Antwort des Apostels geht dann in 2 Kor 5 dahin, daß sie beim Herrn daheim sind, wenn auch ihr Sterbliches in den Gräbern verwest. Aber Christus ist nach 1 Kor 15 auch in der Zwischenzeit nicht untätig: Er „muß" in dieser Zeit „herrschen, bis er alle Feinde unter seine Füße gelegt hat" (15,25). Er baut sein Reich auf, bis auch ‚der letzte Feind', der Tod, endgültig vernichtet ist (15,26). „Denn dazu ist Christus gestorben und lebendig geworden, daß er über Tote und Lebende herrsche" (Röm 14,9).[42]

So entsteht ein Reich, das den sichtbaren und den unsichtbaren Bereich umfaßt, und zwar auch in seiner geschichtlichen Ausdehnung von der ἀπαρχή bis zum τέλος. Das Reich Christi wächst und mehrt sich ununterbrochen bis zum Ende der Tage, bei dem Christus sein Reich dem Vater übergeben wird. Die Herrschaft des Todes wird dann zu ihrem Ende gekommen sein. Auch die Leiber der Toten werden ihm entrissen werden.

---

[39] Vgl. dazu jetzt *H.-H. Schade,* Apokalyptische Christologie bei Paulus, a.a.O. (s. Anm. 30). Frühere Stimmen bei *U. Luz,* Das Geschichtsverständnis bei Paulus, a.a.O. (s. Anm. 37) 357.

[40] Vgl. auch *F. J. Steinmetz,* Protologische Heils-Zuversicht. Die Strukturen des soteriologischen und christologischen Denkens im Kolosser- und Epheserbrief (= Frankf. Theol. Stud. 2) (Frankfurt 1969).

[41] Vgl. zum Parusieproblem bei Paulus *W. Radl,* Ankunft des Herrn. Zur Bedeutung und Funktion der Parusieaussagen bei Paulus (= BET 15) (Frankfurt 1981).

[42] Vgl. dazu den Kommentar von *H. Schlier,* Der Römerbrief (Freiburg i.Br.–Basel–Wien [2]1979) 410f.

IV. Der jüdische Einwand

Wilhelm Breuning ist seit Jahren ein engagierter Teilnehmer am christlich-jüdischen Dialog[43]. Deshalb sei hier ein gewichtiger jüdischer Einwand gegen die christliche Messianologie zur Sprache gebracht, der mit dem Thema ‚Reich Christi' zusammenhängt. Er lautet: Seit Jesus von Nazaret, den die Christen als den von den Propheten Israels angesagten Messias proklamieren, habe sich in der Welt nichts zum Guten geändert. Keine Spur einer umfassenden Gerechtigkeit und eines völkerumspannenden Friedens! Also war er nicht der Verheißene. Der Messias kommt erst![44] Was ist dazu zu sagen?

Nach dem Neuen Testament und dem Glauben der Kirche ist Jesus von Nazaret der verheißene Messias. Mag auch die christliche ‚Messiasdogmatik' mit dem Blick auf Jesus, seinen Kreuzestod und seine Auferweckung von den Toten, besonders aber auf seine Erhöhung ‚zur Rechten des Vaters' naturgemäß im Vergleich mit der jüdischen eine Umbildung erfahren haben[45], so rezipierte sie doch tiefe jüdische Gedanken über den Messias (Geistbegabung des Messias; Weisheitslehrer; leidender Gerechter und Prophet)[46]. Was aber die christliche

[43] Vgl. etwa *W. Breuning/N. P. Levinson,* Zeugnis und Rechenschaft. Ein christlich-jüdisches Gespräch (= Kleine Reihe zur Bibel 24), Stuttgart 1982.

[44] Zwar gibt es im Alten Testament und im Judentum keine uniforme Auffassung über den kommenden Messias; vgl. etwa *H. Groß,* Der Messias im Alten Testament, in: *ders.,* Kernfragen des Alten Testaments. Praktische Einführungen (Regensburg 1977) 66–86; *F. Hesse u.a.,* in: ThWzNT IX, 485–518; *H. Cazelles,* Alttestamentliche Christologie. Zur Geschichte der Messiasidee (Einsiedeln 1983); *J. Becker,* Messiaserwartung im Alten Testament (Stuttgart 1977); *S. Talmon,* Typen der Messiaserwartung um die Zeitenwende, in: H. W. Wolff (Hrsg.), Probleme biblischer Theologie (FS G. v. Rad) (München 1971) 571–588; *ders.,* Der Gesalbte Jahwes, Biblische und frühnachbiblische Messias- und Heilserwartungen, in: H.-J. Greschat u.a., Jesus – Messias? Heilserwartung bei Juden und Christen (Regensburg 1982) 27–68; *J. Maier,* Die messianische Erwartung im Judentum seit der talmudischen Zeit: Jud 20 (1964) 23–58. 90–120. 156–183. 213–236; *G. Scholem,* The Messianic Idea in Judaism (New York 1971); *C. Thoma,* Die theologischen Beziehungen zwischen Christentum und Judentum (= Grundzüge 44) (Darmstadt 1982) 140–150. Aber die Tendenz des Judentums und jüdischer Forscher geht doch sehr auf eine in der Geschichte selbst sich vollziehende ‚evolutionäre Weltumbildung' (Talmon) mit Hilfe des Menschen als Werkzeug Gottes, während der Christ solcher Hoffnung skeptisch gegenübersteht und die endgültige ‚Weltumbildung' vom Parusiechristus erwartet. Der Christ weiß um das der Parusie vorausgehende Kommen des ‚Gegen-Christus'. Vgl. zu diesem Problem auch noch *H. Struppe* (Hg.), Studien zum Messiasbild (SBAB 6, Altes Testament) (Stuttgart 1990).

[45] Vgl. *H. Frankenmölle,* Jüdische Messiaserwartung und christlicher Messiasglaube. Hermeneutische Anmerkungen im Kontext des Petrusbekenntnisses Mk 8,29: Kairos 20 (1978) 97–109.

[46] Vgl. *K. Berger,* Die königlichen Messiastraditionen des Neuen Testaments: NTS 20 (1974/75) 1–44; *ders.,* Zum Problem der Messianität Jesu: ZThK 71 (1974) 1–30;

,Messiasdogmatik' besonders kennzeichnet, ist die Überzeugung, daß der gekreuzigte und auferstandene Messias Jesus *in den Himmel* erhöht ist (vgl. etwa Apg 2,30–36; 3,20.21; Kol 3,1; Phil 3,20; Eph 1,20; Hebr 4,14; Joh-Apk), wobei die Schriftgrundlage für diese Überzeugung vor allem der Ps 110,1 in einer interpretatio christiana bildete[47]. Dies hatte Konsequenzen für jenes ,Reich', das der in den Himmel erhöhte Messias Jesus in der Zeit zwischen Ostern und Parusie aufbaut und das logischerweise nach dem Neuen Testament den dem Sterblichen unsichtbaren Bereich, vor allem die ,Toten in Christus', miteinbezieht, wie wir unter III darzulegen versuchten. Das Unsichtbare saugt das Unsterbliche am Sichtbaren in sich hinein[48]. Die Kategorie ,oben' wird wichtig (vgl. Kol 3,1.2). Das unterscheidet selbstverständlich die jüdische ,Messiasdogmatik' von der christlichen ganz entscheidend, weil es sich bei dem messianischen ,Reich Christi' um realisierte und sich realisierende Eschatologie, die auch den unsichtbaren Bereich (τὰ ἐπουράνια, οἱ ἐπουράνιοι) einbezieht, handelt[49]. Aber weil das Reich Christi ein wahres Reich ist, das Himmel und Erde (τὰ πάντα) umfaßt, darum kann man ihm weder den ,politischen' Charakter absprechen noch es in den Bereich bloßer Innerlichkeit verweisen. Als wahres Reich, das nach dem johanneischen Christus zwar „nicht von dieser Welt" ist (Joh 18,36), ist es dennoch das Reich eines Königs (vgl. Joh 18,37: „ich bin ein König"), der am Ende dem Antichrist die ,Weltherrschaft' (Apk 11,15) nicht bloß streitig machen, sondern abnehmen wird[50].

Nach 1 Kor 15,24.28 übergibt Christus am ,Ende' das von ihm auf-

---

M. Hengel, Jesus als messianischer Lehrer der Weisheit und die Anfänge der Christologie, in: Sagesse et Religion (= Travaux du Centre d'Études Superieures specialisé d'Histoire des Religions de Strasbourg), Paris 1976, 147–188; *F. Mußner,* Der Messias Jesus, in: Jesus – Messias?, a.a.O. (s. Anm. 44) 89–107.

[47] Vgl. Anm. 5.

[48] Mit den Kategorien ,unsichtbar/sichtbar' bewegen wir uns durchaus im Raum paulinischer Sprache (vgl. 2 Kor 4,18).

[49] Der Jude *G. Scholem* dagegen bemerkt: „Das Judentum hat, in allen seinen Formen und Gestaltungen, stets an einem Begriff von Erlösung festgehalten, der sie als einen Vorgang auffaßte, welcher sich in der Öffentlichkeit vollzieht, auf dem Schauplatz der Geschichte und im Medium der Gemeinschaft, kurz, der sich entscheidend in der Welt des Sichtbaren vollzieht und ohne solche Erscheinung im Sichtbaren nicht gedacht werden kann": Zum Verständnis der messianischen Idee im Judentum, in: ders., Über einige Grundbegriffe des Judentums, Frankfurt 1970, 121–167, hier 121. Die Enderlösung vollzieht sich auch nach christlicher Überzeugung im Bereich des Sichtbaren und des Öffentlichen, nämlich bei dem weltöffentlichen Ereignis der Parusie.

[50] Vgl. dazu *F. Mußner,* „Weltherrschaft" als eschatologisches Thema der Johannesapokalypse, in: *E. Gräßer/O. Merk* (Hg.), Glaube und Eschatologie (FS W. G. Kümmel) (Tübingen 1985) 209–227.

gebaute Reich dem Vater und unterwirft sich ihm, damit zuletzt „Gott alles in allem sei“[51].

Dieser Beitrag in der Festschrift für den langjährigen Freund und ehemaligen Wanderkameraden im schönen Trierer Land bringt nicht viel Neues, aber der Verfasser wollte auf einige Punkte in der Eschatologie aufmerksam machen, die nach seiner Meinung nicht genügend im Bewußtsein sind und gerade auch für den christlich-jüdischen Dialog von Bedeutung sein könnten. Diese Gedanken in der Festschrift für Wilhelm Breuning vorzulegen, ist passend, da Breuning sich auch um die christliche Eschatologie bemüht hat[52]. Es hat sich gezeigt, daß für Paulus und seine Schule in fortschreitendem Maß die realisierte Eschatologie, die praesentia salutis in Christus, wichtiger ist als die futurische Eschatologie[53]. Das konnte aber gar nicht anders sein, weil für Paulus und seine Schule der auf den Thron Gottes erhöhte Kyrios

---

[51] Kirchenväter hatten gewisse christologische Schwierigkeiten bei ihrem Verständnis von 1 Kor 15,24–28; vgl. *E. Schendel,* Herrschaft und Unterwerfung Christi. 1 Korinther 15,24–28 in Exegese und Theologie der Väter bis zum Ausgang des 4. Jahrhunderts (= Beitr. z. Geschichte der Bibl. Exegese 12) (Tübingen 1971).

[52] Vgl. den großen Beitrag: Systematische Entfaltung der eschatologischen Aussagen, in: MySal V, 779–890; dazu unter den gesammelten Aufsätzen W. Breunings besonders ‚Gleichzeitig mit Christus‘ und ‚Communio sanctorum‘, in: *W. Breuning,* Communio Christi. Zur Einheit von Christologie und Ekklesiologie (Düsseldorf 1980) 31–47, 119–133.

[53] Vgl. auch *W. Radl,* Ankunft des Herrn, a.a.O. (s. Anm. 41); *F. J. Schierse,* Oster- und Parusiefrömmigkeit im Neuen Testament, in: Strukturen christlicher Existenz (FS F. Wulf) (Würzburg 1968) 37–57. – Die Vollendung der ‚präsentischen Theologie‘ liegt im Neuen Testament im Johannesevangelium vor, so sehr, daß der ‚johanneische Akzent‘ zum Parameter einer genuin christlichen Eschatologie genommen werden muß, vgl. *H. U. von Balthasar,* Theodramatik IV (Einsiedeln 1983) 19–28. Vgl. auch das interessante Ergebnis der Arbeit von *I. Frank,* Der Sinn der Kanonbildung. Eine historisch-theologische Untersuchung der Zeit vom 1. Clemensbrief bis Irenäus von Lyon (= FreibthSt 90) (Freiburg 1971) mit dem Ergebnis: „Das Johannesevangelium ist demnach nicht nur der Katalysator der Kanonbildung, es ist auch der maßgebende ‚Kanon im Kanon‘ für die Auslegung der übrigen kanonischen Schriften, und diese Aussage gilt nicht nur für die synoptischen Evangelien und sonstigen Schriften, sie gilt auch für die Paulusbriefe“ (210). Aber auch die präsentische Eschatologie des Hebräerbriefs darf hier nicht vergessen werden (vgl. etwa Hebr 12,18–24); dazu *F. J. Schierse,* Verheißung und Heilsvollendung. Zur theologischen Grundfrage des Hebräerbriefes (= MThSt I/9) (München 1955); *A. Cody,* Heavenly Sanctuary and Liturgy in the Epistle to the Hebrews. The Achievment of Salvation in the Epistle's Perspectives (St. Meinrad, Indiana, 1960); *O. Kuss,* Der Brief an die Hebräer (RNT VIII, 1) (Regensburg ²1966) 205–214 (Exkurs: „Das Heil als Heilsgut“); *B. Klappert,* Die Eschatologie des Hebräerbriefs (= ThEx 156) (München 1969). Ein bei christlichen Exegeten weitverbreitetes Vorurteil besteht darin, daß man die ‚realisierte‘, gar den ‚Himmel‘ miteinbeziehende Eschatologie nicht als genuin christliche Eschatologie gelten lassen will, diese vielmehr als ‚Enthusiasmus‘, ‚Schwärmerei‘ oder „Platonismus“ abtun zu müssen glaubt, wo doch in Wirklichkeit nach dem Neuen Testament die realisierte, den Himmel miteinbeziehende Eschatologie zur ‚zentralen Christusverkündigung‘ (W. G. Kümmel) gehört.

Jesus das eigentliche ὄντως ὄν geworden ist, von dem her sie denken. Sie sind deswegen nicht dem Enthusiasmus und Triumphalismus verfallen, weil der Kyrios Jesus für sie immer auch der Gekreuzigte blieb. Sie haben aber auch nie die futurische Eschatologie vergessen, wie nicht bloß 1 Kor 15 beweist, sondern etwa auch der Epheserbrief.

Was ist die Kirche?

Die Antwort des Epheserbriefs

Wenn man die Antwort des Eph auf die Frage, was die Kirche sei, in den Blick bekommen will, muß man von den Erfahrungen ausgehen, die die Urkirche bis zur Zeit der Abfassung des Eph in verschiedener Hinsicht gemacht hat.

I. Welche Erfahrungen stehen hinter der Ekklesiologie des Epheserbriefs?

1. Situationsbedingte Erfahrungen der Abfassungszeit

Heute hat sich in der ntl. Wissenschaft weithin die Überzeugung durchgesetzt, daß der Verfasser des Eph nicht der Apostel Paulus selber ist, sondern ein bedeutender, aber uns unbekannter Mann aus der Paulusschule[1]. Das „Paulusbild" des Briefes ist nachpaulinisch – der Brief schaut auf die Gründergeneration als auf „seine heiligen Apostel und Propheten" (3,5) bereits zurück, die Glorifizierung des Paulus ist in vollem Gang; die pln. Theologie ist deutlich weiterentwickelt bzw. sind im Brief gemeinurkirchliche Theologumena „paulinisiert."[2] Und deutlich sucht der Brief Probleme zu bewältigen, die mit dem Aussterben der Gründergeneration und dem Tod des Paulus zu tun haben. Speziell nach dem Tod des Apostels war das Zusammengehörigkeitsbewußtsein seiner Gemeinden bedroht – der Apostel selbst hat in dieser Hinsicht keine Anordnungen hinterlassen, und gerade aus diesem Umstand heraus sind ja jene pln. Pseudepigraphen wie die Pastoralbriefe entstanden, oder auch die „Abschiedsrede" des Paulus in Milet

---

[1] Vgl. dazu die neuen Kommentare von J. Gnilka, F. Mußner, R. Schnackenburg und die jüngeren „Einleitungen" zum Neuen Testament.

[2] Vgl. dazu besonders H. Merklein, Paulinische Theologie in der Rezeption des Kolosser- und Epheserbriefes, in: K. Kertelge (Hg.), Paulus in den ntl. Spätschriften (QD 89) (Freiburg i. Br./Basel/Wien 1981) 25–69; ders., Eph 4,1 – 5,20 als Rezeption von Kol 3,1–17 (zugleich ein Beitrag zur Problematik des Epheserbriefes), in: P.-G. Müller/ W. Stenger (Hg.), Kontinuität und Einheit (FS f. F. Mußner) (Freiburg i. Br./Basel/ Wien 1981) 194–210.

(Apg 20,17ff.)[3]. Sie versuchen deutlich, die durch die neue Situation entstandenen Probleme des nachapostolischen Zeitalters der Urkirche zu bewältigen.[4] Auch der Eph gehört in diese Versuche hinein. Während die genuinen Paulusbriefe an Einzelgemeinden oder im Fall des Philemonbriefs an eine Einzelpersönlichkeit gerichtet sind, stellt der Eph eine Art „Enzyklika“ dar, gerichtet an alte Paulusgemeinden in Kleinasien – die Ortsangabe „in Ephesus“ in 1,1 fehlt bei den ältesten Textzeugen ($\mathfrak{p}^{46}$, ℵ*, B*, 6, 1739 und auch bei Origenes). Die Gemeinden isolieren sich voneinander, sie haben nicht genügend ekklesiales Zusammengehörigkeitsbewußtsein. Dem gegenüber will der Verfasser Abhilfe schaffen, indem er die Einheit der Kirche herausarbeitet und diese mit theologisch höchst wichtigen „Einheitsfaktoren“ begründet: „*ein* Leib und *ein* Pneuma, wie ihr auch berufen seid zu *einer* Hoffnung in eurer Berufung. *Ein* Herr, *ein* Glaube, *eine* Taufe, *ein* Gott und Vater *aller,* der da ist über *allen* und durch *alle* und in *allen*“ (4,4–6); dazu beachte man die übrige Rolle des Zahlworts „ein einziges“ („ein einziger“) in 2,14 („er hat aus beiden ein *einziges* gemacht“); 2,15 (er schuf „die zwei in sich zu einem *einzigen* neuen Menschen“); 2,16 (er versöhnte „die beiden in einem *einzigen* Leib mit Gott“); 2,18 (die beiden haben „in einem *einzigen* Pneuma den Zugang zum Vater“). In 4,3 ermahnt er die Adressaten: Seid „eifrig bestrebt, zu bewahren *die Einheit* des Geistes im Band des Friedens!“.

Gerade aus dieser Mahnung geht hervor, daß die Einheit bedroht war bzw. fehlte. Durch die Aufnahme des Briefes in die „kanonischen“, d.h. maßgeblichen Schriften der Kirche wurde dieses „Einheitsprogramm“ des Briefes zum Dauerprogramm der Kirche bis zum heutigen Tag, mit dem auch jeder Bischof befaßt ist. Denn auch die Amtsträger in der Kirche werden vom Verfasser ermahnt „zur Zurüstung der Heiligen (der Gemeindemitglieder) für das Werk des Dien-

[3] Vgl. dazu J. Zmijewski, Die Pastoralbriefe als pseudepigraphische Schriften – Beschreibung, Erklärung, Bewertung, in: Studien zum NT und seiner Umwelt 4 (1979) 97–118; P. Trummer, Die Paulustradition der Pastoralbriefe (BET 8) (Frankfurt 1978); Ders., Corpus Paulinum – Corpus Pastorale, in: K. Kertelge (Hg.), Paulus in den ntl. Spätschriften (QD 89) (Freiburg i. Br./Basel/Wien 1981) 122–145; G. Lohfink, Paulinische Theologie in der Rezeption der Pastoralbriefe, ebd. 70–121; F. Prast, Presbyter und Evangelium in nachapostolischer Zeit. Die Abschiedsrede des Paulus in Milet (Apg 20,17–38) im Rahmen der luk. Konzeption der Evangeliumsverkündigung (fzB 29) (Stuttgart 1979); M. Wolter, Die Pastoralbriefe als Paulustradition (FRLANT 146) (Göttingen 1988); G. Lohfink, Die Vermittlung des Paulinismus zu den Pastoralbriefen, in: BZ, NF 32 (1988) 169–188.

[4] Vgl. F. Mußner, Die Ablösung des apostolischen durch das nachapostolische Zeitalter und ihre Konsequenzen, in: H. Feld/J. Nolte (Hg.), Wort Gottes in der Zeit (FS f. K. H. Schelkle) (Düsseldorf 1973) 166–177.

stes, für den Aufbau des Leibes Christi, bis wir alle gelangen zur *Einheit* des Glaubens und der Erkenntnis des Sohnes Gottes" (4,11–13a).

Und weil der Brief bereits auf die Gründergeneration zurückschaut, spielt diese naturgemäß eine wichtige Rolle: die Kirche ist „auferbaut auf dem Fundament der Apostel und Propheten, wobei Eckstein selbst Christus Jesus (ist), in dem das ganze Gebäude zusammengefügt (ist und) wächst zu einem heiligen Tempel im Herrn" (2,20f.). Das Fundament des geistlichen Tempelbaus der Kirche bilden zunächst „die Apostel". Also sind sie hier nicht mehr als „die verkündigenden, sondern die verkündigten Apostel" (H. Merklein)[5] verstanden. Zu ihnen gehören „die Propheten", nämlich jene Propheten, die gerade in der anfänglichen Zeit der Urkirche eine wichtige Rolle spielten[6]. Der Verfasser schaut also auf die Gründergeneration bereits zurück, und wenn er sie als „Fundament" der Kirche bezeichnet, dann kann das nur den Sinn haben: „Die Apostel und Propheten" sind für ihn eine bleibend normative Größe, was wiederum nichts anderes bedeuten kann als dies: Sie sind für ihn die maßgebenden Traditionsträger. „Das Bild vom Fundament enthält den Gedanken der Tradition" (H. Conzelmann)[7]. „Fundament der Apostel ist Chiffre für die als Norm aufgefaßte apostolische Verkündigung. Wir befinden uns deutlich in der nachapostolischen Zeit, in der das Problem der Tradition brennend wurde" (H. Merklein)[8]. Der Traditionsgedanke gehört also zum Kirchenbild des Briefes. Dabei hat der Stifter schlechthin, Christus, in diesem geistlichen „Bau" der Kirche die nicht auswechselbare Funktion des „Ecksteins" (nicht des „Schlußsteins"!), der „sowohl die Mauern als auch die Grundfesten zusammenhält" (Joh. Chrysostomus, PG 62,44)[9].

Der Kirchenbau selber ist aber in einem Prozeß des „Wachsens" begriffen: zweimal begegnet an bedeutender Stelle (2,21; 4,15) das Verbum „wachsen", dazu in 4,16 das Substantiv „Wachstum", stets bezogen auf den geistlichen Wachstums- und Reifeprozeß der Kirche,

---

[5] Das kirchliche Amt nach dem Epheserbrief (StANT 33) (München 1973) 139.

[6] Vgl. dazu G. Dautzenberg, Urchristliche Prophetie. Ihre Erforschung, ihre Voraussetzungen im Judentum und ihre Struktur im ersten Korintherbrief (BWAT 104) (Stuttgart 1975); U. B. Müller, Prophetie und Predigt im NT. Formgeschichtliche Untersuchungen zur urchristlichen Prophetie (StNT 10) (Stuttgart 1975).

[7] Der Brief an die Epheser, in: NTD 8 (Göttingen 1976) 101.

[8] Das kirchliche Amt (s. Anm. 5) 139. Vgl. auch P.-G. Müller, Der Traditionsprozeß im NT. Kommunikationsanalytische Studien zur Versprachlichung des Jesusphänomens (Freiburg i. Br./Basel/Wien 1982) 245f.

[9] Vgl. dazu Näheres bei F. Mußner, Der Brief an die Epheser (ÖTK 10) (Gütersloh/Würzburg 1982) 92–95.

dazu siebenmal in dem Abschnitt 4,12–16 die Präposition εἰς mit jeweiliger Zielangabe des Reifeprozesses (Werk der Diakonie; Aufbau des Leibes Christi; Einheit des Glaubens und der Erkenntnis des Sohnes Gottes; vollkomener Mann; ausgereiftes Maß der Fülle Christi; in Liebe wachsen hinein in ihn gänzlich; Aufbau des Leibes in Liebe). Die Kirche wird also im Eph keineswegs als ein statisches, totes Gebäude empfunden, sondern als ein in einer lebendigen Wachstumsdynamik sich befindlicher Bau, als Bau und Baustelle zugleich[10] mit eschatologischer Zielsetzung, die sich an Christus selber als der Reifegestalt schlechthin orientiert (vgl. 4,13.14). Und die primäre Aufgabe der kirchlichen, vom erhöhten Herrn selber eingesetzten Ämter in der Kirche ist nach 4,11–16 gerade diese, diesen Wachstums- und Reifeprozeß der Kirche zu fördern und voranzutreiben – wobei das quantitative Wachstum der Kirche in ihrer Missionsarbeit nicht auszuschließen ist.[11]

Der „Kirchenbegriff" des Eph hängt also zunächst mit den situationsbedingten Erfahrungen der Abfassungszeit zusammen, besonders mit der Erfahrung des gefährdeten Einheitsbewußtseins der Einzelgemeinden nach dem Aussterben der Gründergeneration. Die Kirche ist *eine* – trotz ihrer Ausfächerung in den Lokalkirchen.

2. Die missionarische Erfahrung der Urkirche: Der Einbezug der Heiden in das Heil des Messias Christus

Die eigentliche Missionschronik im ntl. Kanon, die Apostelgeschichte, erzählt, wie auf Betreiben Gottes und des Heiligen Geistes die ursprünglich rein judenchristliche Kirche immer mehr zu einer heidenchristlichen Kirche wird, auch zusammenhängend mit der in der konkreten Mission gemachten Erfahrung, daß die Juden in ihrer Hauptmasse vom Evangelium nichts wissen wollen, und die Missionare sich auch deshalb immer mehr den Heiden zuwenden; schon angedeutet in der Korneliusgeschichte und als Programm formuliert in Apg 13,46: „Euch (den Juden) mußte *zuerst* das Wort Gottes verkündet werden; nachdem ihr es zurückstoßt und euch selbst des ewigen Lebens nicht für würdig erachtet, siehe, (deshalb) wenden wir uns *den Heiden* zu" (vgl. auch 18,6; 19,9; 28,23–28). Auch nach Paulus (Römerbrief) ist das „Missionsziel" Gottes das Heil *für alle,* aber wie-

[10] Vgl. auch F. Schnider/W. Stenger, Die Kirche als Bau und die Erbauung der Kirche. Statik und Dynamik eines ekklesiologischen Bildkreises, in: Concilium 8 (1972) 714–720.

[11] Vgl. dazu R. P. Meyer, Kirche und Mission im Epheserbrief (SBS 86) (Stuttgart 1977).

derum „für den Juden *zuerst* und für den Griechen" (1,16; vgl. 2,9)[12]. Gottes Heilsplan zielt nicht bloß auf den Einbezug des „Erstanwärters" Israel in das Christusheil, sondern ebenso auf den Einbezug der Heiden in dasselbe. Dieses göttliche Heilsprogramm, von der Urkirche in ihrer Mission realisiert, kommt auch im Eph nochmals bedeutsam zur Sprache und wird in ihm geradezu als „Mysterium" bezeichnet, „das in anderen Generationen den Menschensöhnen nicht bekanntgegeben wurde, wie es *jetzt* offenbart wurde seinen heiligen Aposteln und Propheten im Geist", und das da lautet: „*Die Heiden* sind *Mit*erben und *Mit*eingeleibte und *Mit*teilhaber an der Verheißung in Christus Jesus durch das Evangelium" (3,4–6). Das gehört nun längst zur Missionserfahrung der Kirche – und dies bis zum heutigen Tag –, und von ihr her baut sie nach dem Eph ihren „Kirchenbegriff", ihr heilsgeschichtliches Bewußtsein und ihr Selbstverständnis auf.

Der pseudepigraphische Paulus bemerkt in 3,3, daß ihm „gemäß einer Offenbarung" jenes Mysterium „bekanntgegeben wurde, wie ich oben in Kürze geschrieben habe": das bezieht sich zurück auf die Ausführungen des Verfassers in 2,11–22, mit denen wir uns kurz beschäftigen müssen, zumal in diesem Abschnitt besonders sichtbar wird, was die Kirche für den Verfasser ist. Er erinnert zu Beginn dieses Abschnitts die Heidenchristen an ihre heidnische Vergangenheit: „daß ihr zu jener Zeit ohne einen Messias wart, ausgeschlossen vom Gemeinwesen Israel und Fremdlinge gegenüber den Testamenten der Verheißung, ohne Hoffnung und ohne Gott im Kosmos" (2,11 f.). Das Bemerkenswerte ist, daß die Schilderung heidnischer Existenzweise nicht durch eine Phänomenologie derselben aus ihr selbst gewonnen wird, vielmehr ganz und gar vor dem Horizont Israels, auf dessen Sein und Verheißungsgeschichte in den beiden Versen kurz, aber ausdrücklich abgehoben wird, mit den Hinweisen auf „die sog. Beschneidung" (= die Juden), den „Messias", die „Verheißungstestamente", das „Gemeinwesen Israel"; auch die Präpositionalphrase „ohne Hoffnung" weist auf den hoffnungslosen Zustand der Heiden in ihrer vorchristlichen Zeit hin, während Israel durch die Verheißungstestamente, die ihm gegeben worden sind, Hoffnung besaß, besonders auf den kommenden Messias. Und selbst die Formulierung, die Heiden seien „ohne Gott im Kosmos", läßt das heidnische Götterensemble zum Fehl Gottes werden, natürlich wiederum mit Blick auf Israel, dem Gott in Jahwe bekannt ist. „Jetzt" ist das für die Heiden total anders gewor-

[12] Vgl. dazu F. Mußner, Heil für alle. Der Grundgedanke des Römerbriefs, in diesem Band S. 29–38; ders., Die Erzählintention des Lukas in der Apostelgeschichte, in diesem Band S. 101–114.

den: „*Jetzt* aber in Christus Jesus seid ihr, die ihr einst Ferne wart, Nahe geworden durch das Blut des Christus“ (2,13). Er erschafft Juden und Heiden „in sich zu einem einzigen *neuen* Menschen“ und versöhnt „die beiden *in einem einzigen Leib* mit Gott“, nachdem er „die trennende Mauer“, nämlich das „Gebotegesetz“ der Tora mit seinen Verordnungen, „zunichtegemacht hat“ (2,14–16). Zuvor schon schrieb der Verfasser, daß wir „gnadenhaft gerettet sind durch Glauben ... nicht aus Werken“ (2,8). Hier ist deutlich die pln. Rechtfertigungslehre angesprochen, die in der Paulusschule nicht vergessen wurde und die, wie bei Paulus selbst, mit der Aufnahme der Heiden in das Heil des Messias Christus in Zusammenhang gebracht wird (vgl. Galater- und Römerbrief)[13]. Mit Blick auf unsere Themafrage: „Was ist die Kirche nach dem Epheserbrief?“, kann nun als zweite Antwort gegeben werden: Die Kirche ist der Ort, an dem die Heiden durch Taufe und Glauben (vgl. 2,5–9) als „Mitteilhaber“ der Verheißung im Messias Jesus in die Verheißungsgeschichte Israels aufgenommen und „Miterben“ und „Miteingeleibte“ in dem einen Leib des Messias werden.[14] Dahinter steht also die konkrete Missionserfahrung.

3. Die geistlich-kultische Erfahrung der Urkirche

Der Verfasser bringt diese Erfahrung in 2,18 auf die klassische Formel: „Daher haben wir durch ihn (Christus) den Zugang, wir die beiden in einem einzigen Pneuma zum Vater“. Ich halte diesen Satz für den kerygmatischen Spitzensatz des Briefes. Der Zugang zum Vater ist ja das letzte und eigentlichste Ziel der gesamten Heilsgeschichte. Dieser Zugang ist nicht das Ergebnis menschlicher Bemühungen, etwa durch Gnosis, Meditation oder Askese, vielmehr vermittelt durch Christus („durch ihn“) und vollzogen in dem einen Pneuma, das die Vorbehaltenheit des transzendenten Gottes aufbricht und Raum und Zeit überwindet. Dieser Satz führt darum in das geistliche Zentrum der Kirche, führt zur „intimité chrétienne“. Es bildet sich ein heiliges Koordinatensystem, in dem die horizontale, die Heilsgeschichte tangierende Linie, signifiziert durch „einst“ und „jetzt“ (vgl. 2,11.13), sich unlöslich verbindet mit der vertikalen, dem Blick zum Vater, zu dem die Getauften im heiligen Tempel der Kirche „den Zugang“ haben,

[13] Vgl. F. Mußner, Petrus und Paulus – Pole der Einheit (QD 76) (Freiburg i. Br. 1976) 86–108.

[14] Vgl. auch noch B. Klappert, Miterben der Verheißung. Christologie und Ekklesiologie der Völkerwallfahrt zum Zion. Eph 2,11–22, in: M. Marcus u. a. (Hg.), Israel und Kirche heute. Beiträge zum christlich-jüdischen Gespräch für E. L. Ehrlich (Freiburg i. Br. 1991) 72–109.

schon haben: Präsens „wir haben“ (ἔχομεν) in 2,18. Dahinter stehen drei Überzeugungen der Urkirche:

a) die Erfahrung der schon erfolgten Erlösung durch Christus, angesprochen in den Präpositionalphrasen „durch das Blut des Christus“ in 2,13, „in seinem Fleisch“ in 2,14, „durch das Kreuz“ in 2,16. Dieser Christus ist aber schon von den Toten erweckt und zur Rechten Gottes erhöht (1,20).

Das führt zu b): die Erfahrung der „realisierten Eschatologie“, die gerade im Eph stark hervorgehoben wird, etwa in seiner Tauflehre, nach der uns Gott schon „mitlebendiggemacht hat in Christus ... und mitauferweckt hat und uns hat mitsitzen lassen im himmlischen Bereich in Christus Jesus“ (2,5 f.), und die besonders zum Ausdruck kommt im unmittelbaren Kontext von 2,18, wo gesagt wird, daß wir infolge des uns schon gewährten Zugangs zum Vater „nun nicht mehr Fremdlinge und Beisassen (sind), vielmehr seid ihr Mitbürger der Heiligen (= der himmlischen Wesen) und Hausgenossen Gottes“ (2,19)[15].

c) Die Erfahrung und Verkündigung realisierter Eschatologie hängt aber wiederum zusammen mit der Überzeugung der Urkirche, der „heilige Tempel im Herrn“ zu sein, die „Wohnung Gottes im Pneuma“ (2,21 f.). In dieser Überzeugung der Urkirche, der eschatologische, spirituelle, aber doch leibhafte „Tempel“ Gottes zu sein, hat die Idee vom schon jetzt möglich gewordenen „Zugang“ aller „zum Vater“ ihren „Sitz im Leben“. Dahinter steht zweifellos in besonderer Weise die kultische Erfahrung der Urkirche, speziell bei der Feier der Eucharistie, die möglicherweise in 5,19 ausdrücklich angesprochen ist, wenn da von dem Singen und Psallieren „in Psalmen und Hymnen und geistlichen Oden“ die Rede ist. Im Tempel zu Jerusalem war den Heiden der Zugang zu den Vorhöfen Israels unter Todesstrafe verboten, den Zugang zum Heiligtum hatten nur die Priester, und in das Allerheiligste nur der Hohepriester und dieser auch nur einmal im Jahr, am Yom Kippur. Im Tempel der Kirche dagegen gibt es keine trennenden Mauern zwischen Juden und Heiden; hier haben *alle,* wer sie auch seien, jung und alt, Gesunde und Kranke, Dumme und Gescheite, Arme und Reiche, Schwarze und Weiße, „den Zugang“ in die innersten Bereiche: zum Vater! Im konkreten Gottesdienst der Kirche wird das sichtbar und erfahrbar. Im geistlichen „Tempel“ der Kirche ist es darum anders als etwa in der Qumrangemeinde, die sich auch als Tempel Gottes verstand;[16] dort galt nach 4Qflor I,3 f.: „Dies ist das Haus, in das (... in)

[15] Vgl. dazu Mußner, Der Brief an die Epheser (s. Anm. 9) 89–92.
[16] Vgl. die Belege bei Mußner, Der Brief an die Epheser, 90 f.

Ewigkeit kein Ammoniter und kein Moabiter und kein Bastard und kein Ausländer und kein Fremdling eintreten darf in Ewigkeit, sondern (nur) diejenigen, die den Namen ‚Heilige' tragen", und nach 1QHod VI, 27: „Denn kein Fremdling wird (zu) ihren (Tor)en eingehen ...". In das Haus der Kirche dagegen können alle Menschen eintreten, wer sie auch seien.

II. Ekklesiologische Ideogramme für die Kirche

Die Erfahrung, die hinter dem Kirchenbild des Eph steht, verdichtet sich sprachlich, im Anschluß an pln. Theologumena, vor allem in den zwei schon erwähnten metaphorischen Ideogrammen für die Kirche: in der Leib-Metapher (verbunden, wie bereits im Kol, mit der Haupt-Christologie) und in der Tempel-(Bau-)-Metapher. Die Leib-Haupt-Metapher stammt m. E. nicht aus der Gnosis (Bultmannschule!), sondern aus der politischen Philosophie der Abfassungszeit[17], und auch die Tempel-(Bau-)Metaphern stammen nicht aus der Gnosis (Vielhauer, Schlier), hängen vielmehr mit dem Ablösungsprozeß der Kirche von Israel zusammen, der zu ihrer Spiritualisierung geführt hat, ähnlich wie in Qumran. Zudem war der Tempel in Jerusalem zur Abfassungszeit des Briefs schon zerstört.

Die ekklesiologischen Ideogramme des Briefs sind, wie wir gesehen haben, durch und durch gesättigt von den Erfahrungen der Urkirche, besonders in ihrer Mission. In diesen Ideogrammen sammeln sich Erfahrungen. Diese Erfahrungen reichern sich fortwährend an bis zum heutigen Tag. Gerade nun die Erkenntnis, daß die Haupt-, Leib-, Glieder-Metapher aus der politischen Philosophie der Zeit stammt, könnte uns auf ein wichtiges Element aufmerksam machen, das mit der Frage: „Was ist die Kirche?" im Licht des Eph?, wesentlich zu tun hat, und das ich den *Öffentlichkeitscharakter der Kirche* nennen möchte. Zum Wesen des Politischen gehören m. E., global gesprochen, zwei Dinge: Macht und Öffentlichkeit. Die Politik strebt nach Macht und sie vollzieht sich in der Öffentlichkeit der Welt. Beides trifft auch nach dem Eph zu: Die Welt ist der Raum der Christusherrschaft. Gott hat seine Macht und Stärke wirksam werden lassen „am Christus, als er ihn von den Toten erweckte und ihn sitzen ließ zu seiner Rechten im himmlischen Bereich, hoch über jeglicher Macht und Gewalt und Kraft und Herrschaft und jedem Namen, der genannt wird nicht nur in diesem Äon, sondern auch im zukünftigen; und alles hat er unterworfen unter

---

[17] Vgl. dazu Mußner, Der Brief an die Epheser, 32f.

seine Füße, und gab ihn als alles überragendes Haupt der Kirche, welche ist sein Leib, die Fülle dessen, der alles in allem erfüllt" (1,20–23). Christus ist seit seiner Auferstehung zum Herrn der Welt eingesetzt: das verkündigt dieser Text zusammen mit der übrigen Urkirche. Und nach 1,9f. ist der Beschluß Gottes, den er in Christus „zur Durchführung der Fülle der Zeiten" gefaßt hat, dieser: „zusammenzufassen das All in dem Christus, das in den Himmeln und das auf der Erde": die sog. Anakephalaiosis des Alls in Christus. Die ganze Schöpfung bekommt im erhöhten Christus ein einziges Herrschaftsprinzip, besser: einen alle Herrschaft über die Welt an sich ziehenden Herrn. Alle anderen Mächte, Gewalten und Herrschaften, die das Herr-Sein Gottes in Frage stellen und beeinträchtigen, werden durch Christus entmächtigt (vgl. auch 1 Kor 15,24–28). Der Brief expliziert nicht, worin er das Wesen und die Herkunft dieser „Mächte" sieht. Aber ihre Titulatur läßt auf jeden Fall erkennen, daß sie Macht über die Welt ausüben und so auf den Lauf der Geschichte von bestimmendem Einfluß sind. Da sich die Geschichte primär im politischen Raum konkretisiert, geht man in der Annahme nicht fehl, daß jene Mächte und Gewalten, die Christus unterworfen werden, in der Geschichte ihr Wesen vor allem im politischen Bereich manifestieren. Politische und staatsrechtliche Begriffe spielen im Brief eine wichtige Rolle[18]. Der Brief vertritt auf seine Weise eine „politische Theologie". Und es wird höchste Zeit, daß wir die politische Dimensionen der Bibel wieder in den Blick bekommen, damit wir erkennen, was sich in Wirklichkeit in der Geschichte abspielt.

Die Kirche verkündet in die Öffentlichkeit der Welt hinein, daß Christus seine Herrschaft über sie schon angetreten hat, und sie sammelt in ihrer Mission die Völker unter seine Herrschaft. Das ist ein politischer Vorgang ersten Ranges – und die Gegenmächte wissen das auch. Zwar richtet sich unser Kampf nach 6,12 nicht „gegen Fleisch und Blut" (d.h. gegen schwache Menschen), „vielmehr gegen die Mächte, gegen die Gewalten, gegen die Weltherrscher dieser Finsternis, gegen die Geisterwesen der Bosheit in den himmlischen Bereichen", d.h. gegen die satanischen, hinter den Kulissen der Geschichte wirkenden Mächte. Und die Waffen, mit denen der Christ nach 6,13–17 kämpfen soll, sind die Wahrheit, der „Panzer der Gerechtigkeit", „das Evangelium des Friedens", „der Schild des Glaubens" und „das Schwert des Geistes – das ist das Wort Gottes". Denn die Herrschaft Christi über die Welt ist keine Herrschaft mit Atomwaffen und

[18] „Gemeinwesen Israel" (2,12), „ein einziger Leib" (2,16); „Fremde und Beisassen – Mitbürger" (2,19); „sitzend zu seiner Rechten" (Thronvorstellung!) (1,20).

Konzentrationslagern, sondern eine Herrschaft des Lebens, der Liebe, des Dienstes und der Hingabe (vgl. besonders 5,15.29).

Die Kirche ist nach dem Eph – und nach dem ganzen Neuen Testament – ein öffentliches Anwesen. Das Wissen darum bewahrt sie vor „Sektenbewußtsein", vor Introvertierung (analog etwa der Qumrangemeinde) und vor dem Rückzug „in die Sakristei". Sie richtet in der Öffentlichkeit der Welt eine Botschaft aus, die Botschaft der Versöhnung und des Friedens, die durch Christus inauguriert wurden. Damit kommen wir zum letzten Punkt.

III. Die menschheitsökumenische Aufgabe der Kirche nach dem Epheserbrief[19]

Ich gehe nochmals von Texten aus. Es heißt in 2,14–17: „Er selbst ist unser Frieden ... Er schuf die zwei (die Juden und die Heiden) in sich zu einem einzigen neuen Menschen, Frieden stifend, und er versöhnte die beiden in einem einzigen Leib mit Gott durch das Kreuz". Geradezu programmatisch klingt dann 2,17: „*Er kam und verkündete Frieden,* euch den Fernen (den Heiden), und Frieden den Nahen" (den Juden). Der Blick des Verfassers ist also zunächst auf Juden und Heiden gerichtet, jedoch mit der Idee von der Erschaffung des „einen neuen *Menschen*" greift er auf die Schöpfungsgeschichte der Genesis zurück (Erschaffung des Menschen), aber interpretiert sie nun eschatologisch („*neuer* Mensch"). Doch mit dem Begriff „Mensch" bleibt der Horizont ins Universale geweitet, der Blick auf die gesamte Menschheit gerichtet.

Der Friedensstifter und universale Versöhner ist Jesus Christus; der „eine Leib", in dem alle versöhnt werden, ist die Kirche. Damit wird der Kirche ihr „politischer" Ort in der Menschheitsgeschichte zugewiesen: In ihr versammelt Gott die ganze Menschheit zu der von ihm schon immer gewollten eschatologischen Einheit, zu der eschatologischen „one world". Ihren ersten und letzten Grund hat diese Einheit aber nicht in der Existenz der Kirche als solcher, sondern in dem Allversöhner Christus und darum primär in der Christologie, die die Herrschaft Christi über alle Welt verkündet, gerade in unserem Brief, wie wir vorher sahen[20]. Damit kommt die menschheitsökumenische

[19] Vgl. dazu Mußner, Der Brief an die Epheser (s. Anm. 9) 181f.

[20] Vgl. Vat. II, Dogmatische Konstitution über die Kirche, Art. 9: „So ist denn dieses messianische Volk, obwohl es tatsächlich nicht alle Menschen umfaßt und gar oft als kleine Herde erscheint, für das ganze Menschengeschlecht die unzerstörbare Keimzelle der Einheit, der Hoffnung und des Heils ... Gott hat die Versammlung derer, die zu

Aufgabe der Kirche in den Blick. Sie sammelt in ihrer Mission alle Menschen zur Einheit vor Gott und verkündigt als Heilsinstrument Christi seinen völkerversöhnenden Frieden in der ganzen Welt. Das ist ihre besondere Botschaft und ihr besonderer Auftrag, gerade in der heutigen Zeit. Die Kirche ist erfreulicherweise dabei, die Friedens- und Versöhnungsbotschaft Christi laut in die Öffentlichkeit der Welt hineinzurufen. Die pax Christi zu verkünden: das ist die „politische" Aufgabe der Kirche in dieser Epoche der Weltgeschichte. Zur pax Christi gehört aber nach dem Eph auch „der Zugang zum Vater" für alle, der Innenraum der Kirche, die intimité chrétienne.

Christus als dem Urheber des Heils und dem Ursprung der Einheit und des Friedens glaubend aufschauen, als seine Kirche zusammengerufen und gestiftet, damit sie allen und jedem das sichtbare Sakrament dieser heilbringenden Einheit sei. Bestimmt zur Verbreitung über alle Länder, tritt sie in die menschliche Geschichte ein und übersteigt doch zugleich Zeiten und Grenzen der Völker."

„Theologie nach Auschwitz“

Versuch eines Programms *

I. *„Theologie nach Auschwitz“*

Wer den Ausdruck geprägt hat, entzieht sich meiner Kenntnis. Er begegnet vor allem (wörtlich oder der Sache nach) in den folgenden, in Deutsch geschriebenen Werken:

- E. *Kogon* u.a., Gott nach Auschwitz. Dimensionen des Massenmords am jüdischen Volk (Freiburg i. Br.–Basel–Wien [4]1986)
- C. *Thoma,* Christliche Theologie des Judentums (Aschaffenburg 1978)
- P. *von der Osten-Sacken,* Grundzüge einer Theologie im christlich-jüdischen Gespräch (München 1982)
- G. B. *Ginzel* (Hg.), Auschwitz als Herausforderung für Juden und Christen (Heidelberg 1980)
- R. *Rendtorff / E. Stegemann* (Hg.), Auschwitz – Krise der christlichen Theologie (München 1980)
- M. *Stöhr* (Hg.), Jüdische Existenz und die Erneuerung der christlichen Theologie (München 1981)
- J. B. *Metz,* Im Angesichte der Juden. Christliche Theologie nach Auschwitz, in: Concilium 20 (1984) 382–389
- J. *Kohn,* Haschoah. Christlich-jüdische Verständigung nach Auschwitz (München/Mainz 1986)[1]
- Fr.-W. *Marquardt,* Von Elend und Heimsuchung der Theologie – Prologemena zur Dogmatik (München 1988)

---

* Entstanden aus einem kurzen Statement „Was ist ‚Theologie nach Auschwitz‘?“, vorgetragen auf der Tagung des International Catholic-Jewish-Liaison Committee in Prag (3.–6. September 1990), auf der es vor allem um die religiöse und weltliche Basis des Antisemistismus der vergangenen 1900 Jahre und seine Beziehung zur Schoah ging.

[1] Dazu *F. Mußner* in: ThRev 83 (1987) 154–156. Weitere Literatur bei *Cl. Thoma,* Art. Holocaust, in: *J. J. Petuchowski/Cl. Thoma,* Lexikon der jüdisch-christlichen Begegnung (Freiburg i. Br./Basel/Wien 1989) 157 f. Ausdrücklich hingewiesen sei auch auf das Buch von *F. Rosenstiel* und *Schl. G. Shoham,* Der Sieg des Opfers. Jüdische Anfragen (deutsch Stuttgart 1980) und auf das Werk, Das Judentum – eine Wurzel des Christlichen. Neue Perspektiven des Miteinanders, hg. von B. *Nacke* und H. *Flothkötter* (mit einem Nachwort von F. Mußner) (Würzburg 1990).

- *Ders.,* Das christliche Bekenntnis zu Jesus, dem Juden. Eine Christologie. Band 1 (München 1990), Band 2 (München 1991)
- D. *Flusser,* Das Christentum – eine jüdische Religion (München 1990)

In den genannten Werken und Arbeiten finden sich wichtige Impulse für den Aufbau einer „Theologie nach Auschwitz“, am meisten naturgemäß in den drei Bänden von Friedrich-Wilhelm Marquardt. Alle genannten Werke und Arbeiten sind von der Überzeugung getragen, daß Theologie nach Auschwitz nicht identisch sein kann mit Theologie *vor* Auschwitz. Theologie nach Auschwitz nimmt erschrockene Kenntnis von dem furchtbaren Geschehen der Schoah. J. B. Metz bemerkt: „Man sage nicht: Schließlich gibt es für Christen andere Gotteserfahrungen als die von Auschwitz. Gewiß! Aber wenn es für uns keinen Gott in Auschwitz gibt, wie soll es ihn dann für uns anderswo geben?“[2] Es geht für Metz deshalb um die Frage, „ob wir Christen bereit sind, die Katastrophe von Auschwitz ‚eingedenkend‘ zu erfassen und sie als die Herausforderung, als die wir sie häufig moralisch beschwören, auch wirklich ernst zu nehmen – und zwar nicht nur im Blick auf unsere deutsche Geschichte und unser deutsches Geschichtsbewußtsein, sondern auch im Blick auf unser Christentum und unsere christliche Gottesrede“, also auf unsere Theologie. Und Fr.-W. Marquardt schreibt: „Das Leben der jüdischen Zeugen Gottes ist für den christlichen Glauben unentbehrlich, wenn er sich zum lebendigen Gott bekennen will. Und wenn es nach Auschwitz überhaupt noch einen Auftrag für Theologie gäbe, dann den: dem nachzudenken, was uns an Gott fehlt, wenn wir Israel verloren haben ... Ein von Auschwitz her gebieterisch rufendes ‚Nie wieder‘ setzt ein Geschichtsverständnis eigenen Ranges. Es erlaubt keine Flucht aus der Geschichte in eine wesentliche Unhistorizität des Glaubens, wie sie im Namen Christi oft vertreten wird“[3].

Es geht im Folgenden um die Vorlage eines Programms, mit dem (wenn auch keineswegs erschöpfend) Themen genannt werden sollen, die in einer „Theologie nach Auschwitz“ zur Sprache kommen müssen, geteilt in „Exegese nach Auschwitz“ und „Systematik nach Auschwitz“.

---

[2] In seinem Beitrag „Gotteslehrerin für uns alle“ in dem von Nacke und Flothkötter herausgegebenen Sammelband (s. Anm. 1) 26–34 (34).

[3] Von Elend und Heimsuchung der Theologie, 145 f.

II. „Exegese nach Auschwitz"

1. „Theologie nach Auschwitz" muß nicht bloß mit Blick auf die Systematik, sondern auch mit Blick auf die Exegese entwickelt werden. Das ist dem Lehrer des Neuen Testaments im Verlauf seines langen Lernprozesses immer mehr bewußt geworden. Er weiß allerdings auch, daß es gegenüber der Forderung nach einer „Exegese nach Auschwitz", verschieden von jener vor Auschwitz, beachtliche Vorbehalte gibt[4]. Dabei vergesse ich keineswegs, daß Exegese nach einem schönen Wort von J. Jeremias „Sache des Gehorsams" ist, nämlich gegenüber dem Text der Bibel. Es geht uns im Folgenden speziell um das Neue Testament[5].

2. Bei den Auslegern des Neuen Testaments bestand lange Zeit die Neigung, das christliche Profil, wie es sich im Neuen Testament zeigt, in Contraposition gegen das Judentum zu gewinnen. Als besondere, geradezu unentbehrliche Hilfe dabei galt (und gilt vielfach immer noch) das mehrbändige Werk von (H. L. Strack und) P. Billerbeck, Kommentar zum Neuen Testament aus Talmud und Midrasch (München 1922ff), das die Exegeten immer wieder dazu verführte, der christlichen Selbstgerechtigkeit zu verfallen, und zwar durch den Aufbau von „Feindbildern" („Talmudjude"), durch totale Verständnislosigkeit gegenüber der Halacha und ihren kasuistischen Entscheidungen (Vorwurf des ethischen „Formalismus"; Judentum als „Leistungs- und Verdienstereligion")[6] und durch mangelnde Kenntnisnahme des jüdischen Selbstverständnisses. Dazu kam der Vorwurf des „Gottesmordes" an Jesus von Nazareth. Dabei wurde häufig beim Aufsuchen

---

[4] Vgl. etwa *E. Gräßer*, Exegese nach Auschwitz? Kritische Anmerkungen zur hermeneutischen Bedeutung des Holocaust am Beispiel von Hebr 11, in: Kerygma und Dogma 27 (1981) 152–163 (Auseinandersetzung mit B. Klappert); wieder abgedruckt in: *ders.*, Der Alte Bund im Neuen. Exegetische Studien zur Israelfrage im Neuen Testament (Tübingen 1985) 259–270. Kritisch zu Gräßer: *K. Haacker*, Der Glaube im Hebräerbrief und die hermeneutische Bedeutung des Holocaust. Bemerkungen zu einer aktuellen Kontroverse, in: ThZ 39 (1983) 152–165 (kurze Zurückweisung dieser Kritik durch Gräßer a.a.O. 270 [„Nachtrag"]).

[5] Zum Alten Testament vgl. etwa *R. Rendtorff*, Die Hebräische Bibel als Grundlage christlich-theologischer Aussagen über das Judentum, in: *M. Stöhr*, Jüdische Existenz und die Erneuerung der christlichen Theologie, 32–47; *E. Zenger*, Die jüdische Bibel – unaufgebbare Grundlage der Kirche, in: *Nacke/Flothkötter* (Hg.), Das Judentum (s. Anm. 1) 57–85.

[6] Das Beste, was ich je über die „Halacha" und den Vorrang des „Tuns" las, fand ich bei *Fr.-W. Marquardt*, Von Elend und Heimsuchung der Theologie, 182ff (190: „Halachische Schriftauslegung sichert den alten Bibeltexten ihren Anspruch auf Gegenwart"; 202: „Im halachischen Schriftsinn tritt die Frage der Verwirklichung vor die Frage der Sinn-Interpretation"; 204: „... im Tun des Willen Gottes [ist] der Nerv der geschichtlichen Wirklichkeit im ganzen zu suchen ...", genau wie bei Jesus).

von rabbinischen „Parallelen“ bzw. Gegen-„Parallelen“ der methodi sche Fehler gemacht, daß auf den Zeitenabstand keine Rücksicht genommen wurde: Was in Mischna und Talmud Rabbinen an Lehrentscheidungen zugewiesen wird, wurde als „typisch jüdisch“ schon für die Zeit Jesu postuliert[7].

3. „Exegese nach Auschwitz“ verlangt eine kritische Revision des „Pharisäerbildes“ der Evangelien[8], des generalisierenden Begriffs „die Juden“ im Johannesevangelium[9] und die Beachtung der gegnerischen Front der paulinischen Rechtfertigungslehre[10], um nur besonders Wichtiges zu nennen, an dem sich der theologische Antijudaismus ausgetobt hat.

4. „Exegese nach Auschwitz“ muß stets ins Bewußtsein der Christen rufen, daß Gott sein Volk Israel trotz seiner „Verstockung“ Jesus und dem Evangelium gegenüber nicht „verstoßen“ hat, vielmehr am Ende „ganz Israel gerettet werden wird“, wie der Apostel Paulus lehrt (Röm 11,1.26)[11]. Das Rätsel der „Verstockung“ Israels läßt erkennen, daß es nach dem Willen Gottes den Juden post Christum immerzu geben *muß*: als den bleibenden Zeugen für die Konkretheit der Heilsgeschichte, als die bleibende „Wurzel“ der Kirche und als ihren gottgewollten Begleiter durch die Geschichte bis zum Ende der Tage, als den lebendigen Zeugen für die undurchschaubaren Wege Gottes, als den endgültigen und endzeitlichen Zeugen der Übermacht der Gnade[12].

---

[7] Auf diese methodischen Fehler in der christlichen Exegese hat vor allem K. Müller hingewiesen; vgl. *K. Müller*. Zur Datierung rabbinischer Aussagen, in: *H. Merklein* (Hg.), Neues Testament und Ethik (Festschrift für Rudolf Schnackenburg) (Freiburg i. Br./Basel/Wien 1989) 551–587 (dazu *F. Mußner*, Methodisches Vorgehen beim „religionsgeschichtlichen Vergleich“ mit dem antiken Judentum, in: BZ 34, 1990, 246f).

[8] Vgl. dazu *F. Mußner*, Traktat über die Juden (München ²1988) 253–281 (mit Literatur); *ders.*, Die Kraft der Wurzel. Judentum – Jesus – Kirche (Freiburg i. Br./Basel/Wien ²1989) 21f; *J. Neusner*, Das pharisäische und talmudische Judentum. Neue Wege zu seinem Verständnis (Tübingen 1984) 41–111.

[9] Vgl. dazu *F. Mußner*, Traktat über die Juden (s. Anm. 8) 281–293 (mit Literatur); dazu noch *W. Trilling*, Gegner Jesu – Widersacher der Gemeinde – Repräsentanten der ‚Welt‘. Das Johannesevangelium und die Juden, in: *H. Goldstein* (Hg.), Gottesverächter und Menschenfeinde? Juden zwischen Jesus und frühchristlicher Kirche (Düsseldorf 1979) 190–210; *U. C. von Wahlde*, The Johannine ‚Jews‘. A critical Survey, in: NTSt 28 (1982) 33–60.

[10] Dazu *F. Mußner*, Theologische „Wiedergutmachung“ am Beispiel der Auslegung des Galaterbriefes, in: *ders.*, Die Kraft der Wurzel (s. Anm. 8) 55–64.

[11] Vgl. dazu *F. Mußner*, Israels „Verstockung“ und Rettung nach Röm 9–11, in: *ders.*, Die Kraft der Wurzel (s. Anm. 8) 39–54 (mit umfassender Literatur).

[12] Näheres dazu bei *F. Mußner*, Warum muß es den Juden post Christum noch geben? Reflexionen im Anschluß an Röm 9–11, in: *K. Kertelge* u.a., Christus bezeugen (Festschrift für Wolfgang Trilling) (Freiburg i. Br. 1989) 67–73, in diesem Band S. 51–59.

B. Klappert schreibt so[13]: „Die grundlegende Angewiesenheit der christlichen Kirche und Theologie auf das Judentum nach Auschwitz basiert auf dem Judentum

als Zeugen der Erinnerung,
als Zeugen der messianischen Hoffnung,
als Zeugen Gottes und der Erfahrung Gottes in und nach Auschwitz,
als Zeugen des einen Volkes Gottes und
als Zeugen des parteilich-universalen Dienstes für die leidende Menschheit in der messianischen Perspektive einer gerechten Weltgesellschaft."

III. „Systematik nach Auschwitz"[14]

1. Anthropologie

Nach Auschwitz ist für eine fröhlich-optimistische Anthropologie nur schwer noch ein Platz zu finden. Das „Ebenbild Gottes" wurde in den in Konzentrationslagern Geschundenen und Ermordeten geschändet wie selten zuvor. Die bösen Potenzen im Menschen haben sich in erschreckender Weise gezeigt[15]. Das ungeheure „SS-Potential" in der Menschheit wurde sichtbar. Der „Hitler in uns selbst" (M. Picard) kam zum Vorschein.

2. Geschichtsphilosophie und Geschichtstheologie

Auschwitz hat definitiv gezeigt, daß die Geschichte nicht bloß Freiheitsgeschichte ist, wie Hegel und Karl Marx sie verstanden[16], vielmehr auch Unfreiheitsgeschichte. Damit hängt zusammen, daß die Geschichte nicht voraussagbar ist. Hegel und Marx haben sich geirrt, als sie glaubten, endlich hinter die Logik, nach der die Geschichte verläuft, gekommen zu sein. Die Geschichte verläuft nicht so, wie der

---

[13] Die Juden in einer christlichen Theologie nach Auschwitz, in: *G. B. Ginzel* (Hg.), Auschwitz als Herausforderung für Juden und Christen, 481–512 (511).

[14] Vgl. auch *Cl. Thoma,* Theologie ohne Judenfeindschaft. Eine Problemanzeige für die Systematische Theologie, in: *M. Stöhr* (Hg.), Jüdische Existenz und die Erneuerung der christlichen Theologie, 13–31; *H.-J. Kraus,* Systematische Theologie im Kontext biblischer Geschichte und Eschatologie (Neukirchen-Vluyn 1983).

[15] Vgl. auch *H. Askenasy,* Sind wir alle Nazis? Zum Potential der Unmenschlichkeit (Frankfurt/M. 1979).

[16] Vgl. dazu *F. Mußner,* Freiheit nach Hegel, Marx und Paulus, in: *ders.,* Die Kraft der Wurzel (s. Anm. 8) 172–190.

Kommunismus es sich vorgestellt hat; sein weltweiter Zusammenbruch, dessen Zeugen wir geworden sind, ließ das die Menschheit erkennen, wenn sie es erkennen will. Hegel glaubte, die Logik, nach der nach seiner Meinung die Geschichte abläuft, auf Formeln bringen zu können, und er hat versucht, die von ihm angenommene Logik der Geschichte an ihrem konkreten Verlauf zu verifizieren. Dabei stand ihm aber der Jude im Weg. Er versuchte zwar, das Judentum in den Prozeß der Freiheitsgeschichte, wie er sie sah, einordnen zu können – als Stufe des Gesetzes, die durch die Stufe der Freiheit, zu der uns Christus befreit hat (Gal 5,10), abgelöst wurde –, aber dennoch sprach er von dem „dunklen Rätsel Israel", weil er offensichtlich das Gefühl hatte, daß schon die bloße Existenz der Juden die Logik der Geschichte, wie er sie verstand, stört. Die Sonderexistenz des Juden macht die Sicht einer nach bestimmten logischen Gesetzen ablaufenden Geschichte nicht möglich. Die „Logik" Gottes in der Führung seines Volkes Israel ist uns rational nicht zugänglich; das wußte der Apostel Paulus (vgl. Röm 11,33–35!)[17].

3. Die Gottesfrage

Hängt die „Gottesfrage" schon mit dem eben Ausgeführten zusammen, so wurde sie durch Auschwitz verschärft mit der Frage: „Wieso konnte Gott (der Gott Israels!) so etwas Schreckliches wie die Schoah zulassen?", jener Gott, der doch in der Bibel als der „menschenfreundliche" proklamiert wird; „gerade unser Glaube an die Menschlichkeit Gottes ist den Opfern von Auschwitz widerlegt worden" (Fr.-W. Marquardt)[18]. „Auschwitz ist das hiobhafteste Ereignis nach dem Kreuz" (B. Klappert)[19]. Auch Klappert erzählt[20], was Elie Wiesel berichtet hat: „Die SS erhängte zwei jüdische Männer und einen Jungen vor der versammelten Lagermannschaft. Die Männer starben rasch, der Todeskampf des Jungen dauerte eine halbe Stunde. ‚Wo ist Gott? Wo ist er?' fragte einer hinter mir." Als nach langer Zeit der Junge sich immer noch am Strick quälte, „hörte ich den Mann wieder fragen: ‚Wo ist

[17] Näheres dazu bei *F. Mußner,* Die „Logik" Gottes nach Röm 9–11, in diesem Band S. 61–63.

[18] In: *Fr.-W. Marquardt/A. Friedlander,* Das Schweigen der Christen und die Menschlichkeit Gottes. Gläubige Existenz nach Auschwitz (München 1980) 33. Vgl. auch noch *W. Huber,* Allmacht und Ohnmacht. Die Gottesfrage nach Auschwitz und Hiroshima, in *E. Blum u.a.* (Hg.), Die Hebräische Bibel und ihre zweifache Nachgeschichte (FS f. R. Rendtorff) (Neukirchen-Vluyn 1990) 607–617.

[19] Die Juden in einer christlichen Theologie nach Auschwitz (s. Anm. 13) 505.

[20] Ebd. 501.

Gott jetzt?‘ Und ich hörte eine Stimme in mir antworten: ‚Wo ist Er? Hier ist Er – Er hängt dort am Galgen ...‘.“

Marc Chagall hat bekanntlich in seinen Christusbildern den gekreuzigten Christus als den geschundenen Juden interpretiert – der Gekreuzigte trägt als Lendenschurz den Gebetsschal[21]. Selbst auf dem wunderbaren Gemälde über das Paradies erscheint visionär das Kreuz mit dem Gekreuzigten (zu sehen im Chagall-Museum in Nizza)[22]. Der Sinn der Schoah läßt sich nicht ergründen, aber sie hat uns endgültig gezeigt, daß Gott der „verborgene“ Gott ist (vgl. Jes 45,15), der sich nicht in die Karten schauen läßt, dessen „Entscheidungen unerforschlich und dessen Wege unergründlich sind, dessen ‚Ratgeber‘ kein Sterblicher war“: dies schreibt Paulus in Röm 11,33f mit Blick auf die seltsamen Wege Gottes mit seinem Volk Israel! In Auschwitz haben sich diese Sätze auf erschreckende Weise bestätigt. Jetzt wissen wir: Gott ist „kein gemütlicher älterer Onkel“ (S. Kierkegaard). Gott läßt sich nicht auf glatte Formeln bringen, er läßt sich nicht „definieren“. Die mitgebrachten Vorstellungen von Gott versagen vielfach. Da bleibt nur Anbetung vor dem „absoluten Geheimnis“.

4. Christologie (Jesulogie)

Es ist vor allem Fr.-W. Marquardt, der es wagt, eine „Christologie nach Auschwitz“ zu schreiben[23]. Daß Jesus ein Jude war, ist hinlänglich bekannt, aber mit dieser Kenntnisnahme, die zwar auch lange Zeit keine Selbstverständlichkeit war, liegt noch lange nicht eine „Christologie nach Auschwitz“ vor. Was muß sie zur Sprache bringen? Vor allem folgende Themen:

- Jesu Herkunft
- Jesus als Jude unter Juden
- Der Anspruch Jesu[24]
- Alttestamentliche Vorgaben der Christologie[25]

---

[21] Vgl. dazu *H.-M. Rotermund*, Marc Chagall und die Bibel (Lahr 1980) 111–138.

[22] Dazu noch *F. Mußner*, Traktat über die Juden (s. Anm. 8) 76f.

[23] Das christliche Bekenntnis zu Jesus, dem Juden. Eine Christologie (2 Bände, München 1990f). Vgl. auch noch *B. McGarry*, Christology after Auschwitz (New York 1977); *G. Lindeskog*, Die Jesusfrage im neuzeitlichen Judentum. Ein Beitrag zur Geschichte der Leben-Jesu-Forschung (Nachdruck Darmstadt 1973); *W. Vogler*, Jüdische Jesusinterpretationen in christlicher Sicht (Weimar 1988).

[24] Dazu *F. Mußner*, Die Kraft der Wurzel (s. Anm. 8) 104–124.

[25] Vgl. dazu etwa *H.-J. Kraus*, Aspekte der Christologie im Kontext alttestamentlich-jüdischer Tradition, in: *E. Brocke/G. Seim* (Hg.), Gottes Augapfel. Beiträge zur Erneuerung des Verhältnisses von Christen und Juden (Neukirchen-Vluyn 1986) 1–23; *F. Mußner*, Ursprünge und Entfaltung der Neutestamentlichen Sohneschristologie. Ver-

- Jesus als Israel[26]
- Israel als „formale Christologie“[27]
- Jesus als der „für euch [die Juden] bestimmte Christus“ (Apg 3,20f)
- Der „ewige Jude“ Jesus zur Rechten des Vaters
- Ist durch Jesus Neues in die Welt gekommen?[28]

5. Ekklesiologie

Ekklesiologie innerhalb einer „Theologie nach Auschwitz“ muß endlich zur Kenntnis nehmen, daß nach der Lehre des Apostels Paulus die Kirche „Mitteilhaberin an der Wurzel des fetten Ölbaums“ ist (vgl. Röm 11,17)[29], weshalb das „Partizipationsmodell“ das einzig richtige für die Verhältnisbestimmung Kirche/Israel zu sein scheint[30]. Erinnert sich die Kirche ihrer von Gott „allein aus Gnade“ geschenkten Mitteilhaberschaft an der Wurzel des fetten Ölbaums, der Israel ist, dann wird sie endlich auch die zwei Mahnungen des Apostels beachten: „rühme dich nicht gegen die Zweige!“ (Röm 11,18a), und: „denke nicht hoch [über die „verstockten“ Juden], vielmehr fürchte dich!“ (11,20b). „Wird ein Mensch Christ, so beruft Gott ihn eben damit zur Lebensgemeinschaft mit dem jüdischen Volk“ (Fr.-W. Marquardt)[31].

IV. Eine These

Sie lautet:

Ohne den Aufbau einer „Theologie nach Auschwitz“ gibt es keinen wirklichen Abbau des christlichen Antijudaismus.

such einer Rekonstruktion, in: *L. Scheffczyk* (Hg.) Grundfragen der Christologie heute (QD 72) (Freiburg i. Br./Basel/Wien ²1978) 77–113; *H. Frankemölle*, Neutestamentliche Christologien vor dem Anspruch alttestamentlicher Theologie, in: BiLe 15 (1974) 258–269; *ders.*, Neutestamentliche Christologie als jüdische Glaubenszeugnisse, in: *Nacke/Flothkötter*, Das Judentum (s. Anm. 1) 104–126 (weitere Literatur); *B. Klappert*, „Mose hat von mir geschrieben“. Leitlinien einer Christologie im Kontext des Judentums. Joh 5,39–47, in: *E. Blum u. a.* (Hg.), Die Hebräische Bibel (s. Anm. 18) 619–640.

[26] Vgl. dazu *F. Mußner*, Traktat über die Juden (s. Anm. 8) 208–211.

[27] Vgl. *Fr.-W. Marquardt*, Das christliche Bekenntnis zu Jesus, dem Juden, Band 2, § 7.

[28] Zu dieser Frage vgl. *F. Mußner*, Die Kraft der Wurzel (s. Anm. 8) 140–150.

[29] Dazu Näheres bei *F. Mußner*, Die Kraft der Wurzel (s. Anm. 8) 153–159.

[30] Dazu *B. Klappert*, Israel und die Kirche. Erwägungen zur Israellehre Karl Barths (München 1980) 14–37.

[31] Von Elend und Heimsuchung der Theologie, 374.

V. Psalm 44,12–27

„Du gabst uns hin wie Schlachtvieh und zerstreutest uns unter die Völker.
Du verkauftest dein Volk für ein Nichts und hattest doch keinen Gewinn an seinem Erlös.
Zur Schande machtest du uns für unsere Nachbarn,
zum Spott und Hohn für unsere Umgebung.
Zum Sprichwort machtest du uns unter den Völkern,
zum Kopfschütteln unter den Nationen.
Alle Tage steht meine Schande mir vor Augen,
und Schmach bedeckt mein Angesicht
vor dem Lärm des Spötters und Lästerers,
angesichts des Feindes und Rachsüchtigen.
All dies kam über uns, doch hatten wir dich nicht vergessen
und nicht verleugnet deinen Bund.
Unser Herz ist nicht zurückgewichen
noch unser Schritt von deinem Pfad abgebogen,
daß du uns niedergeschlagen am Ort der Schakale
und uns mit Finsternis bedeckt hast.
Wenn wir unseres Gottes Namen vergaßen
und ausgestreckt nach fremden Göttern unsre Hände,
würde JHWH das nicht merken?
Er kennt doch des Herzens Tiefen!
Ja, *um deinetwillen* werden wir immerzu getötet,
sind wie Schlachtschafe geachtet.
Erwache! Warum schläfst du, Herr?
Wach auf, verwirf nicht für immer!
Warum verbirgst du dein Antlitz,
vergißt unsere Not und Drangsal?
Ja, wir sind gebeugt in den Staub,
es klebt an der Erde unser Leib.
Erhebe dich, uns zur Hilfe!
Erlöse uns, um deiner Huld willen!“[32]

Letztlich ist auch das furchtbare Geschehen der Schoah nicht zu verstehen ohne den Blick auf dieses *„um deinetwillen“*, von dem in dem Psalm die Rede ist (V. 23 a). Und das heißt doch: um JHWH willen! Die sechs Millionen Juden, die an den Orten der Schoah, wie in Auschwitz, ums Leben kamen, wurden „um deinetwillen getötet Tag für Tag“ und „behandelt wie Schafe, die man zum Schlachten be-

[32] Übersetzung nach *H.-J. Kraus*, Psalmen I (Neukirchen ²1961).

stimmt hat“. Wäre das Volk der Juden nicht das erwählte Volk JHWHs, dann wäre es auch nicht jenes einmalige „Sondervolk“, das aus dem Rahmen der Gojim fällt, was diese dem Juden nie verzeihen können. Hier liegen die eigentlichen Wurzeln das Antijudaismus bis zum heutigen Tag. Wenn sich zum „Sinn“ der Schoah etwas sagen läßt, dann nur von diesem „um deinetwillen“ her. „Das Leiden trifft die Volksgemeinde, weil sie zu JHWH gehört“ (H.-J. Kraus)[33]. Und: „Hier liegen die *signa crucis* bereits auf dem alttestamentlichen Gottesvolk“ (ders.)[34]. Das Kreuz aber erhebt sich im dunklen Schoß der Gottheit; sein Geheimnis läßt sich nicht ergründen, auch nicht in einer „Theologie nach Auschwitz“.

---

[33] Ebd. I, 328.
[34] Ebd. I, 329.

Quellenangabe der Beiträge

Katholisch-Jüdischer Dialog seit 1945 (nicht veröffentlicht).
Wer ist „dieses Geschlecht" in Mk 13,30 Parr.?, in: KAIROS 29 (1987) 23–28.
Heil für alle, in: KAIROS 23 (1981) 207–214.
„Der von Gott nie gekündigte Bund" (erscheint auch in der Festschrift für Bischof Josef Stimpfle, 1991).
Warum muß es den Juden post Christum noch geben?, in: K. Kertelge u. a. (Hg.), Christus bezeugen (Festschrift für Wolfgang Trilling) (Leipzig 1989) 67–73.
Die „Logik" Gottes nach Röm 9–11 (nicht veröffentlicht).
Hilfen aus Röm 9–11 zum Abbau des christlichen Antijudaismus (nicht veröffentlicht).
Paulinischer Antijudaismus? (nicht veröffentlicht).
„Christus (ist) des Gestzes Ende zur Gerechtigkeit für jeden, der glaubt", in: M. Barth u. a., Paulus – Apostat oder Apostel? Jüdische und christliche Antworten (Regensburg 1977) 31–44.
Die Stellung zum Judentum in der „Redenquelle" und in ihrer Verarbeitung bei Matthäus, in: L. Schenke (Hg.), Studien zum Matthäusevangelium (Festschrift für Wilhelm Pesch) (Stuttgart 1988) 209–225.
Die Erzählintention des Lukas in der Apostelgeschichte (erscheint auch in der Festschrift für Gerhard Schneider, 1991).
Überlegungen eines Biblikers zum „Historikerstreit", in: J. J. Degenhardt (Hg.), Die Freude an Gott – unsere Kraft (Festschrift für Otto Bernhard Knoch) (Stuttgart 1991) 246–251.
Gemeinsame Aufgaben und Ziele von Juden und Christen gegenüber der modernen Welt, in: KAIROS 29 (1987) 159–165.
„Das Wesen des Christentums ist συνεσθίειν", in: H. Roßmann/J. Ratzinger (Hg.), Mysterium der Gnade (Festschrift für Johann Auer) (Regensburg 1975) 92–102.
Das Reich Christi, in: M. Böhnke/H. Heinz (Hg.), Im Gespräch mit dem dreieinen Gott (Festschrift für Wilhelm Breuning) (Düsseldorf 1985) 141–155.
Was ist die Kirche?, in: R. Beer u. a. (Hg.), „Diener in Eurer Mitte" (Festschrift für Bischof Antonius Hofmann) (Passau 1984) 82–90.
„Theologie nach Auschwitz" (nicht veröffentlicht).

Werke von Franz Mußner im Verlag Herder:

Der Jakobusbrief (HthK XIII, 1) ([5]1987).
Der Galaterbrief (HthK IX) ([5]1988).
Geschichte der Hermeneutik von Schleiermacher bis zur Gegenwart (Handbuch der Dogmengeschichte Fasc 3c, Tl2) ([2]1976).
Die johanneische Sehweise und die Frage nach dem historischen Jesus (QD 28) (vergriffen).
Petrus und Paulus – Pole der Einheit (QD 76) (vergriffen).
Theologie der Freiheit nach Paulus (QD 75) (vergriffen).
Hören auf sein Wort. Verkündigung im Kirchenjahr (vergriffen).
Was lehrt Jesus über das Ende der Welt? ([3]1987).
Die Kraft der Wurzel. Judentum – Jesus – Kirche ([2]1989).

Bücher von Franz Mußner im Verlag Herder

Der Galaterbrief
Herders theologischer Kommentar zum Neuen Testament Band 9
5. Auflage, 456 Seiten, gebunden
ISBN 3-451-16765-4

„In diesem Galaterkommentar hat Franz Mußner nicht nur die Frucht einer jahrelangen intensiven Forschungsarbeit vorgelegt, sondern ein Werk, das den Namen eines exegetischen „Chef-d'œuvre" vollauf verdient, vor allem deshalb, weil sich darin auch eine originelle, profilierte theologische Konzeption zu erkennen gibt" (Biblische Zeitschrift).

Der Jakobusbrief
Herders theologischer Kommentar zum Neuen Testament Band 13/1
5. Auflage, 288 Seiten, gebunden
ISBN 3-451-14117-5

„Der Kommentar des Jakobusbriefes von Franz Mußner gehört zu den besten derzeit auf dem Buchmarkt befindlichen. Das wissenschaftliche Niveau, mit dem operiert wird, seine transparente Form der Problemaufdeckung und die Tiefe seiner Schlußfolgerungen veranlassen den Leser, das Werk in einem Zug durchzuarbeiten. Mußners Kommentierung der Lehre des Jakobus wird zur universellen Lebensgrundlage auch des heutigen Menschen" (Estudio Agustiniano).

Die Kraft der Wurzel
Judentum – Jesus – Kirche
2. Auflage, 192 Seiten, gebunden
3-451-20954-3

„Es ist eine höchst willkommene Einführung für jeden, dem eine aus dem Neuen Testament erwachsene Sicht der Korrespondenz zwischen Judentum und Kirche vorschwebt und der mit Mußner diese Thematik als zentral für das Neue Testament wie für unsere künftige christliche Lehre und Verkündigung erachtet" (Judaica).

Verlag Herder Freiburg · Basel · Wien

Das lexikalische Standardwerk zum jüdisch-christlichen Dialog

Jakob J. Petuchowski/Clemens Thoma
Lexikon der jüdisch-christlichen Begegnung
256 Seiten, gebunden
ISBN 3-451-21245-5

„Zum ersten Mal in der Geschichte der beiden Religionen ein Gemeinschaftswerk, das die Ergebnisse intensiver Begegnung fruchtbar werden läßt für die Zukunft von Judentum und Christentum“ (Tagesspiegel).

„Es gibt nichts Vergleichbares“ (Friede über Israel).

„Für eine gründliche Kenntnis des jüdischen Partners und auch für die eigene Position ist dieses Buch für jeden unerläßlich, der im jüdisch-christlichen Dialog steht. Man kann dem Buch nur weite Verbreitung wünschen“ (Deutsches Pfarrerblatt).

„Knapper und klarer und zugleich auf dem gegenwärtigen Stand der internationalen Forschung wird sich der Leser wohl kaum informieren können“ (Religionsunterricht an höheren Schulen).

Verlag Herder Freiburg · Basel · Wien

DATE DUE

Printed
in USA